De pers over *Noorderveen*:

'*Noorderveen* is een zeer onderhoudend, intelligent en ingenieus boek. (...) Arnaldur heeft veel geschreven, laat de vertalers maar aan het werk gaan. Ik zal zijn boeken met veel plezier lezen, dat weet ik nu al.' – TROUW

'De hoofdpersoon, politieman Erlendur, is sympathiek en charismatisch, zijn gezinsproblemen (...) zijn intrigerend en de moord die hij moet oplossen is complex. Maar vooral het IJslandse decor (...) wordt door Indriðason sfeervol neergezet.' – VN'S DETECTIVE & THRILLERGIDS

'*Noorderveen* is een knap geschreven, mooi gedoseerde thriller.' – DE MORGEN

'Auteur Arnaldur Indriðason heeft geen ingeslagen schedels of uitgerukte ingewanden nodig om een intelligente detectiveroman te schrijven. Te volgen!' – GAZET VAN ANTWERPEN

'Een prachtig boek.' – CRIMEZONE.NL

'Een boeiende, maar sober vertelde en uiterst knappe en intelligente thriller.' – NBD

3463

Van dezelfde auteur

Maandagskinderen
Moordkuil
Engelenstem
Koudegolf

Bezoek onze internetsite www.awbruna.nl
voor informatie over al onze boeken.

Arnaldur Indriðason

Noorderveen

Zwarte Beertjes
Utrecht

Oorspronkelijke titel: Mýrin
© 2002 Arnaldur Indriðason
Published by agreement with Edda, Media and Publishing, Reykjavík.
Vertaling: Paula Vermeyden, verbonden aan het Scandinavisch
Vertaal- en Informatiebureau Nederland
Omslagontwerp: Wil Immink Design
Omslagbeeld: © Raymond Gehman/Getty Images (landschap) en
© Spike Mafford/Imagestore (meisje)
© 2009 A.W. Bruna Uitgevers B.V., Utrecht

ISBN 978 90 461 1351 6
NUR 313

Het is verdommé één groot stinkend moeras!
Erlendur Sveinsson, rechercheur

Dit verhaal is verzonnen. Namen, personen, plaatsen en gebeurtenissen zijn aan de fantasie van de auteur ontsproten en elke overeenstemming met de werkelijkheid berust op puur toeval.

IJsland kent, een aantal uitzonderingen daargelaten, geen familienamen. Als achternaam gebruikt men de naam van de vader gevolgd door son (zoon) of dóttir (dochter). Als de vader het kind niet erkent, krijgt het kind de naam van de moeder. Zo is Auður in dit boek Kolbrúnsdóttir, omdat ze niet door de vader is erkend.
In IJsland staan de mensen op hun voornaam in het telefoonboek.

Hoewel het IJslands de beleefdheidsvorm 'u' wel kent, wordt deze zelden gebruikt. Iedereen, met uitzondering van de president en enkele hoge functionarissen, wordt met de voornaam of 'je' aangesproken. Daarom is er in dit boek gekozen voor de aanspreekvorm 'je'.

REYKJAVIK 2001

1

De woorden stonden met potlood op een stuk papier geschreven dat op de dode was neergelegd. Drie woorden, Erlendur een raadsel.

Het lijk was dat van een man van een jaar of zeventig. Hij lag op zijn rechterzij op de grond in een kleine zitkamer, tegen een bank aan, gekleed in een blauw overhemd en een lichtbruine ribfluwelen broek. Hij had pantoffels aan. Zijn haar begon dun te worden en was bijna helemaal grijs. Bloed uit een grote hoofdwond had het rood gekleurd. Op de grond niet ver van het lijk lag een grote glazen asbak met heel scherpe hoeken. Ook daar zat bloed op. De tafel was omgevallen.

Het was een souterrain in een huis van twee verdiepingen in Noorderveen. Het stond in een kleine tuin met aan drie kanten een muur eromheen. De bomen hadden hun bladeren laten vallen en die vormden zo'n dikke laag op de grond dat de aarde niet meer te zien was. De grillig gevormde takken van de bomen reikten naar de zwarte hemel. Een gravelpad voerde naar een garage. Er reden nog steeds mensen van de recherche in Reykjavík voor. Ze liepen ongehaast rond als spoken in een oud huis. Het wachten was op een arts die de overlijdensverklaring moest tekenen. De vondst van de dode was vijftien minuten geleden gemeld. Erlendur was een van de eersten die ter plekke waren. Sigurður Óli kon nu elk moment komen.

Het oktoberduister viel over de stad en in de herfststorm waaide de regen alle kanten op. Iemand had een lamp aangedaan die op een tafel in de kamer stond en een spookachtig licht over de omgeving wierp. Verder had niemand iets aangeraakt. De mannen van de Technische Dienst waren bezig met het plaatsen van sterke tl-lampen op statief. Daar zou de woning mee verlicht worden. Erlendur zag een boekenkast en een versleten bankstel, een huiskamertafel, in de hoek een oud bureau, een kleed op de grond, bloed op het kleed. Vanuit de kamer kon je de keuken in, een andere deur voerde naar een hal en een gangetje met twee kamers en een toilet.

De bovenbuurman had de politie gewaarschuwd. Hij kwam die middag thuis nadat hij zijn twee zoontjes uit school had gehaald en vond het vreemd dat de deur van het souterrain openstond. Hij stak zijn hoofd om de hoek van de deur van zijn buurman en riep hem, niet wetend of hij thuis was. Er kwam geen antwoord. Hij wierp een blik in de woning en riep de naam van zijn buurman nog eens, maar er kwam geen reactie. Ze woonden al een paar jaar op de eerste verdieping, maar kenden de bejaarde man in het souterrain niet erg goed. De oudste zoon, negen jaar oud, was niet zo omzichtig als zijn vader en stond in de kamer van de buurman voor zijn vader het in de gaten had. Even later kwam de jongen weer naar buiten en zei dat er een dode man in de woning lag. Hij leek er niet bijzonder van onder de indruk.

"Je kijkt te veel naar films", zei zijn vader, die op zijn beurt behoedzaam de woning binnen ging en zijn buurman badend in zijn bloed op de grond zag liggen.

Erlendur wist hoe de dode heette. Zijn naam stond onder de bel. Maar om te voorkomen dat hij een flater zou slaan, trok hij een paar dunne gummihandschoenen aan en haalde de portefeuille van de man uit een jasje dat aan een haak in de hal hing. Op een betaalpas vond hij een foto van hem. Hij heette Holberg en was 69 jaar. Thuis overleden. Hoogstwaarschijnlijk vermoord.

Erlendur liep door de woning en liet de meest voor de hand liggende vragen door zijn hoofd gaan. Dat was zijn werk, te onderzoeken wat zichtbaar was; de Technische Dienst hield zich met de geheimen bezig. Hij zag geen tekenen van braak, niet aan de deuren en niet aan de ramen. Op het eerste gezicht leek het er dus op dat de man zelf zijn aanvaller had binnengelaten. De buren hadden een spoor van natte voeten in de hal en op het kleed in de kamer achtergelaten, toen ze uit de regen naar binnen waren gekomen, en dat zou de aanvaller ook wel hebben gedaan. Tenzij hij zijn schoenen bij de deur had uitgetrokken. De Technische Dienst had stofzuigers bij zich om zelfs de kleinste pluisjes te verzamelen en poeder om aanwijzingen zichtbaar te maken. Ze zochten naar vingerafdrukken en naar modder van schoenen die niet in het huis thuishoorden. Ze zochten naar iets wat vanbuiten kwam. Iets wat dood en verderf had achtergelaten.

Erlendur zag niets dat erop wees dat de man zijn bezoeker erg gastvrij had ontvangen. Hij had geen koffiegezet. Het koffiezetapparaat in de keuken zag er niet naar uit dat het de laatste uren was gebruikt. Er waren geen tekenen dat er thee was gedronken en er waren geen kopjes uit de kast gehaald. Glazen stonden onaangeraakt op hun plaats. De vermoorde man was netjes geweest. Alles keurig in orde bij hem. Misschien had hij zijn aanvaller niet goed gekend. Misschien was de bezoeker hem zonder meer te lijf gegaan zodra de deur openging. Zonder zijn schoenen uit te trekken.

Kun je op je sokken een moord plegen?

Erlendur keek om zich heen en bedacht dat hij zijn gedachten wat beter op een rijtje moest zien te krijgen.

In elk geval had de bezoeker haast gehad. Hij had niet de moeite genomen om de deur achter zich dicht te doen. De aanval zelf wees op haast, alsof hij onverhoeds en zonder enige waarschuwing had plaatsgevonden. Er waren geen tekenen van een gevecht in de woning. Het leek of de man regelrecht tegen de grond was gegaan en daarbij op de tafel beland was, die toen was omgevallen. Verder was zo op het eerste gezicht niets aangeraakt. Erlendur kon niets zien dat op roof wees. Alle kasten waren zorgvuldig gesloten, ook de laden, een tamelijk nieuwe computer en een oude geluidsinstallatie stonden netjes op hun plaats, de portefeuille van de man zat in zijn jasje op een haak in de hal met één biljet van tweeduizend kronen en twee betaalkaarten, een creditcard en een bankpas erin.

Het leek of de aanvaller het eerste het beste dat voorhanden was had opgepakt en de man daarmee een klap tegen zijn hoofd had gegeven. De asbak was van dik, groenachtig glas en woog volgens Erlendur minstens anderhalve kilo. Een moordwapen voor wie dat wilde. De aanvaller zou hem wel niet hebben meegebracht en vervolgens bebloed op de vloer van de kamer hebben laten liggen.

De volgende aanwijzingen waren duidelijk: de man had de deur opengedaan en zijn bezoeker binnen genood; in elk geval was hij met hem naar de kamer gegaan. Hoogstwaarschijnlijk kende hij zijn bezoeker, maar helemaal zeker was dat niet. Hij werd met de asbak aangevallen, één geweldige klap, waarna de aanvaller naar buiten was gevlogen en de deur naar de woning open had laten staan. Klaar als een klontje.

Op de boodschap na.

De boodschap was op een gelinieerd A4-velletje geschreven dat uit een schrijfblok gescheurd leek te zijn en vormde de enige aanwijzing dat er een misdaad met voorbedachten rade was gepleegd; ze wees erop dat de man duidelijk op bezoek gekomen was met het voornemen de man te doden. De gast was niet ineens daar in de kamer door moordlust bevangen. Hij was gekomen met het voornemen een moord te begaan. Hij had een boodschap geschreven. Drie woorden waar Erlendur niets mee aan wist te vangen. Had hij die woorden al geschreven voor hij het huis binnenkwam? Alweer een duidelijke vraag waarop een antwoord moest worden gevonden. Erlendur liep naar het bureau van de man dat in een hoek van de kamer stond. Op het bureaublad lag een hele vracht formulieren, rekeningen, enveloppen, kranten. Bovenop lag een schrijfblok. Hij zocht naar een potlood maar vond er geen op het bureau. Hij keek rond en vond het potlood onder het bureau op de grond. Hij raakte niets aan, keek en dacht na.

"Dit is nou weer zo'n typisch IJslandse moord, vind je ook niet?" zei Sigurður Óli, die het souterrain was binnengekomen zonder dat Erlendur dit gemerkt had en nu bij de dode stond.

"Wat?" zei Erlendur, diep in gedachten.

"Smerig, zinloos en zonder zelfs maar een poging te doen om hem geheim te houden, sporen te veranderen of bewijzen weg te werken."

"Ja", zei Erlendur. "Een akelige IJslandse moord."

"Tenzij hij op de tafel gevallen is en met zijn hoofd op de asbak belandde", zei Sigurður Óli. Elínborg was met hem meegekomen. Erlendur had geprobeerd het rondlopen van de rechercheurs, de mannen van de Technische Dienst en het ambulancepersoneel in te perken zolang hij, met zijn hoed op, voorovergebogen door het huis liep.

"En tijdens zijn val een onbegrijpelijke boodschap opschreef?" vroeg Erlendur.

"Misschien had hij die in zijn hand."

"Begrijp jij iets van die boodschap?"

"Misschien slaat het op God", zei Sigurður Óli. "Misschien op de moordenaar, ik weet het niet. De nadruk op het laatste woord is wel eigenaardig. HEM in hoofdletters."

"Het lijkt me niet dat het in haast geschreven is. Het laatste woord is in blokletters en de twee andere in schuinschrift. De bezoeker heeft de tijd genomen voor zijn schrijfwerk. Toch doet hij de deur niet achter zich dicht. Wat heeft dat te betekenen? Valt de man aan en rent naar buiten maar schrijft eerst wat onbegrijpelijke nonsens op een stuk papier, waarbij hij zijn best doet om het laatste woord extra nadruk te geven."

"Het moet wel op hem slaan", zei Sigurður Óli. "Op de dode, bedoel ik. Het kan niet op iemand anders slaan."

"Dat weet ik niet", zei Erlendur. "Waarom laat hij zo'n bericht achter en legt hij dat op het lijk neer? Wie doet zoiets? Wat wil de moordenaar ermee zeggen? Is hij ons iets aan het vertellen? Is hij met zichzelf in gesprek? Praat hij tegen de dode?"

"Een verwarde geest", zei Elínborg die zich voorover wilde buigen om het briefje op te pakken. Erlendur hield haar tegen.

"Misschien waren het er wel meer dan een", zei Sigurður Óli. "Die hem aanvielen."

"Denk aan je handschoenen, lieve Elínborg", zei Erlendur op een toon of hij het tegen een kind had. "Geen bewijzen vernietigen. De boodschap werd daar op het bureau geschreven", voegde hij eraan toe en hij wees naar de hoek van de kamer. "Het papier is uit een schrijfblok van het slachtoffer gescheurd."

"Misschien waren het er wel meer dan een", herhaalde Sigurður Óli. Hij vond dat hij een belangrijk punt aan de orde stelde.

"Ja, ja", zei Erlendur. "Misschien."

"Wel erg koelbloedig", zei Sigurður Óli. "Eerst sla je een oude man dood en dan ga je zitten schrijven. Heb je daar geen stalen zenuwen voor nodig? Is iemand die zoiets doet geen gemene rotzak?"

"Of een ijskoude?" zei Elínborg.

"Of iemand met een messiascomplex", zei Erlendur.

Hij boog zich over naar de boodschap en las hem in stilte.

Een wel heel groot messiascomplex, dacht hij bij zichzelf.

2

Erlendur kwam die avond rond tien uur thuis in zijn flat en zette een kant-en-klaarmaaltijd in de magnetron. Hij stond ervoor te kijken hoe de maaltijd rondjes draaide achter de glasruit en dacht bij zichzelf dat hij op televisie vaak slechtere programma's had gezien. Buiten gierde de herfstwind, zwanger van regen en duisternis.

Hij stond te denken aan mensen die een boodschap achterlieten en er tussenuit knepen. Wat zou hijzelf op een briefje schrijven? Voor wie zou hij eigenlijk een boodschap achter moeten laten? Hij moest aan zijn dochter Eva Lind denken. Ze was verslaafd en zou willen weten of hij geld had. Ze werd wat dat betreft steeds brutaler. Zijn zoon Sindri Snær had onlangs zijn derde ontwenningskuur afgesloten. Een bericht voor hem zou simpel zijn: nooit meer Hiroshima. Erlendur glimlachte flauw en de magnetron liet op dat moment drie piep-signalen horen. Niet dat hij ooit zelfs maar bedacht had om er tussen-uit te knijpen.

Sigurður Óli en hij hadden gesproken met de buurman die het lijk had gevonden. De vrouw van de buurman was inmiddels thuis en had het erover gehad dat ze de jongens uit huis wilde halen en met hen naar haar moeder zou gaan. De buurman heette Ólafur. Hij zei dat het hele gezin, hijzelf, zijn vrouw en de beide jongens, elke ochtend om acht uur naar school en werk gingen en dat niemand voor vieren thuis kwam, op zijn vroegst; het was zijn taak om de jongens van school te halen. Toen ze die ochtend van huis gingen, hadden ze niets onge-woons opgemerkt. De deur naar de woning van de man was dicht geweest. Ze sliepen 's nachts vast. Hoorden niets. Ze hadden niet veel contact met de buurman. Ze kenden hem om zo te zeggen helemaal niet ook al woonden ze al een paar jaar op de bovenverdieping.

De patholoog-anatoom moest het precieze tijdstip van overlijden nog nader vaststellen, maar Erlendur dacht dat de moord midden op de dag gepleegd was. Tijdens de zogenaamde topuren. Wie heeft daar heden ten dage tijd voor, vroeg hij zich af. Naar de media was een bericht gezonden waarin verklaard werd dat er een ongeveer zeventig jaar oude man dood in zijn woning aan Noorderveen was aangetrof-fen, naar het zich aanzag vermoord. Eenieder die de afgelopen 24 uur verdachte personen in en om het huis van Holberg had waargenomen, werd verzocht om contact met de politie in Reykjavík op te nemen.

Erlendur was om en nabij de vijftig, al vele jaren gescheiden, vader van twee kinderen. Hij liet nooit iemand merken dat hij de namen van zijn kinderen vreselijk vond. Zijn ex-vrouw, die hij al meer dan twee decennia nauwelijks had gesproken, had ze indertijd mooi gevonden. Het was een pijnlijke scheiding geweest en Erlendur had het contact met zijn jonge kinderen grotendeels verloren. Toen ze ouder werden, hadden ze contact met hem gezocht en hij had ze met open armen ontvangen, bedroefd over wat er van hen geworden was. Vooral het lot van Eva Lind ging hem aan het hart. Sindri Snær was er beter aan toe. Een klein beetje beter maar.

Hij haalde het eten uit de magnetron en ging aan de keukentafel zitten. Zijn woning had twee kamers en overal waar er maar plaats voor was stonden boeken. Oude familiefoto's van verwanten uit de Oostfjorden hingen aan de muren, want daar kwam hij vandaan. Hij had geen foto's van zichzelf of van zijn kinderen. Tegen een van de muren stond een oud krakkemikkig Nordmende televisietoestel en daarvoor een nog krakkemikkiger leunstoel. Erlendur hield zijn woning redelijk schoon met een minimum aan inspanning.

Hij wist niet precies wat hij zat te eten. Op het kleurige pak stond iets over oosterse delicatessen maar het gerecht, dat in een soort deegrol verborgen zat, smaakte naar zure broodsoep. Erlendur schoof het van zich af. Hij vroeg zich af of hij het roggebrood nog had dat hij een paar dagen geleden had gekocht. En de leverworst. Op dat moment werd er gebeld. Eva Lind had besloten binnen te 'droppen'. Haar taalgebruik werkte hem op de zenuwen.

"Alles kits?" vroeg ze terwijl ze naar binnen schoot en zich met een plof op de bank in de kamer liet vallen.

"Hé", zei Erlendur, de deur sluitend, "gebruik dat koeterwaals niet tegen mij."

"Ik dacht dat je wilde dat ik mijn taal beter verzorgde", zei Eva Lind, die heel wat toespraken over taalgebruik van haar vader had moeten aanhoren.

"Zeg dan iets verstandigs."

Het was moeilijk te zien wie ze ditmaal was. Eva Lind was de beste toneelspeelster die hij ooit was tegengekomen, maar dat zei niet zoveel, want hij ging nooit naar de schouwburg of de bioscoop en keek bijna alleen naar de televisie als hij wist dat er een documentaire was. De toneelstukken van Eva Lind waren doorgaans familiedrama's in één tot drie bedrijven en gingen over de vraag hoe je het beste geld van Erlendur los kon krijgen. Het gebeurde niet vaak, want Eva Lind had zo haar eigen methoden om aan geld te komen en daar wilde Erlendur zo min mogelijk over weten. Maar zo nu en dan gebeurde het dat ze 'nogoddamsent' had, zoals ze dat noemde, en naar hem toe kwam.

Soms was ze zijn kleine meisje, dan kroop ze dicht tegen hem aan en snorde als een poes. Soms was ze op de grens van de wanhoop, stormde volkomen buiten zichzelf door de woning, ging tegen hem tekeer en verweet hem dat hij haar en Sindri Snær zo jong in de steek had gelaten. Bij zulke gelegenheden kon ze grof, lelijk en gemeen zijn. Soms scheen het hem toe dat ze heel gewoon was, bijna natuurlijk, als er tenminste iets bestaat wat je natuurlijk kunt noemen, en dan had hij het gevoel dat hij bijna met haar kon praten als met een normaal mens.

Ze droeg een versleten spijkerbroek en een zwart leren jack dat tot haar middel kwam, had kort ravenzwart haar, twee kleine ringen in haar rechterwenkbrauw en aan een van haar oren hing een zilveren kruis. Eens had ze mooie witte tanden gehad, maar die waren slecht geworden; in haar bovenkaak ontbraken er twee. Dat was te zien zodra ze breed glimlachte. Ze was broodmager met een afgeleefd gezicht en donkere kringen onder haar ogen. Soms had Erlendur het gevoel dat hij in haar gezicht zijn moeder zag. Hij vervloekte het lot van Eva Lind en gaf zijn laksheid de schuld van haar toestand.

"Ik heb vandaag met mama gepraat of beter gezegd, zij praatte met mij en vroeg of ik met jou wilde praten. Leuk hoor, om een kind van gescheiden ouders te zijn."

"Wil je moeder iets van mij?" vroeg Erlendur stomverbaasd.

Na twintig jaar haatte ze hem nog. Hij had haar in al die tijd slechts eenmaal vluchtig gezien en de woede op haar gezicht was overduidelijk geweest. Ze had één keer met hem gebeld over Sindri Snær en dat was een gesprek geweest dat hij probeerde te vergeten.

"Het is zo'n snobistische trut."

"Hoor eens, je hebt het wel over je moeder."

"Het afgelopen weekeinde vierden vrienden van haar in Garðabær, stinkrijke lui, de bruiloft van hun dochter en die dochter liep gewoon weg van haar eigen bruiloftsfeest. Walgelijk lastig. Dat was zaterdag en sindsdien heeft niemand van haar gehoord. Mama was op het feest en ze is vreselijk geschokt. Ik moest je vragen of je eens met die mensen wilde praten. Ze willen geen oproep in de kranten laten zetten of iets dergelijks, die kale kakkers, maar ze weten dat jij bij de recherche zit en ze denken dat het mogelijk is om alles heel erg *hush hush* te doen. En ík moet je vragen om met dat stel te gaan praten. Niet mama. Snap je dat? Nooit zij!"

"Ken je die mensen?"

"Ik was natuurlijk niet uitgenodigd voor de chique bruiloft die dat kleine lieve poppetje verstierde."

"En het meisje?"

"Niet heel erg goed."

"En waar is ze nu?"

"Dat weet ik niet."

Erlendur haalde zijn schouders op.

"Ik zat daarnet juist aan je te denken", zei hij.

"Nice", zei Eva Lind. "Ik zat me nou juist af te vragen of ..."

"Ik heb geen geld", zei Erlendur en hij ging tegenover haar op de televisiestoel zitten. "Heb je honger?"

Eva's stekels gingen overeind staan.

"Waarom kan ik nou nooit eens met je praten zonder dat je over geld begint?" zei ze en Erlendur voelde zich of ze een zin van hem gestolen had.

"En waarom kan ik nooit gewoon met je praten, punt, uit?"

"Ach, fuck you."

"Waarom zeg je zoiets? Wat is dat? Fuck you. Alles kits. Wat voor manier van spreken is dat eigenlijk?"

"Jeezus!" kreunde Eva Lind.

"Wie stel je nu voor? Met wie ben ik in gesprek? Waar ben jij zelf in al die dopetroep?"

"Begin dat stomme deuntje nou niet opnieuw. Wie ben jij?" bauwde ze hem na. "Waar ben jij zelf? Ik ben hier. Ik zit hier voor je. Ik ben ik!"

"Eva."

"Tienduizend!" zei ze. "Wat is dat nou helemaal? Kun je niet ergens tienduizend vandaan halen? Je hebt toch geld zat."

Erlendur keek zijn dochter aan. Er was iets met haar aan de hand dat hij had opgemerkt zodra ze binnenkwam. Ze was kortademig, het zweet parelde op haar voorhoofd en ze zat op haar stoel te bibberen. Of ze ziek was.

"Ben je ziek?" vroeg hij.

"Ik ben oké. Ik heb wat geld nodig. Please, doe niet moeilijk."

"Ben je ziek?"

"Please."

Erlendur bleef zijn dochter aankijken.

"Probeer je soms te stoppen?" zei hij.

"Please, tienduizend. Dat is niks. Niks voor jou. Ik zal nooit meer bij je terugkomen om je om geld te vragen."

"Natuurlijk. Hoelang geleden is het dat je ..." Erlendur wist niet precies hoe hij het onder woorden moest brengen "... stuff gebruikte?"

"Wat maakt dat nou uit? Ik ben gestopt. Gestopt met stoppen met stoppen met stoppen met stoppen met stoppen met stoppen!" Eva Lind was opgestaan. "Geef me tienduizend. Please. Vijfduizend. Geef me alsjeblieft vijfduizend. Heb je dat in je zak? Vijf! Dat is een schijntje."

"Waarom probeer je nu te stoppen?"

Eva Lind keek haar vader aan.

"Niet van die stomme vragen. Ik ben helemaal niet aan het stoppen. Stoppen waarmee? Waarmee moet ik stoppen? Stop jij met dat stomme geklets!"

"Wat is er aan de hand? Waarom ben je zo over je toeren? Ben je ziek?"

"Ja, ik ben hartstikke ziek! Kun je me tienduizend lenen? Een lening, ik betaal het terug, goed? Vrek!"

"Vrek is een mooi woord", zei Erlendur. "Ben je ziek, Eva?"

"Waarom blijf je dat maar vragen?" zei ze. Ze werd hoe langer hoe bozer.

"Heb je koorts?"

"Geef me nou toch dat geld. Tweeduizend. Dat is niks. Je snapt het niet. Stomme idioot!"

Hij was ook opgestaan en ze kwam op hem af of ze hem wilde aanvallen. Hij begreep niet waarom ze plotseling zo woedend werd. Hij liet zijn ogen over haar heen glijden.

"Waar sta je naar te kijken?" schreeuwde ze hem toe. "Wil je soms wat? Nou? Wil mijn oude pappie wat?"

Erlendur gaf haar een draai om haar oren, maar niet erg hard.

"Vond je dat lekker?" zei ze.

Hij sloeg haar weer en ditmaal harder.

"Krijg je al een stijve?" vroeg ze en Erlendur deinsde terug. Zo had ze nog nooit tegen hem gesproken. Van de ene minuut op de andere was ze veranderd in een wilde kat. Hij had haar nog nooit zo woest gezien. Hij stond radeloos tegenover haar en zijn woede maakte langzaamaan plaats voor medelijden.

"Waarom probeer je nu te stoppen?" herhaalde hij zijn vraag.

"Ik probeer helemaal niet nu te stoppen!" krijste ze. "Wat is er met je aan de hand, man? Kan je niet begrijpen wat ik zeg? Wie heeft het hier over stoppen?"

"Wat is er aan de hand, Eva?"

"Kop dicht met dat 'wat is er aan de hand, Eva'! Kan je me vijfduizend geven? Kan je daar antwoord op geven?" Ze leek wat rustiger nu. Misschien realiseerde ze zich dat ze te ver was gegaan. Zo praatte ze niet met haar vader.

"Waarom nu?" vroeg Erlendur nog eens.

"Geef je me tienduizend als ik je dat vertel?"

"Wat is er gebeurd?"

"Vijfduizend."

Erlendur staarde zijn dochter aan.

"Ben je soms zwanger?" vroeg hij.

Eva Lind keek haar vader aan en glimlachte, verslagen.

"Bingo", zei ze.

"Maar hoe?" zei Erlendur met een diepe zucht.

"Wat bedoel je, hoe? Wil je dat ik het beschrijf?"

"Klets niet! Je gebruikt toch zeker voorbehoedmiddelen? Een spiraaltje, de pil?"

"Ik weet niet wat er gebeurd is. Het gebeurde gewoon."

"En wil je met de dope stoppen?"

"Niet meer. Ik kan het niet. Nou heb ik je alles verteld. Alles! Je bent me tienduizend kronen schuldig."

"Om je kind verslaafd te maken."

"Het is geen kind, gek! Het is helemaal niets. Een zandkorrel. Ik kan niet meteen stoppen. Ik stop morgen. Dat beloof ik. Maar niet nu. Tweeduizend. Wat is dat nou helemaal?"

Erlendur ging weer naar haar toe.

"Maar je hebt het geprobeerd. Je wilt stoppen. Ik zal je helpen."

"Ik kan het niet!" schreeuwde Eva Lind. Het zweet stroomde over haar gezicht en ze probeerde de rilling die door haar hele lichaam ging te verbergen.

"Daarom ben je naar mij toe gekomen", zei Erlendur. "Je had ook ergens anders heen kunnen gaan om geld te krijgen. Dat heb je tot nu toe gedaan. Maar je kwam naar mij toe omdat je ..."

"Klets niet zo stom! Ik kwam hier omdat mama het vroeg en omdat jij geld hebt. Nergens anders om. Als jij het me niet geeft, haal ik het ergens anders vandaan. Dat is helemaal geen punt. Er zijn genoeg kerels zoals jij die me maar al te graag betalen."

Erlendur liet zich niet van het onderwerp afbrengen.

"Ben je al eens eerder zwanger geweest?" vroeg hij.

"Nee", antwoordde Eva Lind, zijn blik ontwijkend.

"Wie is de vader?"

Eva's mond viel open en ze keek haar vader met grote ogen aan.

"Hallo!" schreeuwde ze. "Zie ik eruit of ik uit de bruidssuite van dat fucking Hotel Saga kom?!"

En voor Erlendur daar een antwoord op had, had ze hem van zich afgeduwd en was ze de woning uit gerend, de trap af en de straat op, waar ze in de koude herfstregen verdween.

Hij deed de deur langzaam achter haar dicht en vroeg zich af of hij het goed had aangepakt. Het was net of ze niet met elkaar konden praten zonder ruzie te maken en tegen elkaar te schreeuwen en daar had hij genoeg van.

Hij had geen trek meer en ging weer op zijn stoel in de kamer zitten, staarde nadenkend voor zich uit en vroeg zich zorgelijk af wat Eva Lind zou gaan doen. Na een tijdje pakte hij een boek op dat hij aan het lezen was en dat open op het tafeltje naast zijn stoel lag. Het was een boek uit een van zijn lievelingsseries en het beschreef noodlottige tochten en dodelijke ongevallen op de hoogvlakten.

Hij ging door met het lezen van een verhaal dat *Dood op het hoogland van Mosfell* heette en zat algauw midden in een razende sneeuwstorm waarin jonge mannen doodvroren.

3

De regen viel met bakken uit de hemel toen Erlendur en Sigurður Óli
zich de auto uit haastten, de trappen van een flatgebouw aan Stigahlíð
oprenden en aanbelden. Ze hadden overwogen om de bui in de auto
uit te zitten, maar Erlendur kreeg genoeg van het wachten en ging
ervandoor. Sigurður Óli wilde toen niet blijven zitten. In een mum
van tijd waren ze doorweekt. De regen lekte langs de haren van
Sigurður Óli tot op zijn rug en hij keek met een lelijk gezicht naar
Erlendur terwijl ze stonden te wachten tot de deur openging.

Die ochtend hadden de rechercheurs die de zaak in onderzoek hadden in een vergadering de verschillende mogelijkheden op een rijtje
gezet. Een van de theorieën was dat Holberg volkomen zinloos was
vermoord en dat zijn aanvaller al enige tijd, misschien wel een paar
dagen, door de wijk had rondgezworven. Een dief die ergens wilde
inbreken. Die bij Holberg had aangeklopt om te zien of er iemand
thuis was en geschrokken was toen de heer des huizes naar de deur
kwam. De boodschap die hij had achtergelaten, was alleen maar een
poging geweest om de politie op een dwaalspoor te brengen. Had zo
te zien geen enkele andere betekenis.

Op dezelfde dag dat Holberg dood was aangetroffen, was er ook een
melding binnengekomen van de bewoners van een flatgebouw aan
Stigahlíð over een jonge man in een groen legerjack die daar twee
oudere vrouwen, tweelingzussen, had aangevallen. Hij was op de een
of andere manier het trappenhuis in gekomen, had bij hen aangeklopt, ze deden de deur open en toen was hij binnen gedrongen, had
de deur achter zich dichtgesmeten en geld van hen geëist. Toen ze daar
niet op in gingen gaf hij een van de twee een vuistslag in haar gezicht,
gaf de andere vrouw een duw waardoor ze tegen de grond ging, gaf
haar een trap en rende de deur weer uit.

Door de intercom klonk een stem en Sigurður Óli zei wie hij was.
Ze hoorden de deur opengaan en gingen het trappenhuis binnen. Dat
was slecht verlicht en het rook er niet fris. Toen ze op de eerste verdieping kwamen stond een van de vrouwen hen in de deuropening op te
wachten.

"Hebben jullie hem te pakken gekregen?" vroeg ze.

"Helaas niet", zei Sigurður Óli nee schuddend, "maar we zouden
met je willen praten over ..."

"Hebben ze hem te pakken gekregen?" klonk een stem uit de

woning en het evenbeeld van de vrouw verscheen in de deur. Ze waren ongeveer zeventig jaar oud, gezet en beiden gekleed in een zwarte rok en een rode pullover, met grijs getoupeerd haar en een rond gezicht waarop een hoopvolle uitdrukking duidelijk zichtbaar was.

"Nee", zei Erlendur. "Nog niet."

"Het was een stakker, die arme jongen", zei vrouw nummer een, die Fjóla heette. Ze liet hen binnen.

"Ik zou maar geen medelijden met hem hebben", zei vrouw nummer twee, die Birna heette en de deur achter hen dichtdeed. "Het was een boef met een lelijke kop die jou een klap tegen je hoofd gaf. Wat je een stakker noemt, poeh."

Ze gingen bij de vrouwen in de kamer zitten, keken van de een naar de ander en toen naar elkaar. De woning was klein. Sigurður Óli zag twee naast elkaar gelegen slaapkamers. Vanuit de kamer keek hij een kleine keuken in.

"We hebben de verklaring gelezen die jullie hebben afgelegd", zei Sigurður Óli. Hij had de verklaring in de auto op weg naar de zussen vluchtig doorgenomen. "De vraag is of jullie ons nog wat meer informatie kunnen geven over de man die jullie aanviel."

"Man", zei Fjóla. "Het was meer een jongen."

"Oud genoeg om ons aan te vallen", zei Birna. "Daar was hij oud genoeg voor. Gooide me tegen de grond en gaf me een trap."

"We hebben geen geld", zei Fjóla.

"We hebben geen geld hier in huis", zei Birna. "Dat zeiden we hem ook."

"Maar hij geloofde ons niet."

"En hij viel ons aan."

"Hij was razend."

"En grof in de mond. Wat hij ons naar het hoofd slingerde!"

"In dat vreselijke groene jack. Net een soldaat."

"Had ook van die laarzen aan, van die dikke, zwarte, halfhoge, met veters."

"Maar hij maakte niets kapot."

"Nee, ging er gewoon vandoor."

"Nam hij dan helemaal niets mee?" wist Erlendur ertussen te krijgen.

"Het leek wel of hij zichzelf niet was", zei Fjóla, die uit alle macht probeerde verzachtende omstandigheden voor haar aanvaller te vinden. "Hij maakte niets kapot en hij nam niets mee. Viel ons pas aan toen hij wist dat hij geen geld van ons kreeg. De ziel."

"Zat onder de dope", gooide Birna eruit. "De ziel?!" Ze draaide zich naar haar zus. "Soms ben je echt niet goed wijs. Hij zat onder de dope. Dat zag ik aan zijn ogen. Harde, glinsterende ogen. En hij zweette."

"Zweette?" vroeg Erlendur.

"Het stroomde over zijn gezicht. Het zweet."

"Dat was de regen", zei Fjóla.

"Nee. En hij rilde helemaal."

"De regen", herhaalde Fjóla en Birna wierp haar een boze blik toe.

"Gaf je een klap tegen je hoofd, Fjóla. Dat kan niet goed zijn."

"Voel je nog steeds waar hij je getrapt heeft?" vroeg Fjóla met een blik op Erlendur die duidelijk zag dat haar ogen straalden van plezier.

Het was nog steeds vroeg in de morgen toen Erlendur en Sigurður Óli in Noorderveen aankwamen. De buren van Holberg op de eerste en tweede verdieping verwachtten hen. De politie had al een verklaring opgenomen van het echtpaar met de twee kinderen op de eerste verdieping, maar Erlendur wilde nog een keer met hen praten. Op de bovenste verdieping woonde een piloot, die zei dat hij op de dag dat Holberg vermoord werd rond het middaguur uit Boston was teruggekomen en dat hij later op de dag naar bed was gegaan en pas wakker was geworden toen de politie bij hem had aangeklopt.

Ze begonnen bij de piloot. Die was ongeveer veertig jaar, woonde alleen en zijn woning zag eruit als een afvalcontainer: overal kleren, twee koffers op een vrij nieuwe leren bank, plastic tassen uit de belastingvrije winkel op de grond, drankflessen op de tafels en open bierblikjes waar maar een plaatsje was. Zelf kwam de piloot ongeschoren in hemd en korte broek naar de deur. Hij keek de twee aan, ging hen toen zonder een woord te zeggen voor de woning in, waar hij zich in een stoel liet vallen. Ze bleven voor hem staan. Konden geen zitplaats vinden. Erlendur keek om zich heen en dacht dat hij met deze man niet eens in een vluchtsimulator zou willen plaatsnemen.

Om de een of andere reden begon de piloot over de scheiding waar hij in verwikkeld was; hij vroeg zich af of die een zaak voor de politie kon worden. De teef begon hem te bedonderen. Hij was aan het vliegen. Kwam op een dag terug uit Oslo, die vreselijke stad, voegde hij eraan toe en zij wisten niet wat vreselijker was, dat zijn vrouw hem bedroog of dat hij in Oslo moest overnachten; toen was ze daar samen met een oude schoolvriend van hem ...

"Eigenlijk gaat het over de moord die hier in huis in het souterrain is gepleegd", zei Erlendur, het binnensmondse verhaal van de piloot onderbrekend.

"Zijn jullie wel eens in Oslo geweest?" vroeg de piloot.

"Nee", zei Erlendur. "We willen het niet over Oslo hebben."

De piloot keek eerst hem en toen Sigurður Óli aan en plotseling leek hij zich te realiseren waar het om ging.

"Ik kende die man helemaal niet", zei hij. "Ik heb dit hok vier maanden geleden gekocht en toen had er voorzover ik begrepen heb al heel lang niemand gewoond. Ben hem een paar keer tegengekomen, gewoon hier voor de deur. Er leek niets mis met hem."

"Niets mis?" vroeg Erlendur.

"Je kon goed met hem praten, bedoel ik."

"Waar hadden jullie het over?"

"Over het vliegen, meestal. Hij had belangstelling voor de vliegerij."

"Wat voor belangstelling voor het vliegen?"

"De machines", zei de piloot, een bierblikje openend dat hij uit een plasticzak opviste. "De plaatsen", zei hij en hij klokte het bier naar binnen. "De stewardessen" zei hij, een boer latend. "Vroeg van alles over de stewardessen. Je weet wel."

"Nee", zei Erlendur.

"Tijdens de stops. In het buitenland."

"Ja."

"Wat er dan gebeurde, of ze niet hitsig waren. Dat soort zaken. Had gehoord dat het een vrolijke boel was. Op vluchten naar het buitenland."

"Wanneer heb je hem voor het laatst gezien?" vroeg Sigurður Óli.

De piloot zat even na te denken. Kon het zich niet herinneren.

"Een paar dagen geleden", zei hij ten slotte.

"Heb je gemerkt of hij de laatste tijd nog bezoek heeft gehad?" vroeg Erlendur.

"Nee, ik ben niet veel thuis."

"Heb je iemand opgemerkt die hier in de buurt rondhing alsof hij de boel aan het verkennen was of die alleen maar wat doelloos van huis tot huis ging?"

"Nee."

"In een groen legerjack?"

"Nee."

"Een jonge man met soldatenkistjes?"

"Nee. Was dat de man? Weten jullie wie het gedaan heeft?"

"Nee", zei Erlendur en hij liep de woning uit, waarbij hij een halfvol bierblikje omgooide.

De vrouw wilde een paar dagen met de jongens naar haar moeder toe en stond op het punt om te vertrekken. Wilde na wat er gebeurd was niet met hen daar in huis blijven. De man knikte instemmend. Dit was het beste voor hen. Ze waren duidelijk aangeslagen. Ze hadden de woning vier jaar geleden gekocht en hadden het naar hun zin in Noorderveen. Een goede plek om te wonen. Ook met kinderen. De jongens stonden naast hun moeder.

"Vreselijk om hem zo te vinden", zei de man en zijn stem zakte tot een soort fluistertoon af. Hij keek naar zijn jongens. "We hebben geprobeerd hen te vertellen dat hij sliep", voegde hij eraan toe.

"Maar ..."

"We weten best dat hij dood was", zei de oudste jongen.

"Dood", zei de jongste.

Het echtpaar glimlachte gegeneerd.

"Ze vatten het heel goed op", zei de vrouw en ze streelde de oudste over zijn wang.

"Ik kon het wel met Holberg vinden", zei de man. "We praatten soms met elkaar, hier buiten voor de deur. Hij had lang in dit huis gewoond en we hadden het over de tuin en het onderhoud en zo, het soort gesprekjes dat je met je buurman voert."

"Maar het was niet nauw", zei de vrouw, "het contact. Dat vind ik ook goed. Het contact moet niet al te nauw zijn, vind ik. Vanwege de privacy."

Ze hadden geen onbekenden om en bij het huis gezien en ook geen man in een groen legerjack door de buurt zien rondzwerven. De vrouw wilde zo snel mogelijk weg met haar jongens.

"Kwamen er veel gasten bij Holberg?" vroeg Sigurður Óli.

"Ik heb nooit iemand bij hem gezien", antwoordde de vrouw.

"Hij leek nogal eenzaam", zei haar man.

"Er hing een vieze stank bij hem binnen", zei de oudste zoon.

"Stank", praatte de jongste zijn broer na.

"Er zit iets van vocht in het souterrain", zei de man verontschuldigend.

"Dat trekt soms hier naar boven door", zei de vrouw. "Het vocht."

"We hebben het er met hem over gehad", zei de man.

"Hij zou er eens naar kijken", zei ze.

"Dat is nu twee jaar geleden", zei hij.

4

Het echtpaar uit Garðabær keek Erlendur met droeve ogen aan. Hun kleine meisje was verdwenen. Ze hadden al drie dagen niets van haar gehoord. Niet sinds de bruiloft. Ze vertelden dat ze gewoon was weggelopen. Hun dochtertje. Erlendur zag een klein meisje met blonde krullen voor zich, tot hij te horen kreeg dat ze een 23-jarige psychologiestudente aan de universiteit van IJsland was.

"Ze liep weg tijdens het feest?" vroeg Erlendur. Hij keek om zich heen in de immense salon; deze had de afmetingen van een hele verdieping in zijn flatgebouw.

"Haar eigen bruiloftsfeest nota bene", zei de man op een toon of hij nog steeds niet begreep wat er was gebeurd. "Het kind ging er tijdens haar eigen bruiloftsfeest vandoor!"

De vrouw bracht een doorweekte zakdoek naar haar neus.

Het was inmiddels twaalf uur. Door werkzaamheden aan de weg uit Reykjavík had Erlendur er een halfuur over gedaan om naar Garðabær te komen en hij had de grote villa pas na enig zoeken gevonden. Van de straat af was het huis bijna niet te zien, omdat er een grote tuin omheen lag waarin allerlei soorten bomen, tot wel zes meter hoog, stonden. Het echtpaar dat hem ontving was duidelijk aangeslagen.

Erlendur wist dat hij zijn tijd hiermee verspilde en dat andere, dringender zaken hem wachtten, maar omdat zijn ex-vrouw hem deze dienst had gevraagd, wilde hij haar ter wille zijn, ook al hadden ze dan twee decennia lang nauwelijks met elkaar gesproken.

De vrouw droeg een mooi bleekgroen mantelpak en de man had een zwart pak aan. Hij zei dat hij zich steeds meer zorgen over zijn dochter maakte. Hij dacht dat ze wel weer thuis zou komen en dat het goed met haar ging, iets anders kon hij niet geloven, maar toch wilde hij met de politie overleggen, al dacht hij niet dat het nodig was om al meteen te gaan zoeken, reddingsploegen te laten uitrukken en oproepen in de kranten, op radio en televisie te doen.

"Ze ging er gewoon vandoor", zei de echtgenote. Ze waren van Erlendurs leeftijd, rond de vijftig, beiden in de handel, voerden kinderkleding en kinderspeelgoed in en dat was voldoende om hen in tamelijk grote welstand te laten leven. De nieuwe rijken. Ze zagen er goed uit. Erlendur zag twee nieuwe auto's voor hun dubbele garage staan. Blinkend gepoetst.

Ze raapte al haar moed bij elkaar en begon hem het hele verhaal te doen. Het was zaterdag, en nu was het al dinsdag, gottegot wat gaat de tijd toch snel, en het was toch zo'n heerlijke dag. Ze hadden zich door die populaire dominee laten trouwen.

"Vreselijke man", zei de echtgenoot. "Kwam aanrennen, draaide een afgezaagd verhaaltje af en was meteen weer weg met zijn aktetas. Snap niet waarom die man zo populair is."

Zijn vrouw liet zich door niets van de glans van de bruiloft afbrengen.

"Een prachtige dag! Een en al zon en verrukkelijk herfstweer. Alleen in de kerk al zeker honderd man. Ze heeft zoveel vrienden. Zo geliefd, ons meisje. We hielden het feest hier in Garðabær. Hoe heet het ook alweer? Ik vergeet het steeds."

"Garðaholt", zei haar man.

"Een bijzonder gezellige gelegenheid", ging ze door. "We kregen het vol. De zaal, bedoel ik. Zoveel cadeaus. En toen, en toen ..."

"Ze zouden de eerste dans dansen", nam haar man het over toen de vrouw in tranen uitbarstte, "en die knul stond klaar op de dansvloer en we riepen Dísa Rós, maar die liet zich niet zien. We gingen haar zoeken maar het leek of de aarde haar verzwolgen had."

"Dísa Rós?" zei Erlendur.

"Toen bleek dat ze de trouwauto had gepakt ..."

"De trouwauto?"

"Ach, je weet wel, de slee met bloemen en gordijntjes die hen uit de kerk had afgehaald, de trouwauto of hoe je zoiets ook maar noemen wilt, en daarmee verdween ze. Zonder enige waarschuwing! Zonder enige uitleg!"

"Haar eigen bruiloft!" jammerde de vrouw.

"En jullie weten niet waardoor dat kwam?"

"Ze is kennelijk van mening veranderd", zei de vrouw. "Ze heeft spijt van alles gekregen."

"Maar waarom?" vroeg Erlendur.

"Kun je haar voor ons vinden?" vroeg de man. "Ze heeft niets van zich laten horen en zoals je ziet maken we ons heel grote zorgen. Het feest was één grote ellende. De bruiloft een flop. We zijn aan het eind van ons Latijn. En ons kleine meisje zoek."

"Eh ... de trouwauto. Hebben ze hem gevonden?"

"In Garðastræti," zei de man.

"Waarom daar?"

"Dat weet ik niet. Ze kent daar niemand. Haar kleren lagen in de auto. Haar daagse kleren."

Erlendur aarzelde.

"Lagen haar daagse kleren in de trouwauto?" zei hij ten slotte en hij overpeinsde even tot welk niveau het gesprek was afgezakt en of hij daar misschien schuld aan had.

"Ze trok haar trouwjapon uit en trok de kleren aan die ze kennelijk in de auto had liggen", zei de vrouw.

"Denk je dat je erachter kunt komen waar ze is?" vroeg de echtgenoot. "We hebben contact gehad met iedereen die ze kent maar niemand weet iets. We weten gewoon niet hoe we dit moeten aanpakken. Hier heb ik een foto van haar."

Hij gaf Erlendur de eindexamenfoto van een mooi, jong, blond meisje, het meisje dat ervandoor was. Ze glimlachte hem van de foto toe.

"Jullie hebben er geen enkel idee van wat er gebeurd kan zijn?"

"Geen idee", zei de moeder.

"Geen", zei de vader.

"En dit zijn de cadeaus?" Erlendur keek naar de gigantische eetkamertafel op vele meters afstand, die beladen was met kleurige pakjes, mooie siervoorwerpen, cellofaan en bloemen. Hij liep er naartoe en het echtpaar kwam achter hem aan. Hij had nog nooit in zijn leven zoveel pakjes bij elkaar gezien en vroeg zich af wat er wel in zou zitten. Serviesgoed en nog meer serviesgoed, stelde hij zich voor.

Wat een leven.

"En dan hebben we hier nog een of ander gewas", zei hij, wijzend op wat takken die in een grote vaas aan de andere kant van de tafel stonden. Aan de takken hingen linten met hartvormige rode briefjes eraan.

"Dat is de boodschappenboom."

"Wat is dat?" vroeg Erlendur. Hij was indertijd maar op één bruiloft geweest en dat was lang geleden. Daar was geen sprake geweest van een boodschappenboom.

"De gasten krijgen een briefje waarop ze een boodschap aan het bruidspaar kunnen schrijven; die wordt dan aan de boom opgehangen. Er hingen al heel wat kaartjes toen Dísa Rós verdween", zei de vrouw. Ze bracht de zakdoek weer naar haar neus.

De mobiele telefoon in Erlendurs jaszak ging en hij groef hem op, maar het ongeluk wilde dat de telefoon ergens in de opening bleef haken en in plaats van zijn verstand en wat handigheid te gebruiken, wat toch niet zo moeilijk geweest zou zijn, begon Erlendur uit alle macht aan de telefoon te rukken tot de jaszak het opgaf. De hand met de telefoon erin vloog tegen de boodschappenboom. Die viel om en belandde op de grond. Erlendur keek het echtpaar verontschuldigend aan en drukte op de knop.

"Kom je nog met ons mee naar Noorderveen?" viel Sigurður Óli met de deur in huis. "De woning wat beter bekijken."

"Ben je op het bureau?" vroeg Erlendur. Hij was wat opzij gaan staan.

"Ik zit op je te wachten", zei Sigurður Óli. "Waar voor de donder hang je uit?"

Erlendur verbrak de verbinding.

"Ik zal zien wat ik kan doen", zei hij tegen het echtpaar. "Ik denk niet dat er enig gevaar is. Het meisje heeft de moed verloren en probeert nu bij een van haar vrienden tot rust te komen. Maak je niet te veel zorgen. Voor je het weet belt ze op."

Het paar stond gebogen over de kaartjes die van de boodschappenboom waren afgevallen. Hij zag dat ze er een paar hadden gemist die onder een stoel lagen en hij boog zich om ze op te rapen. Ze waren van rood karton. Erlendur las de groeten die op de kaartjes waren geschreven en keek het echtpaar aan.

"Hadden jullie dit hier gezien?" vroeg hij en hij overhandigde hun een van de kaartjes.

De man las de boodschap en er verscheen een uitdrukking van verbazing op zijn gezicht. Hij gaf het kaartje aan zijn vrouw. Die las het en las het nog een keer en leek er helemaal niets van te begrijpen. Erlendur stak zijn hand naar het kaartje uit en las het. De boodschap had geen afzender.

"Is dit het handschrift van jullie dochter?" vroeg hij.

"Het lijkt er wel op", antwoordde de vrouw.

Erlendur draaide het kaartje om en las de boodschap nog eens:

HIJ IS WALGELIJK. WAT HEB IK GEDAAN?

5

"Waar heb je gezeten?" vroeg Sigurður Óli toen Erlendur weer op het bureau verscheen, maar Erlendur gaf hem geen antwoord.

"Heeft Eva Lind nog gebeld?" vroeg hij.

Sigurður Óli dacht van niet. Hij wist hoe het er met de dochter van Erlendur voorstond, maar geen van beiden sprak er ooit over. Privézaken drongen zelden in hun gesprekken door.

"Nog nieuws over Holberg?" vroeg Erlendur terwijl hij meteen zijn kamer in liep.

Sigurður Óli ging achter hem aan en deed de deur dicht. Er werd zelden een moord in Reykjavík gepleegd en de enkele keer dat het gebeurde, baarde het zeer veel opzien. De recherche hanteerde de regel dat ze de media niet op de hoogte stelde van de voortgang van het onderzoek, tenzij er een dringende reden voor was, maar daar was in deze zaak geen sprake van.

"We weten iets meer over hem", zei Sigurður Óli en hij opende de map die hij bij zich had. "Hij is in Sauðárkrókur geboren en negenenzestig jaar oud. Werkte de laatste jaren als vrachtwagenchauffeur bij Vervoerbedrijf IJsland. Werkte daar nog steeds, sporadisch."

Sigurður Óli zweeg.

"Moeten we niet eens met zijn collega's praten?" zei hij, zijn das gladstrijkend. Hij had een nieuw pak aan, was lang en knap om te zien. Hij was in Amerika opgeleid als criminoloog en was alles wat Erlendur niet was, modern en ordelijk.

"Moeten we geen profiel van de man opstellen?" ging hij door. "Hem een beetje leren kennen?"

"Profiel?" vroeg Erlendur. "Wat is dat? Een foto en profil? Wil je een profielfoto van de man laten maken?

"Inlichtingen over de man verzamelen, doe niet zo stom!"

"Wat denken ze er hier zo van?" vroeg Erlendur. Hij zat net zolang aan een losse knoop van zijn vest te pulken tot hij eindelijk in zijn hand viel. Erlendur was sterk en stevig gebouwd met een bos roodbruin haar, een van de meest ervaren rechercheurs in de regio. Doorgaans kreeg hij zijn zin. Zowel zijn superieuren alsook andere collega's hadden het allang opgegeven hem te sturen. Zo was de stand van zaken in de loop der jaren geworden. Erlendur was er niet ontevreden over.

"Waarschijnlijk een gek", zei Sigurður Óli. "De zoektocht richt zich op het groene legerjack. Een knul die geld van Holberg wilde hebben en in paniek is geraakt."

"En de familie van Holberg? Had hij familie?"

"Geen familie. Maar we hebben nog niet alle inlichtingen bij elkaar. We zijn ze nog aan het verzamelen, familie, vrienden, collega's. De achtergrond, weet je. Het profiel."

"Aan zijn woning te zien was hij alleen en dat al lang, denk ik zo."

"Ja, daar weet jij alles van", liet Sigurður Óli zich ontvallen, maar Erlendur deed of hij het niet hoorde.

"Al iets van de patholoog-anatoom gehoord? Van de Technische Dienst?"

"Het voorlopig rapport is binnen. Er staat niets in dat we nog niet wisten. Holberg is aan de gevolgen van een klap tegen zijn hoofd overleden. Het was een harde klap, maar doorslaggevend was vooral de vorm van de asbak, de scherpe punten eraan. De schedel brak en de man is meteen of bijna meteen gestorven. Het ziet ernaar uit dat hij tegen een hoek van de tafel viel. Had een lelijke wond op zijn voorhoofd die overeenkomt met de hoek van de tafel. De vingerafdrukken op de asbak waren van Holberg en van ten minste twee anderen en die van een ervan zitten ook op het potlood."

"Die zijn dan van de moordenaar."

"Het is zeer waarschijnlijk dat dat de moordenaar is."

"Conclusie: een typische smerige IJslandse moord. Dat is onze zaak."

"Inderdaad. En als zodanig gaan we het aanpakken."

Het regende nog steeds. De lagedrukgebieden, die in deze tijd van het jaar ver uit het zuiden van de Atlantische Oceaan kwamen, volgden elkaar boven het zuiden en het oosten van het land op met stormachtig weer, nattigheid en het sombere duister van de korter wordende dagen. De recherche was nog steeds in het huis in Noorderveen aan het werk. Het gele lint dat om het huis was aangebracht, deed Erlendur aan het elektriciteitsbedrijf denken: een gat in de grond, een vuile tent over het gat, in de tent een lichtschijnsel en alles zorgvuldig met een geel lint verpakt. Op dezelfde manier had de politie de moord verpakt in een keurig geel plastic lint met de naam van de regionale dienst erop. Binnen troffen Erlendur en Sigurður Óli Elínborg en nog andere rechercheurs die zich de hele herfstnacht door tot in de ochtend beziggehouden hadden met een grondig onderzoek van het huis en nu hun werkzaamheden aan het afsluiten waren.

De buren waren ondervraagd, maar niemand van hen had verdachte personen in de buurt van de plaats van het misdrijf gezien tussen maandagochtend en het tijdstip waarop de dode was gevonden.

Algauw waren alleen nog Erlendur en Sigurður Óli in het huis aanwezig. De bloedplas op het kleed was zwart geworden. De asbak was als bewijsstuk meegenomen. Zo ook het potlood en het schrijfblok. Verder leek het of er niets gebeurd was. Sigurður Óli ging de hal en de gang naar de kamers in en Erlendur liep door de woonkamer. Ze trokken witte gummihandschoenen aan. Aan de muren hingen reproducties die eruitzagen of ze aan de deur waren gekocht. In de boekenkast stonden vertaalde thrillers, pockets van een boekenclub, sommige gelezen, andere onaangeraakt. Geen bijzondere gebonden uitgaven. Erlendur boog zich bijna tot de grond voorover om de titels op de onderste plank te lezen, maar hij kende er maar een van. *Lolita* van Nabokov. Een pocket. Hij pakte het boek uit de kast. Het was in het Engels en gelezen.

Hij zette het boek weer op zijn plaats en slenterde in de richting van het bureau. Dat was L-vormig en vulde een hele hoek van de kamer. Er stond een vrij nieuwe, gemakkelijke leren bureaustoel voor en daaronder lag een hardplastic plaat om het tapijt te beschermen. Het bureau leek aanmerkelijk ouder dan de stoel. Onder het lange bureaublad waren aan beide kanten laden en in het midden een grote lade, in totaal negen. Op het korte blad stond een 17inch-computerscherm en eronder was een plank voor het toetsenbord aangebracht. De computer zelf stond op de grond onder het bureau. De laden waren allemaal op slot.

Sigurður Óli doorzocht de klerenkast in de slaapkamer. De kast was tamelijk netjes ingericht: sokken in een lade, ondergoed in een andere, broeken, hemden. Op knaapjes hingen overhemden en drie pakken, het oudste, bruin met strepen, uit het tijdperk van de disco, dacht Sigurður Óli. Enkele paren schoenen op de grond in de kast. Beddengoed op de bovenste plank. De man had zijn bed opgemaakt voor hij zijn gast had ontvangen. Een witte sprei lag over dekbed en kussen. Het was een eenpersoonsbed.

Op het nachtkastje stond een wekker en er lagen twee boeken, het ene een bundel interviews met een bekende politicus, het andere een fotoboek over de Zweedse Scania Vabis vrachtwagens. In het nachtkastje stonden medicijnen, brandspiritus, slaappillen, Panadol pijnstillers, een klein, vies glazen potje met vaseline.

"Zie jij ergens sleutels?" vroeg Erlendur die in de deuropening verschenen was.

"Geen sleutels. Bedoel je huissleutels?"

"Nee, voor het bureau."

"Nee, ook niet."

Erlendur ging via de hal de keuken in. Deed laden en kasten open, maar vond alleen maar bestek, glazen, pollepels en borden. Geen sleutels. Hij deed de gangkast open, bevoelde de jassen en vond toen een zwart etuitje met een sleutelbos en wat kleingeld. Twee kleine sleutels hingen met de sleutel van de buitendeur aan de sleutelring, een sleutel voor de woning en een voor de kamers, dacht Erlendur, en hij probeerde de sleutels ook op het bureau. Op alle laden paste een en dezelfde sleutel.

Hij opende allereerst de grote lade in het midden. Daarin lagen voornamelijk rekeningen, telefoon, elektriciteit en verwarming, afrekeningen van de betaalkaarten, een abonnement op een ochtendblad. De twee onderste laden links waren leeg en in de een na bovenste lagen belastingbiljetten en salarisstrookjes. In de bovenste la lag een fotoalbum. Erlendur bladerde het door. Allemaal oude zwartwitfoto's van mensen uit verschillende perioden, soms in hun zondagse kleren, volgens Erlendur misschien zittend in de kamer in Noorderveen, soms op een uitstapje; bosjes, Gullfoss en Geysir. Hij zag twee foto's die de vermoorde op jeugdige leeftijd zouden kunnen voorstellen, maar geen enkele foto van recente datum.

Hij opende de laden rechts. De twee bovenste waren leeg. In de derde vond hij kaartspelen, een schaakbord dat opgevouwen in een doos met schaakstukken lag, een oude inktpot.

Hij vond de foto onder de onderste lade.

Erlendur was de lade aan het dichtschuiven toen hij een zacht knisperen meende te horen. Hij trok de lade uit en duwde hem weer in en toen hoorde hij het knisperen opnieuw. Bij het naar binnen schuiven schuurde de lade ergens langs. Hij zuchtte en zakte door zijn knieën, keek in de lade, maar zag niets. Hij trok de lade uit en hoorde niets maar toen hij de lade weer inschoof, kwam het geluid terug. Hij ging op zijn knieën op de grond zitten, trok de lade er helemaal uit, zag toen iets in de kast liggen en pakte het.

Het was een kleine zwartwitfoto, in de winter genomen van een graf ergens op een kerkhof. Hij kon zo op het eerste gezicht niet zien welk kerkhof. Er stond een steen op het graf en de grootste letters waren tamelijk duidelijk. Er stond een vrouwennaam op. Auður. Geen naam van de vader. De jaartallen kon Erlendur niet goed zien. Hij zocht naar zijn bril in de zak van zijn jasje, zette hem op en hield de foto onder zijn neus. 1964-1968. Hij kon ook een grafschrift onderscheiden maar de letters daarvan waren klein en hij kon het niet lezen. Voorzichtig blies hij het stof van de foto.

Het meisje was pas vier toen ze stierf.

Het geweld van het weer deed hem opkijken. Het was midden op de dag, maar de hemel had de zwarte kleur van de korter wordende dagen en de herfstregens beukten op het huis.

De grote vrachtwagen stond als een wezen uit de oertijd in de storm te schommelen en de regen plensde erop neer. Het had de politie een tijdje gekost om hem te vinden, want hij stond niet in de buurt van Holbergs huis in Noorderveen, maar op een parkeerplaats ten westen van de Snorrabraut, bij het medisch centrum Domus Medica, een paar minuten lopen van zijn huis. Ze hadden de wagen ten slotte op de radio laten omroepen. Patrouillerende agenten vonden hem op ongeveer dezelfde tijd als Erlendur en Sigurður Óli met de foto uit Holbergs huis weggingen. Er waren wat mensen van de Technische Dienst opgeroepen om de auto door te kammen op zoek naar aanwijzingen die het moordonderzoek verder zouden kunnen helpen. De vrachtwagen was van het merk M.A.N. en had een rode stuurcabine. Het enige wat bij vluchtig onderzoek werd gevonden, was een stapel grove pornobladen. Besloten werd om de vrachtauto voor nader onderzoek naar het terrein van de recherche over te brengen.

Terwijl men hiermee bezig was, namen anderen de foto onder handen. Aan het licht kwam dat deze was afgedrukt op Ilford fotopapier. Dat werd in de jaren zestig veel gebruikt, maar nu niet langer geproduceerd. De foto was hoogstwaarschijnlijk door de fotograaf zelf of door een amateur ontwikkeld; hij was gaan verbleken, alsof er niet zo zorgvuldig aan gewerkt was. Er stond niets op de achterkant en het viel moeilijk vast te stellen op welk kerkhof de foto was gemaakt. Het zou waar dan ook in het land kunnen zijn.

Degene die de foto nam had op ongeveer drie meter afstand van de steen gestaan. De foto was ongeveer recht voor de steen genomen; de fotograaf had waarschijnlijk iets door zijn knieën moeten zakken, tenzij hij tamelijk klein van stuk was geweest. Zelfs op deze afstand was het beeldvlak erg klein. Er viel geen groen te bekennen. Op de grond lag sneeuw. Andere graven waren niet te zien. Achter de grafsteen zag je slechts een witte nevel.

De Technische Dienst concentreerde zich op het grafschrift, dat door de afstand waarop de fotograaf zich bevonden had zeer onduidelijk was. Er werden heel veel afdrukken van de foto en vergrotingen van het grafschrift gemaakt tot elke letter ervan op A5-formaat was afgedrukt. De letters werden genummerd en gerangschikt in de volgorde van de letters op de grafsteen. De foto's hadden een heel grove korrel, nauwelijks meer dan een afwisseling van zwarte en witte punten die nuances van licht en schaduw lieten zien, maar toen ze in de computer waren ingescand, was het mogelijk om iets met de schaduwen en de grove korrel aan te vangen. Sommige letters waren duidelijker dan andere en daardoor konden de mannen naar de onzekere plekken gissen. De letters V, M en A waren gemakkelijk te onderscheiden. Andere letters waren moeilijker.

Rond het avondeten belde Erlendur een afdelingschef van het IJslands Centraal Bureau voor de Statistiek op en bracht hem er, zij het razend en tierend, toe om hem bij het gebouw van het Centraal Bureau in Skuggahverfi te treffen. Erlendur wist dat daar alle overlijdensverklaringen bewaard werden die sinds 1916 waren afgegeven. Er was geen hond in het gebouw aanwezig, aangezien het personeel al een hele tijd geleden naar huis was gegaan. De afdelingschef reed ongeveer een halfuur later bij het Centraal Bureau voor en reikte Erlendur vluchtig de hand. Hij tikte de code van de alarminstallatie in en liet hen met een speciale kaart het gebouw binnen. Erlendur legde hem uit waar het om ging, maar vertelde hem niet meer dan het allernoodzakelijkste.

Ze bekeken alle overlijdensverklaringen die in het jaar 1968 waren afgegeven. Ze vonden twee Auðurs. Een ervan was nog geen vier. Ze was in februari gestorven. Een dokter had de overlijdensverklaring afgegeven en hem vonden ze meteen in het bevolkingsregister. Hij woonde in Reykjavík. In de verklaring werd de moeder van het meisje genoemd. Ze vonden haar zonder enige moeite. Haar laatste wettige adres was in Keflavík in het begin van de jaren zeventig. Haar naam was Kolbrún. Ze zochten die naam bij de overlijdensverklaringen. Ze was in 1971 gestorven, drie jaar na de dood van haar dochtertje.

Het meisje was aan een kwaadaardige hersentumor gestorven.

De moeder had zelfmoord gepleegd.

De bruidegom ontving Erlendur op zijn kantoor. Hij was kwaliteits-
en marketingmanager bij een groothandel die Amerikaanse ontbijtgranen invoerde en Erlendur, die nog nooit in zijn leven Amerikaanse
ontbijtgranen had geproefd, zat zich tijdens het plaatsnemen in het
kantoor af te vragen wat zo'n manager bij een groothandel eigenlijk
deed. Hij had geen zin om ernaar te vragen. De bruidegom droeg een
wit, gestreken overhemd met brede bretels en hij had zijn mouwen
opgerold alsof de kwaliteitsbewaking al zijn krachten vergde. Een man
van gemiddelde lengte, enigszins gezet, met een ringbaardje en dikke
lippen. Zijn naam was Viggó.

"Ik heb niets van Dísa gehoord", brandde Viggó los terwijl hij
tegenover Erlendur kwam zitten.

"Heb je soms iets tegen haar gezegd dat ..."

"Dat denken ze allemaal", zei de bruidegom. "Ze denken allemaal
dat het mijn schuld is. Dat is het ergste. Dat is het ergste van deze hele
geschiedenis. Ik kan er niet tegen."

"Heb je iets bijzonders in haar gedrag opgemerkt voor ze wegliep?
Iets dat haar van streek kan hebben gemaakt?"

"Iedereen was alleen maar aan het plezier maken. Je weet wel, een
bruiloft, je weet wel wat ik bedoel."

"Nee."

"Ben je wel eens op een bruiloft geweest?"

"Eén. Lang geleden."

"We moesten de eerste dans dansen. Er waren toespraken gehouden en haar vriendinnen hadden een paar sketches opgevoerd, de harmonikaspeler was er inmiddels en we zouden gaan dansen. Ik zat aan
onze tafel en iedereen ging op zoek naar Dísa en toen was ze weg."

"Waar heb je haar voor het laatst gezien?"

"Ze zat bij me aan tafel en zei dat ze even naar de wc moest."

"En heb je misschien iets tegen haar gezegd dat haar boos maakte?"

"Helemaal niet! Ik gaf haar een zoen en zei dat ze moest opschieten."

"Hoeveel tijd verliep er van het moment dat ze wegging tot jullie
haar begonnen te zoeken?"

"Oef, dat weet ik niet. Ik ging bij mijn vrienden zitten en daarna
ging ik buiten een sigaret roken, alle rokers gingen daarvoor naar buiten, en ik praatte met mensen buiten en op weg naar buiten en naar

binnen. Toen ging ik weer zitten en kwam de harmonikaspeler met me praten over het dansen en de muziek. Ik heb nog met een paar anderen gepraat, misschien alles bij elkaar zo'n halfuur, ik weet het niet."

"En je hebt haar al die tijd niet gezien?"

"Nee. Het was een totale ramp. Ze staarden me allemaal aan of het mijn schuld was."

"Wat denk je dat er met haar gebeurd is?"

"Ik heb overal gezocht. Met al haar vriendinnen, vrienden en verwanten gepraat maar niemand weet iets of zegt dat hij niets weet."

"Denk je dat iemand liegt?"

"Ze moet toch ergens zijn."

"Wist je dat ze een boodschap heeft achtergelaten?"

"Nee, wat voor boodschap? Wat bedoel je?"

"Ze hing een kaartje op aan een soort boodschappenboom. 'Hij is walgelijk. Wat heb ik gedaan?' stond erop. Weet je wat ze daarmee bedoelt?"

"Hij is walgelijk", herhaalde Viggó. "Over wie heeft ze het?"

"Ik hoopte eigenlijk dat het op jou sloeg."

"Ik", zei Viggó, die ontzettend boos werd. "Ik heb haar niets gedaan, helemaal niets. Nooit. Het slaat niet op mij. Het kan niet op mij slaan."

"De auto die ze meenam werd in Garðastræti teruggevonden. Zegt je dat iets?"

"Daar kent ze niemand. Gaan jullie een opsporingsbericht uitsturen?"

"Ik geloof dat haar familie haar wat tijd wil geven om weer boven water te komen."

"En als dat niet gebeurt?"

"Dan zien we verder." Erlendur aarzelde. "Ik had gedacht dat ze wel contact met je zou opnemen", zei hij toen. "Om je te zeggen dat alles goed met haar was."

"Dat had ik ook gedacht," zei de kwaliteits- en marketingmanager. "We zijn hoe dan ook een echtpaar."

Hij zweeg.

"Hoor eens even, zit je te suggereren dat het mijn schuld is en dat ze niet met me praat omdat ik haar iets zou hebben aangedaan? Godver, dit is echt vreselijk! Heb je er enig idee van hoe het was om hier maandag op het werk te verschijnen? Al mijn collega's waren op het feest. Mijn baas was op het feest! Denk je dat het mijn schuld is? Godverju! Iedereen denkt dat het mijn schuld is."

"Vrouwen", zei Erlendur, opstaande. "Moeilijk te kwaliteitsbewaken!"

Erlendur was net op het bureau toen de telefoon ging. Hij herkende de stem meteen, ook al had hij die al lange tijd niet meer gehoord. Ondanks haar hoge leeftijd klonk haar stem nog steeds helder, sterk en beslist. Erlendur kende Marion Briem nu al bijna dertig jaar en dat was niet altijd een genoegen geweest.

"Ik kom net terug uit mijn zomerhuisje", zei de stem, "en heb geen nieuws gehoord tot ik zo-even weer in de stad kwam."

"Heb je het over Holberg?" vroeg Erlendur.

"Hebben jullie de rapporten over hem bekeken?"

"Ik weet dat Sigurður Óli in de computerbestanden naar hem op zoek was, maar ik heb nog niets van hem gehoord. Wat voor rapporten?"

"Het is de vraag of ze in de computer zitten. Misschien zijn ze wel weggegooid. Bestaan er regels over het verwijderen van rapporten? Zijn ze misschien vernietigd?"

"Wat wil je eigenlijk zeggen?"

"Holberg was geen modelburger", zei Marion Briem.

"Hoezo?"

"Hij was hoogstwaarschijnlijk een verkrachter.'

"Hoogstwaarschijnlijk?"

"Er werd een klacht wegens verkrachting tegen hem ingediend maar hij werd nooit veroordeeld. Het gebeurde in 1963. Jullie zouden de rapporten door moeten nemen."

"Wie diende de klacht tegen hem in?"

"Een vrouw die Kolbrún heette. Ze woonde in ...."

"Keflavík?"

"Ja, weet je iets over haar?"

"We vonden een foto in Holbergs bureau. Het leek of hij was weggestopt. Op de foto stond de grafsteen van een klein meisje dat Auður heette, op een kerkhof waarvan we nog niet weten waar het ligt. Ik heb toen een grootheid bij het Centraal Bureau voor de Statistiek aan zijn jasje getrokken en toen de naam Kolbrún op een overlijdensverklaring gevonden. Kolbrún was de moeder van het meisje op de grafsteen. De moeder van Auður. Ze is dood."

Marion zei niets.

"Marion?" zei Erlendur.

"En wat zegt dit jou?" zei de stem in de telefoon.

Erlendur dacht even na.

"Ik zou me kunnen voorstellen dat Holberg, als hij de moeder heeft verkracht, de vader van het kind is en dat de foto daarom in zijn bureau lag. Het meisje was nog geen vier toen ze stierf, werd in 1964 geboren."

"Holberg werd nooit veroordeeld", zei Marion Briem. "De zaak werd geseponeerd wegens gebrek aan bewijs."

"Had ze het verhaal verzonnen?"

"Ik vond dat toentertijd onwaarschijnlijk maar het viel onmogelijk te bewijzen. Het is natuurlijk nooit gemakkelijk voor vrouwen om een dergelijke gewelddaad bij de politie te melden. Je kunt je voorstellen wat die vrouw heeft moeten doorstaan, nu bijna veertig jaar geleden. Het is heden ten dage al erg genoeg voor vrouwen om naar voren te komen en een aanklacht in te dienen, maar toen was het vele malen moeilijker. Ze heeft het vast niet voor de lol gedaan. De foto is misschien een soort bevestiging van het vaderschap. Waarom zou Holberg die foto anders in zijn bureau bewaren? De tijd lijkt te kloppen. De verkrachting vond plaats in 1963. Jij zegt dat Kolbrún Auður in het jaar daarop ter wereld bracht. Auður sterft vier jaar later. Kolbrún begraaft haar kind. Holberg is er op de een of andere manier bij betrokken. Misschien nam hij de foto wel zelf. Met welke bedoeling weet ik niet. Misschien is dat ook niet van belang."

"Hij is ongetwijfeld niet bij de begrafenis geweest, maar hij zou het graf bezocht kunnen hebben en er een foto van gemaakt hebben. Bedoel je zoiets?"

"Er is nog een andere mogelijkheid."

"O?"

"Misschien heeft ze de foto zelf genomen en aan hem toegestuurd." Erlendur dacht er even over na.

"Maar waarom? Als hij haar heeft verkracht, waarom zou ze hem dan die foto sturen?"

"Dat is de vraag."

"Stond er in de overlijdensverklaring waar Auður aan gestorven is?" vroeg Marion Briem. "Hoe stierf het meisje? Was het een ongeluk?"

"Er staat dat ze een hersentumor had. Denk je dat dat van belang zou kunnen zijn?"

"Werd er sectie verricht?"

"Ongetwijfeld. De naam van de arts staat op de verklaring."

"En de moeder?"

"Plotseling thuis gestorven."

"Zelfmoord?"

"Ja."

"Je komt nooit meer langs", zei Marion Briem na een korte stilte.

"Druk", zei Erlendur. "Verdomde, verrekte druk."

Het regende de volgende morgen op de weg naar Keflavík en het regenwater vulde diepe bandensporen die de auto's probeerden te vermijden. Het plensde zo hard dat er nauwelijks iets te zien was door de ruiten van de auto's, die in watergordijnen gehuld waren en heen en weer schudden in de wilde zuidooststorm. De ruitenwissers kregen het water van de voorruit niet weg en Erlendur hield het stuur zo stevig vast dat zijn knokkels wit werden. Hij kon de rode achterlichten van de auto voor hem flauw onderscheiden en probeerde die naar beste vermogen te volgen.

Hij was alleen op pad. Dat leek hem het beste nadat hij eerder die morgen met de zus van Kolbrún had gebeld. Zij stond op de overlijdensverklaring genoemd als het naaste familielid. De zus was niet bereid tot samenwerken. Ze wilde hem niet ontmoeten. Weigerde het categorisch. De kranten hadden een foto van de overledene gepubliceerd met zijn naam erbij. Erlendur vroeg of ze de foto had gezien en wilde juist vragen of ze zich hem herinnerde, toen ze de hoorn midden in zijn zin op de haak gooide. Hij besloot het erop te wagen om te zien wat ze zou doen als hij bij haar op de stoep verscheen. Hij wilde haar niet graag onder dwang naar Reykjavík laten komen.

Erlendur had die nacht slecht geslapen. Hij maakte zich zorgen over Eva Lind, vreesde dat ze de een of andere stommiteit zou uithalen. Ze had een mobieltje, maar steeds als hij belde kwam er zo'n machinale stem die ofwel zei dat de telefoon buiten bereik was, of dat alle lijnen bezet waren of dat hij uitgeschakeld was. Erlendur kon zich maar zelden herinneren wat hij gedroomd had, maar toen hij wakker werd, voelde hij zich onbehaaglijk en er spookten flitsen uit een boze droom door zijn hoofd tot ze helemaal uit zijn herinnering verdwenen.

Ze hadden maar heel weinig inlichtingen over Kolbrún. Ze was in 1934 geboren en had op 23 november 1963 een aanklacht wegens verkrachting tegen Holberg ingediend. Voor Erlendur op weg was gegaan, had Sigurður Óli hem in grote lijnen de inhoud van de aanklacht verteld. Er stond een beschrijving van de gebeurtenissen in, die overgenomen was uit het politierapport dat Sigurður Óli op aanwijzing van Marion Briem in de archieven gevonden had.

Kolbrún was dertig toen ze haar dochter Auður kreeg. De verkrachting had negen maanden eerder plaatsgevonden. Het getuigenis van Kolbrún bevatte de volgende feiten: ze had Holberg ontmoet in de dancing Kross, die indertijd tussen Njarðvik en Keflavík lag. Het was zaterdagavond. Ze kende hem niet en had hem nooit eerder gezien. Zij was er met twee vriendinnen en Holberg en zijn twee kameraden hadden hen die hele avond gezelschap gehouden. Toen het dansen was afgelopen gingen ze met zijn allen door met feesten bij een van Kolbrúns vriendinnen thuis. Toen het al tamelijk laat was maakte Kolbrún aanstalten om naar huis te gaan. Holberg zei dat hij haar voor alle zekerheid naar huis wilde brengen. Kolbrún had geen tegenwerpingen gemaakt. Geen van beiden was ernstig onder invloed. Kolbrún verklaarde dat ze op het bal twee kleine glazen wodka met bronwater had gedronken en daarna niets meer. Holberg had die avond niet gedronken. Hij had gezegd, en Kolbrún had het gehoord, dat hij een penicillinekuur deed omdat hij een infectie in zijn oor had. Bij de papieren zat een doktersverklaring die dit bevestigde.

Holberg vroeg of hij een taxi mocht bellen. Zei dat hij naar Reykjavík wilde. Ze aarzelde even en wees hem toen waar de telefoon stond. Hij ging de kamer binnen, terwijl zij in de hal haar jas uitdeed en daarna de keuken in ging om een glas water te drinken. Ze had niet gehoord wanneer hij klaar was met bellen, als hij al gebeld had. Ze voelde hem plotseling daar bij het aanrecht achter haar staan. Ze schrok zo dat ze het glas in de gootsteen liet vallen waarbij het water op het aanrecht spatte. Ze gilde toen zijn handen haar borsten grepen en vluchtte van hem weg, verder de keuken in.

"Wat doe je nou toch?" vroeg ze.

"Moeten we niet een beetje lol maken?" zei hij. Hij stond stil voor haar, een krachtige man met sterke handen en dikke vingers.

"Ik wil dat je gaat", zei ze beslist. "Nu! Wil je alsjeblieft gaan?"

"Moeten we niet een beetje lol maken?" herhaalde hij. Hij kwam een stap dichterbij en zij hield haar armen verdedigend voor zich.

"Kom niet in mijn buurt!" schreeuwde ze. "Ik bel de politie!" Ze voelde plotseling hoe alleen en weerloos ze was tegenover deze onbekende man die ze in haar huis had binnengelaten en die nu vlak bij haar stond, haar armen op haar rug had gedraaid en probeerde haar te kussen. Ze vocht als een leeuw maar het hielp haar niet. Ze probeerde met hem te praten, hem om te praten, maar voelde hoe haar machteloosheid alleen maar groter werd.

Erlendur schrok op uit zijn gedachten toen een gigantische vrachtwagen naar hem toeterde en hem zwaar dreunend passeerde waarbij het water tot hoog over zijn auto opspatte. Hij trok zijn stuur recht en danste een tijdje op het water. De achterkant van de auto begon te slippen en even vreesde Erlendur dat hij de macht over het stuur zou verliezen en in het lavaveld zou belanden. Hij nam als de bliksem gas terug en slaagde erin op de weg te blijven terwijl hij de chauffeur van de vrachtwagen, die allang in de hozende regen was verdwenen, uitmaakte voor alles en nog wat.

Ongeveer twintig minuten later stopte hij voor een klein, met golf-platen bekleed houten huis in het oudste gedeelte van Keflavík. Het was witgeschilderd, met een witgeverfd laag hek eromheen en een tuin die met zorg onderhouden werd. De zus heette Elín, was een paar jaar ouder dan Kolbrún en nu gepensioneerd. Ze stond met een jas aan in de hal, op weg naar buiten, toen Erlendur aanbelde. Ze keek hem ver-baasd aan, klein en slank, met een harde uitdrukking op haar gezicht, priemende ogen, hoge jukbeenderen en rimpels om haar mond.

"Ik dacht dat ik je door de telefoon al had gezegd dat ik niets met jou of met de politie te maken wilde hebben", zei ze boos, toen Erlendur zich geïdentificeerd had.

"Dat weet ik", zei Erlendur, "maar ..."

"Ik wil je vragen me met rust te laten", zei ze. "Je had niet de moeite hoeven te nemen om dat hele stuk hier naartoe te rijden."

Ze stapte de drempel over, deed de deur achter zich dicht, liep de drie treden van het trapje naar de voordeur af en opende een hekje in de omheining, dat ze open liet staan ten teken dat ze Erlendur weg wilde hebben. Ze keek hem niet aan. Erlendur bleef op de trap staan en keek haar na.

"Je weet dat Holberg dood is", riep hij.

Ze gaf geen antwoord.

"Hij werd in zijn huis vermoord. Dat weet je."

Erlendur was haar achternagegaan, de trappen weer af. Ze stak een zwarte paraplu op en de regen gutste erop neer. Hij had alleen maar een hoed op zijn hoofd om zich tegen de regen te beschermen. Zij versnelde haar pas. Hij ging er achteraan en rende bijna om haar in te halen. Hij wist niet wat hij zeggen moest om haar ertoe te brengen om naar hem te luisteren. Wist niet waarom de vrouw zo op hem reageerde.

"Ik wilde je naar Auður vragen", zei hij.

De vrouw bleef plotseling staan, draaide zich om en kwam snel op hem af met een woedende uitdrukking op haar gezicht.

"Waardeloze smeris", siste ze tussen haar samengeknepen lippen door. "Waag het niet haar bij haar naam te noemen. Hoe durf je? Na alles wat jullie haar hebben aangedaan. Scheer je weg! Scheer je als de donder hier weg! Stomme smeris!"

Ze keek Erlendur met een blik vol haat aan en hij staarde terug.

"Na alles wat we haar hebben aangedaan?" zei hij. "Welke haar?"

"Weg met jou", schreeuwde ze, ze draaide zich om en liet hem staan waar hij stond.

Hij probeerde niet om haar verder achterna te lopen en zag haar in de regen verdwijnen, licht gebogen in een groene jas en zwarte, half-hoge kaplaarzen. Hij draaide zich om en liep in gedachten verzonken terug naar haar huis en zijn auto. Hij ging erin zitten en stak een sigaret op, draaide het raampje een stukje omlaag en startte toen de auto. Hij reed langzaam achteruit van de parkeerplaats, schakelde over in de eerste versnelling en reed langs het huisje.

Hij inhaleerde diep en voelde weer die doffe pijn in zijn borst. Het was geen nieuwe pijn. Had hem nu al bijna een jaar reden tot enige bezorgdheid gegeven. Een doffe pijn waarmee hij 's ochtends wakker werd, maar die doorgaans snel verdween als hij was opgestaan. De matras waar hij op sliep was niet goed. Soms deed zijn hele lichaam pijn als hij lang in bed lag.

Hij inhaleerde de rook.

Hoopte dat het de matras was.

De mobiele telefoon in zijn zak ging toen hij de sigaret uitmaakte. Het was de chef van de Technische Dienst met het nieuws dat het hun gelukt was het grafschrift op de steen te ontcijferen. Ze hadden het gevonden in het woord Gods.

"Het komt uit de 64e psalm van David", zei de man.

"Ja?" zei Erlendur.

"Vijanden jagen me angst aan. Behoed mijn leven."

"Wat?"

"Op de steen staat: 'Vijanden jagen me angst aan. Behoed mijn leven.' Het komt uit de psalmen van David."

"Vijanden jagen me angst aan. Behoed mijn leven."

"Heb je hier iets aan?"

"Geen idee."

"Er zaten twee stel vingerafdrukken op de foto."

"Ja, dat had Sigurður Óli me al verteld."

"Het ene stel is van de dode, maar de andere zijn niet bij ons bekend. Ze zijn nogal onduidelijk. Heel oude vingerafdrukken."

"Kunnen jullie zien met wat voor toestel de foto is gemaakt?" vroeg Erlendur.

"Dat is onmogelijk te zeggen. Denk wel dat het geen bijzonder toestel geweest hoeft te zijn."

9

Sigurður Óli zette zijn auto ergens op het parkeerterrein van Vervoerbedrijf IJsland waar hij hopelijk niemand in de weg stond. Op het
terrein stonden rijen vrachtwagens. Enkele ervan waren al geladen,
andere vertrokken net, weer andere werden langzaam achteruit gereden naar de opslagloods van het vervoerbedrijf. Benzinedampen
en de vette stank van olie hingen in de lucht en de motoren van de
vrachtwagens maakten een hels lawaai. Op het terrein en in de loods
waren personeel en klanten druk in de weer.

Het weerbericht voorspelde aanhoudend nat weer. Sigurður Óli
probeerde zich met zijn jas tegen de regen te beschermen, trok hem
over zijn hoofd en rende naar de loods. Hij werd naar een opzichter
verwezen die in een glazen hokje zat, papieren doornam en ongelofelijk druk bezig leek.

De opzichter, een zeer lijvige man in een blauw jack dat hij met één
knoop over zijn dikke buik had vastgemaakt en met een sigarenstompje tussen zijn vingers, had gehoord dat Holberg dood was en
zei dat hij hem goed gekend had. Beschreef hem als een betrouwbaar
man, een uitstekende vrachtwagenchauffeur die het land decennia
lang had doorkruist en het IJslandse wegennet op zijn duimpje
kende. Zei dat Holberg gesloten was, nooit iets persoonlijks over
zichzelf vertelde, geen vrienden binnen het bedrijf had gemaakt. Wist
niet wat hij vroeger had gedaan, dacht dat hij altijd vrachtwagenchauffeur was geweest. Zo praatte hij tenminste. Ongetrouwd en
geen kinderen, voorzover hij wist. Had het nooit over zijn naaste
familie.

"Dat is het zo ongeveer", zei de opzichter als om het gesprek te
beëindigen, hij haalde een kleine aansteker uit de zak van zijn jack
en stak de brand in het sigarenstompje. "Rot", pff, pff, "om zo te
moeten sterven", pff.

"Met wie had hij hier het meeste contact?", vroeg Sigurður Óli
terwijl hij probeerde de smerige sigarenrook niet in te ademen.

"Probeer Hilmar en Gauji maar, die hebben hem waarschijnlijk het
best gekend. Hilmar is hier ergens in de buurt. Hij komt uit
Reydarfjördur en mocht soms bij Holberg in Noorderveen komen
slapen als hij hier in de stad zijn rusttijd moest houden. Er zijn
bepaalde regels voor de rusttijden waaraan de chauffeurs zich moeten houden en dan moeten ze een onderkomen in de stad hebben."

"Heeft hij het afgelopen weekeinde bij hem overnacht? Weet je dat soms?"

"Nee, hij was in het oosten aan het werk. Maar misschien was hij er het weekeinde ervoor."

"Weet je of iemand de pik op Holberg had? Problemen hier op de werkplek of ..."

"Nee, nee, niks", pff, "helemaal niets", pff, pff. Het lukte de man maar slecht zijn sigaar aan te houden. "Praat maar met", pff, "Hilmar, vrind. Die kan je misschien helpen."

De opzichter wees Sigurður Óli waar hij Hilmar kon vinden. Hilmar stond bij een van de deuren van de loods op het laden van een vrachtwagen te letten. Het was een reus van een kerel, ongeveer twee meter lang, stevig gebouwd, rossig, met een baard en behaarde armen die uit een hemd met korte mouwen staken. Zo te zien een jaar of vijftig. Ouderwetse blauwe bretels hielden een verschoten spijkerbrock op. Voor het laden van de vrachtwagen werd een kleine vorkheftruck gebruikt. Een tweede vrachtwagen werd met bijbehorend geraas achteruit gemanoeuvreerd naar de volgende deur en tegelijkertijd waren twee chauffeurs op het terrein verwensingen uitbrakend naar elkaar aan het toeteren.

Sigurður Óli ging naar Hilmar toe en klopte hem licht op zijn schouder, maar de chauffeur had er geen erg in. Hij klopte wat harder en toen eindelijk draaide Hilmar zich om. Hij zag dat Sigurður Óli tegen hem stond te praten, maar kon niet horen wat hij zei en keek suffig op hem neer. Sigurður Óli verhief zijn stem maar dat hielp niet. Hij begon nog harder te praten en meende een glimp van begrip in Hilmars ogen te zien verschijnen, maar dat bleek een misverstand. Hilmar schudde slechts zijn hoofd en wees op zijn oren.

Toen trok Sigurður Óli alle registers open, rekte zich uit, ging op zijn tenen staan en schreeuwde zich de longen uit het lijf, maar op hetzelfde moment werd het plotseling doodstil en zijn woorden galmden op volle sterkte tussen de wanden van de reusachtige loods en naar buiten over het hele terrein: "HEB JE BIJ HOLBERG GESLAPEN?"

10

Toen Erlendur bij hem kwam stond hij bladeren in zijn tuin aan te harken. Hij keek niet op voor Erlendur al een hele tijd had staan toe-kijken hoe hij aan het werk was met de bedachtzame bewegingen van een oude man, een druppel van zijn neus veegde. Het leek of het hem niets uitmaakte dat het regende en de bladeren aan elkaar plakten en moeilijk bij elkaar geveegd konden worden. Hij haastte zich helemaal niet, zette zijn hark in de bladeren en probeerde er kleine hoopjes van te maken. Hij woonde nog steeds in Keflavík. Was er geboren en getogen.

Erlendur had Elínborg gevraagd om inlichtingen over hem in te winnen en zij had de voornaamste gegevens die er over de oude man in de tuin bestonden opgegraven: zijn loopbaan bij de politie, de aanmerkingen die er op zijn gedrag en werkmethoden waren gemaakt, en dat waren er in die lange loopbaan nogal wat geweest, de zaak-Kolbrún en hoe hij in het bijzonder voor zijn houding in deze zaak was berispt. Ze gaf Erlendur deze gegevens telefonisch door toen hij in Keflavík zat te eten. Hij vroeg zich af of hij zijn bezoek tot de volgende dag zou uitstellen, maar bedacht toen dat hij er geen zin in had om dat stuk in rotweer op en neer te blijven rijden.

De man had een groen winterjack aan en een baseballpetje op zijn hoofd. Witte, knokige handen hielden de steel van de hark vast. Hij was lang en zeker ooit lijviger en imposanter geweest, maar nu was hij oud en gekrompen met een druppel aan zijn neus. Erlendur zag hem daar op zijn oude dag in een tuin achter een huis rondscharrelen. De man keek niet op van de bladeren en schonk geen enkele aandacht aan hem. Zo verliep er een hele tijd en toen besloot Erlendur maar eens te beginnen.

"Waarom wil haar zus niet met me praten?" zei hij en hij zag de oude man opschrikken.

"Hè, wat?" De man keek op van zijn werk. "Wie ben jij?" vroeg hij.

"Hoe hebben jullie Kolbrún ontvangen toen ze haar aanklacht bij jullie indiende?" vroeg Erlendur.

De oude man keek naar die onbekende man die zijn tuin was ingekomen en wreef met de rug van zijn hand de druppel van zijn neus. Hij tuurde naar Erlendur.

"Ken ik jou?" vroeg hij. "Waar heb je het over? Wie ben je?"

"Ik heet Erlendur. Ik ben bezig met het onderzoek naar de moord op een man in Reykjavík die Holberg heet. Hij werd bijna veertig jaar geleden aangeklaagd wegens verkrachting. Jij leidde het onderzoek in die zaak. Het meisje dat verkracht werd, heette Kolbrún. Ze is dood. Haar zus praat niet met de politie om redenen waar ik nu probeer achter te komen. Ze zei tegen me: 'Na wat jullie haar hebben aangedaan.' Ik zou graag willen dat je me vertelde wat het was dat we haar hebben aangedaan."

De man keek Erlendur aan zonder een woord te zeggen. Keek hem in de ogen en zweeg.

"Wat hebben we haar aangedaan?" herhaalde Erlendur.

"Ik herinner me niet ... met welk recht kom je hier? Wat voor onbeschoft gedrag is dit eigenlijk?" Zijn stem bibberde een beetje. "Scheer je weg uit mijn tuin of ik bel de politie."

"Nou nee, want zie je, Rúnar, ik ben de politie. En voor grote bekken heb ik geen tijd."

De man stond na te denken.

"Is dit de nieuwste methode? De mensen overvallen met dreigementen en onbeschoft gedrag?"

"Goed dat je methoden en onbeschoft gedrag noemt", zei Erlendur. "Jij kreeg ooit eens acht aanklachten wegens uitglijders in je werk, waaronder honds optreden. Ik weet niet wie je hebt moeten paaien om je baan te behouden, maar je hebt hem uiteindelijk toch niet tevreden kunnen stellen, want ten slotte heb je de dienst met schande moeten verlaten. Ontslagen ... "

"Bek dicht", zei de man, om zich heen kijkend. 'Hoe durf je ..."

" ... wegens herhaalde grove seksuele intimidatie."

De witte, knokige handen omklemden de hark nu zo stevig dat de kleurloze huid strak trok en de knokkels zichtbaar werden. Het gezicht werd een masker met een in haat vertrokken mond, de ogen werden samengeknepen tot ze half gesloten waren. Op weg naar de man, toen de inlichtingen van Elínborg nog als elektrische schokken door zijn hoofd gingen, had Erlendur erover na zitten denken of je deze man kon verwijten wat hij in een ander leven had gedaan, toen hij een andere man was, in een andere tijd. Erlendur was lang genoeg bij de politie geweest om zich de verhalen over Rúnar te herinneren, over de problemen die hij veroorzaakt had. Hij herinnerde zich hem. Hij had hem vele jaren geleden twee- of driemaal ontmoet, maar Rúnar was zo oud en broos geworden dat het even duurde voor Erlendur zich realiseerde dat dit dezelfde man was, toen hij in de tuin naar hem toe kwam. De verhalen over Rúnar deden nog steeds de ronde bij de politie. Erlendur had ergens eens gelezen dat het verleden een ander land is en dat kon hij billijken. Hij wist dat de tijden en de mensen veranderen. Maar hij was niet bereid om het verleden uit te wissen.

Ze stonden daar in de tuin tegenover elkaar.

"Hoe zit het met Kolbrún?" zei Erlendur.

"Donder op!"

"Eerst moet je me over Kolbrún vertellen."

"Ze was een verdomde hoer!" perste de man er opeens tussen zijn op elkaar geklemde kiezen uit. "Daar moet je het mee doen en donder nou op! Alles wat ze over me verteld heeft was een verdomde leugen. Het was verdomme geen verkrachting. Ze loog de hele tijd!"

Erlendur zag Kolbrún voor deze man zitten, al die jaren terug toen ze de verkrachting aangaf. Hij stelde zich voor hoe ze moed had zitten verzamelen tot ze het niet langer uit kon houden en naar de politie ging om te vertellen wat haar was overkomen, de verschrikking die ze beleefd had en die ze het liefst zou willen vergeten alsof er niets was gebeurd, alsof het alleen maar een nachtmerrie was geweest waaruit ze even intact als vroeger wakker zou worden. Maar ze zou nooit meer even intact als vroeger wakker worden. Ze was geschonden. Ze was aangerand en overweldigd ...

"Ze kwam drie dagen nadat het gebeurd was en diende een aanklacht wegens verkrachting tegen de man in", zei de oude man tegen Erlendur. "Dat was niet erg overtuigend."

"En jij gooide haar eruit", zei Erlendur.

"Ze loog."

"En lachte haar uit en kleineerde haar en zei dat ze het maar moest vergeten. Maar ze vergat het niet, hè?"

De oude man keek Erlendur met een blik vol haat aan.

"Ze ging naar Reykjavík, nietwaar?" zei Erlendur

"Holberg werd nooit veroordeeld."

"En aan wie was dat te danken, denk je?"

Erlendur zag voor zich hoe Kolbrún het tegen Rúnar in zijn bureau moest opnemen. Tegen hem opnemen! Tegen deze man! Woorden wisselen over wat ze had moeten doormaken. Proberen hem ervan te overtuigen dat ze de waarheid zei, alsof hij de hoogste rechter in haar zaak was.

Ze had al haar zelfbeheersing nodig toen ze de gebeurtenissen van die nacht voor hem beschreef en ze probeerde alles keurig op volgorde te vertellen maar het was allemaal te vreselijk. Ze kon het niet beschrijven. Kon niet vertellen over wat onbeschrijfelijk, walgelijk, afstotelijk was. Ze slaagde er op de een of andere manier in om het chaotische verhaal tot een einde te brengen. Zag ze daar een grijns? Ze kon niet begrijpen waarom de politieman grijnsde. Ze dacht een grijns te zien maar dat kon toch niet waar zijn. Toen begon hij haar naar de details te vragen.

Vertel me hoe het precies was.

Ze keek hem aan. Begon aarzelend opnieuw met haar verhaal.

Nee, dat heb ik al gehoord. Vertel me wat er precies gebeurd is. Je had een slipje aan. Hoe kreeg hij je daaruit? Hoe kwam hij bij je binnen?

Was het hem ernst? Ze vroeg toen eindelijk of er ook een vrouw bij de politie werkte.

Nee ... Als je deze man wegens verkrachting wilt aanklagen, zul je preciezer moeten zijn dan tot nu toe, snap je. Heb je hem op de een of andere manier aangemoedigd zodat hij reden had om te denken dat je er wel zin in had?

Er wel zin in had?

Ze vertelde hem zo zacht dat het bijna niet te horen was dat ze helemaal niets had gedaan.

Je moet harder praten. Hoe kreeg hij je uit je slipje?

Ze wist nu zeker dat het een grijns was. Hij ondervroeg haar harkerig, betwijfelde alles wat ze zei, was schofterig, sommige vragen regelrecht beledigend, vuilbekkerij. Hij probeerde het er de schijn van te geven dat ze het misdrijf had uitgelokt, dat ze met de man had willen vrijen, daar misschien spijt van had gekregen maar toen was het te laat geweest, snap je, te laat om je bij zoiets nog terug te trekken. Je kunt niet zomaar naar een dancing gaan en met mannen flirten en dan midden in het spel ophouden. Dat kan niet zomaar, zei hij.

Ze zat ten slotte stilletjes te huilen, maakte haar handtasje open en haalde er een plastic zakje uit dat ze hem overhandigde. Hij maakte het zakje open en haalde er haar gescheurde slipje uit ...

Rúnar liet zijn hark los en wilde Erlendur voorbij lopen, maar Erlendur ging voor hem staan en zette hem klem tegen de muur van het huis. Ze keken elkaar aan.

"Ze gaf je een bewijsstuk", zei Erlendur. "Het enige bewijsstuk dat ze bezat. Ze was ervan overtuigd dat er iets van Holberg op was achtergebleven."

"Ze heeft me nooit iets gegeven", siste Rúnar. "Laat me met rust."

"Ze heeft je het slipje gegeven."

"Dat loog ze."

"Ze hadden je toen meteen moeten ontslaan", zei Erlendur. "Jij vieze vuile rotzak!"

Met een uitdrukking van afschuw op zijn gezicht deed hij langzaam een paar stappen achteruit, bij Rúnar vandaan die tegen de muur bleef staan, een oud wrak van een man.

"Ik liet haar alleen maar zien wat ze kon verwachten als ze de zaak doorzette", zei hij schril. "Gerechtshoven lachen om dit soort zaken."

Erlendur draaide zich om en ging weg. Hij vroeg zich af hoe God, als hij tenminste bestond, toch had kunnen willen dat een man als Rúnar op hoge leeftijd mocht sterven terwijl hij het leven van een vierjarig meisje nam.

Hij wilde terug naar de zus van Kolbrún maar ging eerst bij de bibliotheek van Keflavík langs. Hij liep tussen de boekenkasten door en liet zijn blik over de ruggen gaan tot hij de bijbel vond. Erlendur kende Gods woord heel goed. Hij opende het boek bij de psalmen van David en vond psalm 64. Hij vond de regel die op het graf stond. 'Vijanden jagen me angst aan, bescherm mijn leven.'

Hij had het zich goed herinnerd. Het grafschrift was het vervolg op de eerste regel van de psalm. Erlendur las hem een paar keer over, streek nadenkend met zijn hand over de bladzijden en las, daar staande bij de boekenplanken, de regel halfluid op.

De eerste regel van de psalm was een aanroep van de Heer en Erlendur had het gevoel of hij de stille roep van de vrouw door de jaren heen hoorde.

'Mijn God, luister naar mij, U klaag ik mijn nood.'

11

Erlendur reed zijn auto tot voor de deur van het witgeschilderde, met golfplaten beklede huisje en zette de motor af. Hij bleef in de auto zitten en rookte zijn sigaret op. Hij was aan het proberen om minder te roken en als alles goed ging rookte hij er nog maar vijf per dag. Deze sigaret was de achtste vandaag en het was nog geen drie uur.

Hij stapte uit, liep de trap naar de voordeur op en belde aan. Hij wachtte een tijdje maar er gebeurde niets. Hij belde nogmaals maar zonder resultaat. Hij drukte zijn neus tegen een ruit en zag de groene jas, de paraplu en de laarzen. Hij belde voor de derde keer, stond boven aan de trap te wachten terwijl hij probeerde zich tegen de regen te beschermen. Plotseling ging de deur open en stond Elín hem strak aan te kijken.

"Laat me met rust, hoor je dat! Ga weg! Weg met jou!" Ze wilde de deur dichtsmijten, maar Erlendur zette zijn voet ertussen.

"We zijn niet allemaal als Rúnar", zei hij. "Ik weet dat je zus geen eerlijke behandeling kreeg. Ik ben met Rúnar gaan praten. Wat hij heeft gedaan valt niet goed te praten, maar daaraan kan nu niets meer veranderd worden. Hij is een ziekelijke oude man en het zit er niet in dat hij ooit iets verkeerds zal zien in wat hij heeft gedaan."

"Wil je me met rust laten!"

"Ik moet met je praten. En als het niet op deze manier gaat, moet ik je laten halen om je een verhoor af te nemen. Dat wil ik liever niet." Hij pakte de foto van het kerkhof uit de zak van zijn jas en duwde hem in de spleet van de deur. "Deze foto heb ik bij Holberg thuis gevonden", zei hij.

Elín gaf hem geen antwoord. Een hele tijd verstreek. Erlendur bleef de foto in de deuropening vasthouden. Hij kon Elín, die de deur nog steeds toedrukte, niet zien, maar voelde zijn voet geleidelijk aan los komen en Elín nam de foto aan. Algauw stond de deur open. De vrouw ging verder het huis in met de foto in haar hand. Erlendur kwam binnen en deed de deur voorzichtig achter zich dicht.

Elín verdween in een kleine kamer en even vroeg Erlendur zich af of hij zijn natte schoenen uit moest doen. Hij veegde ze zorgvuldig op een mat en ging achter Elín aan de kamer in, kwam langs een nette kleine keuken en een werkkamer. In de woonkamer hingen schilderijen aan de muren, een borduurwerk in een vergulde lijst en in een hoek stond een klein elektrisch orgel.

"Ken je deze foto?" vroeg Erlendur voorzichtig.

"Ik heb hem nooit eerder gezien", zei ze.

"Had je zus wel eens contact met Holberg na ... het gebeurde?"

"Voorzover ik weet nooit. Nooit. Dat kun je je wel voorstellen."

"Is er geen bloedonderzoek gedaan om te zien of hij de vader was?"

"Waarom?"

"Dat kan de verklaring van je zus ondersteunen. Dat er sprake was van verkrachting."

Ze keek op van de foto, staarde hem een hele tijd aan en zei toen: "Jullie agenten zijn allemaal eender. Doen geen moeite om jullie werk te doen."

"Wat bedoel je?"

"Heb je de zaak niet bestudeerd?"

"In grote lijnen, ja. Dacht ik tenminste."

"Holberg betwistte helemaal niet dat ze seksueel contact hadden gehad. Daar was hij te slim voor. Hij betwistte dat het verkrachting was geweest. Hij zei dat mijn zus het met hem had willen doen. Hij zei dat ze hem had aangemoedigd en bij zich thuis had uitgenodigd. Dat was de kracht van zijn verdediging. Dat Kolbrún uit vrije wil en maar al te graag met hem naar bed was gegaan. Speelde zo de vermoorde onschuld. Speelde de vermoorde onschuld, de rotzak."

"Maar ..."

"Het enige bewijs dat mijn zus had, was een gescheurd slipje", ging Elín verder. "Je kon niet veel aan haar zien. Ze was niet sterk, kon niet veel tegenstand bieden en ze zei me dat ze bijna verlamd van schrik was geweest toen hij daar in de keuken aan haar begon te zitten. Hij dwong haar met hem mee de slaapkamer in te gaan en daar vergreep hij zich aan haar. Tweemaal. Bleef haar onder zich houden, haar betastend en vuilbekkend tot hij zover was dat hij het nog eens kon doen. Ze had drie dagen nodig om moed bij elkaar te rapen om naar de politie te gaan en het werd er niet beter op toen er later een medisch onderzoek werd gedaan. Ze kon absoluut niet begrijpen waarom hij haar aanrandde. Ze verweet zichzelf dat ze zijn daad misschien had uitgelokt. Dacht dat ze hem misschien had aangemoedigd tijdens het feestje waar ze naartoe waren gegaan nadat de dancing gesloten was. Dat ze misschien iets had gezegd of gesuggereerd dat hem hitsig maakte. Ze gaf zichzelf de schuld. Ik denk dat zoiets een heel gewone reactie is."

Elín bleef een tijdje stil.

"Toen ze eindelijk een besluit had genomen, kwam ze bij Rúnar terecht. Ik zou zeker met haar zijn meegegaan, maar ze schaamde zich zo diep dat ze pas lange tijd later aan iemand vertelde wat er gebeurd was. Holberg had haar bedreigd. Zei dat hij haar zou weten te vinden als ze iets in de zaak zou ondernemen. Toen ze naar de politie ging dacht ze dat ze bescherming zou krijgen. Dat ze haar zouden helpen. Dat ze haar zouden beschermen. Pas toen Rúnar haar weer naar huis stuurde na zich vrolijk over haar gemaakt te hebben en nadat hij haar slipje had gehouden en tegen haar gezegd had dat ze alles maar moest vergeten, pas toen kwam ze bij mij."

"Het slipje is nooit boven water gekomen", zei Erlendur. "Rúnar ontkende ..."

"Kolbrún zei dat ze hem het slipje had gegeven en ik heb mijn zus nooit op een leugen betrapt. Ik weet niet wat die man in zijn hoofd had. Zie hem hier soms in de stad lopen, in de supermarkt of bij de visboer. Eén keer ben ik tegen hem tekeergegaan. Kon me niet inhouden. Ik kreeg de indruk dat hij ervan genoot. Grijnsde. Kolbrún had het een keer over die grijns op zijn gezicht. Hij beweerde dat hij nooit een slipje in ontvangst had genomen en dat de verklaring van Kolbrún zo onduidelijk was geweest dat hij dacht dat ze onder invloed was. Daarom had hij haar naar huis gestuurd."

"Hij werd uiteindelijk berispt", zei Erlendur, "zonder dat dat overigens enige invloed had. Rúnar werd aan de lopende band berispt. Iedereen bij de politie wist dat hij een ploert was, maar iemand hield hem de hand boven het hoofd totdat het niet langer mogelijk was hem te beschermen en hij ontslagen werd."

"Ze vonden dat er geen aanleiding was om er een rechtszaak van te maken, zoals het verwoord werd. Wat Rúnar zei was juist, Kolbrún moest het maar vergeten. Ze aarzelde natuurlijk lang, te lang, en was stom genoeg om letterlijk alles in haar woning schoon te maken, ook haar beddengoed, ze verwijderde alle bewijsstukken. Ze bewaarde het slipje. Ondanks alles probeerde ze dat bewijsstuk te bewaren. Alsof ze dacht dat dat genoeg was. Alsof het genoeg was om de waarheid te vertellen. Ze wilde die gebeurtenis uit haar leven wegboenen. Ze wilde er niet mee leven. En zoals ik al zei, je kon niet veel aan haar zien. Waar hij zijn hand over haar mond had gehouden was haar lip gescheurd en in een van haar ogen zat een kleine bloeding."

"Kwam ze er overheen?"

"Nee, nooit. Ze was een heel gevoelige vrouw, die zus van mij. Een goed mens en een gemakkelijke prooi voor wie haar niet goed gezind waren. Mensen als Holberg. Als Rúnar. Dat hebben ze allebei gevoeld. Ze vielen haar ieder op hun eigen manier aan. Verscheurden hun prooi."

Ze keek naar de grond.

"Beesten", zei ze.

Erlendur liet een paar seconden verstrijken voor hij verder ging.

"Hoe reageerde ze toen ze merkte dat ze zwanger was?" vroeg hij.

"Ze vatte het heel verstandig op, vond ik. Ze nam meteen het besluit dat ze ondanks alles blij met het kind zou zijn en ze hield oprecht van Auður. Ze waren dol op elkaar en mijn zus zorgde heel erg goed voor haar dochter. Deed alles voor haar wat ze kon. Dat arme, lieve meisje."

"Holberg wist dus dat hij de vader was?"

"Natuurlijk wist hij dat, maar hij zwoer dat het niet zo was. Ontkende het in alle toonaarden. Zei dat hij part noch deel aan het kind had. Beschuldigde mijn zus van lichtzinnigheid."

"Ze hadden dus geen enkel contact, niet over hun dochter of ...?"

"Contact? Geen sprake van. Hoe kun je dat nou denken? Dat was onmogelijk."

"Kolbrún kan hem de foto niet gestuurd hebben?"

"Nee. Nee, dat kan ik me niet voorstellen. Dat is ondenkbaar."

"Dan moet hij de foto zelf hebben gemaakt. Of iemand die van de zaak afwist heeft de foto gemaakt en aan hem toegestuurd. Misschien heeft hij een overlijdensadvertentie in de kranten gezien. Zijn er herdenkingsartikelen over Auður geschreven?"

"Er was een overlijdensbericht en ik heb een kort in memoriam in het ochtendblad geschreven. Dat zou hij gelezen kunnen hebben."

"Is Auður hier in Keflavík begraven?"

"Nee. We komen uit Sandgerði, en daar vlakbij is een klein kerkhof. Kolbrún wilde dat ze daar begraven werd. Het was midden in de winter. Het kostte heel wat moeite om het graf te delven."

"In de overlijdensverklaring staat dat ze een hersentumor had."

"Dat was de verklaring die ze mijn zus gaven. Ze ging gewoon dood. Ging dood en liet ons achter, ons kleintje, en we konden niets doen. Nog geen vier jaar oud."

Elín keek op van de foto en keek Erlendur aan.

"Ging gewoon dood."

Het was binnen heel donker geworden en de woorden, vol vragen en verdriet, gingen fluisterend rond door het duister. Elín stond langzaam op, deed een schemerlamp aan die een flauw licht verspreidde en liep naar de gang en de keuken in. Erlendur hoorde haar de kraan opendraaien, iets ergens in laten lopen, water opgieten, een bus openmaken, rook toen de geur van koffie. Hij stond op om de afbeeldingen aan de muur te bekijken. Het waren tekeningen en schilderijen. Een kindertekening in waskrijt was ingelijst in een smalle zwarte lijst. Ten slotte vond hij wat hij zocht. Het waren er twee, waarschijnlijk met een tussenpoos van twee jaar genomen. Foto's van Auður.

De oudste foto was bij een fotograaf gemaakt. Een zwartwitfoto. Het meisje was hoogstens een jaar oud en zat op een groot kussen, op haar paasbest in een jurk met een strik in haar haar en in een van haar handjes een kleine rammelaar. Ze zat half naar de fotograaf toegewend met een glimlach die vier kleine tandjes liet zien. Op de andere foto was ze een jaar of drie. Volgens Erlendur was die foto door haar moeder gemaakt. Een kleurenfoto. Het meisje stond tussen lage struiken en de zon scheen op haar neer. Ze had een dikke rode trui aan, een rokje, witte kousen en zwarte schoenen met mooie gespen. Ze keek een beetje angstig in de lens. Een ernstig gezichtje. Misschien had ze wel niet willen glimlachen.

"Kolbrún kwam er nooit overheen", zei Elín, die in de deur van de kamer stond. Erlendur ging weer rechtop staan.

"Er bestaat waarschijnlijk niets dat erger is", zei hij en hij pakte een kop koffie van haar aan. Elín ging met haar kopje weer op de bank zitten en Erlendur kwam opnieuw tegenover haar zitten en nam een slok van zijn koffie.

"Als je wilt roken, ga dan je gang maar", zei ze.

"Ik probeer ermee op te houden", zei Erlendur en hij probeerde het niet verontschuldigend te laten klinken, maar hij moest wel aan de pijn op zijn borst denken. Hij groef een verfrommeld pakje op uit zijn jaszak en stak er een op. De negende van die dag. Ze schoof een asbak naar hem toe.

"Nee", zei ze, "er is waarschijnlijk niets dat erger is. De doodsstrijd was godzijdank kort. Ze begon pijn in haar hoofd te krijgen. Alsof ze hoofdpijn had. De dokter die haar onderzocht zei dat het kindermigraine was. Hij gaf haar wat pillen en die hielpen helemaal niet. Het was geen goede dokter. Kolbrún vertelde me dat ze soms merkte dat hij naar alcohol rook en daar maakte ze zich zorgen over. En alles ging ook zo snel. Het meisje ging steeds verder achteruit. Ze hebben iets gezegd over huidtumoren die haar dokter had horen te zien. Pigmentvlekken. In het ziekenhuis noemden ze het koffievlekken. Ze zaten vooral onder haar armen. Ten slotte werd ze naar het ziekenhuis hier in Keflavík gestuurd en daar ontdekten ze dat er sprake was van een soort gezwel van het centrale zenuwstelsel. Het bleek een hersentumor te zijn. Het was in ongeveer zes maanden bekeken." Elín zweeg even.

"Zoals ik al zei, werd Kolbrún hierna nooit meer dezelfde", zei ze met een zucht. "Ik veronderstel dat niemand er na zulke vreselijke gebeurtenissen weer bovenop kan komen."

"Werd er sectie op Auður verricht?" vroeg Erlendur. Hij zag het kleine lichaam voor zich, onder neonlicht op een koude stalen tafel met een y-snede in haar borst.

"Kolbrún wilde er niet van horen", zei Elín, "maar de beslissing was niet aan haar. Toen ze ontdekte dat ze haar hadden opengemaakt, werd ze des duivels. Ze was natuurlijk gek van verdriet na de dood van het kind en er viel niet met haar te praten. Ze kon de gedachte dat ze in haar kleine meisje zouden gaan snijden niet accepteren. Ze was dood en daar kon niemand iets aan veranderen. De sectie bevestigde de diagnose. Ze vonden een kwaadaardige tumor in de hersenen."

"En je zus?"

"Kolbrún pleegde drie jaar later zelfmoord. Ze werd zwaar depressief en kwam onder behandeling. Was enige tijd opgenomen op een psychiatrische afdeling in Reykjavík maar kwam daarna weer terug naar huis in Keflavík. Ik probeerde zo goed mogelijk voor haar te zorgen maar het leek wel of het vuur in haar was gedoofd. Ze had geen zin meer. Auður had haar gelukkig gemaakt. Ondanks die verschrikkelijke ervaringen. Maar Auður was er niet meer."

Elín keek Erlendur aan.

"Je vraagt je waarschijnlijk af hoe ze het heeft gedaan."

Hij gaf haar geen antwoord.

"Ze ging in het bad liggen en sneed zich beide polsen door. Kocht er scheermesjes voor, voor de eerste maal in haar leven."

Elín was even stil en het duister in de kamer omsloot hen.

"Weet je waar ik aan moet denken als ik aan die zelfmoord denk? Niet aan het bloed in het bad. Niet aan mijn zus die daar in het rood-gekleurde water ligt. Niet aan die sneden. Maar aan Kolbrún die in de winkel staat om scheermesjes te kopen. Geld voor die mesjes tevoorschijn haalt. De kronen uittelt."

Ze zweeg.

"Gek hè, hoe de geest van de mens werkt, vind je ook niet?" vroeg ze alsof ze het tegen zichzelf had.

Erlendur wist niet wat hij daarop moest zeggen.

"Ik heb haar gevonden", ging Elín verder. "Ze had het helemaal voorbereid. Ze belde me op en vroeg me of ik die avond langs wilde komen. We praatten een tijdje met elkaar. Ik was altijd alert vanwege die depressie maar het leek of het haar de laatste tijd wat beter ging. Alsof de mist begon op te trekken. Alsof ze in staat was om het leven opnieuw op te pakken. Ik hoorde die avond niets in haar stem dat erop wees dat ze van plan was er een einde aan te maken, integendeel. We hadden het over de toekomst. We zouden samen op reis gaan. Toen ik haar vond lag er een rust over haar die ik al lang niet meer had gezien. Rust en aanvaarding. Toch weet ik dat ze het verre van aanvaard had en ze vond geen rust in haar ziel.''

"Nu moet ik je nog één ding vragen en daarmee is het afgedaan'', zei Erlendur. "Maar ik moet het antwoord van je horen.''

"Wat wil je weten?''

"Weet je iets over de moord op Holberg?''

"Nee, niets.''

"En je hebt er part noch deel aan, direct of indirect?''

"Nee.''

Ze zwegen een tijdje.

"Het grafschrift dat ze voor haar dochter uitkoos, ging over vijanden'', zei Erlendur.

"'Vijanden jagen me angst aan, bescherm mijn leven.' Ze had ook een grafschrift voor zichzelf uitgezocht al is het niet op haar steen gekomen'', zei Elín. Ze stond op en ging naar een mooie glazenkast, trok een lade open en haalde er een zwart doosje uit. Dat opende ze met een sleutel, tilde wat enveloppen op en trok er een velletje papier uit.

"Dit vond ik op de keukentafel op de avond dat ze stierf, maar ik weet niet zeker of het haar bedoeling was dat ik het op haar grafsteen zou zetten. Ik betwijfel het. Ik denk dat ik me niet gerealiseerd had hoeveel verdriet ze had voor ik dit onder ogen kreeg.''

Ze reikte Erlendur het velletje papier en hij las de eerste drie woorden uit de psalm die hij al eerder in de bijbel had gevonden: 'Luister, mijn God.'

12

Toen Erlendur 's avonds thuiskwam zat zijn dochter Eva Lind tegen de deur van de woning. Het leek of ze sliep. Hij sprak haar aan en probeerde haar te wekken. Ze vertoonde geen enkele reactie, zodat hij haar onder haar oksels vastpakte, haar optilde en zo mee naar binnen nam. Hij wist niet of ze sliep of onder de drugs zat. Hij legde haar op de bank in de woonkamer. Haar ademhaling klonk regelmatig. Haar pols leek in orde. Hij keek een hele tijd naar haar terwijl hij zich afvroeg wat hij moest doen. Het liefst zou hij haar in het bad stoppen. Er hing een vieze lucht om haar heen, haar handen waren smerig en het vuil klitte in haar haren.

"Waar heb je toch uitgehangen?" verzuchtte Erlendur.

Hij ging op een stoel naast haar zitten, met zijn hoed nog op zijn hoofd en zijn jas aan, en zat over zijn dochter na te denken tot hij in een diepe slaap viel.

Toen Eva Lind hem de volgende ochtend wakker schudde wilde hij niet wakker worden, hij probeerde de flarden vast te houden van een droom die hetzelfde onbehaaglijke gevoel in hem wakker riep als de droom van de vorige nacht. Hij wist dat het dezelfde droom was maar het lukte hem net zomin als toen hem in zijn geheugen te prenten, het lukte hem niet om er vat op te krijgen. Het enige wat restte waren beklemming en een katterig gevoel, dat er ook nu hij wakker was nog steeds was.

Het was nog geen acht uur en buiten was het nog steeds aardedonker. Het leek wel of er maar geen einde kwam aan de regen en de kille herfstwind. Tot zijn verbazing rook hij de geur van koffie die uit de keuken kwam en de damp van warm water alsof er iemand in het bad was geweest. Hij zag dat Eva Lind een van zijn hemden had aangetrokken en een oude spijkerbroek die ze stevig met een riem om haar dunne middel had vastgesjord. Ze was blootsvoets en schoon.

"Je was goed in vorm gisteravond", zei hij, maar hij kreeg er onmiddellijk spijt van. Dacht toen bij zichzelf dat hij allang had moeten stoppen om haar met fluwelen handschoenen aan te pakken.

"Ik heb een besluit genomen", zei Eva Lind terwijl ze de keuken in liep. "Ik ga je grootvader maken. Opa Erlendur. Dat ben jij."

"Was je je dan gisteren voor de laatste keer aan het uitleven of wat?"

"Is het goed als ik hier een tijdje woon, alleen maar tot ik iets nieuws gevonden heb?"

"Wat mij betreft, goed."

Hij ging met haar aan de keukentafel zitten en dronk de koffie die ze voor hem had ingeschonken.

"En hoe kwam je tot dit besluit?"

"Zomaar."

"Zomaar?"

"Kan ik bij je blijven?"

"Zo lang je wilt. Dat weet je toch?"

"Hou dan op met me te ondervragen. Hou op met die verhoren. Het lijkt wel of je altijd aan het werk bent."

"Ik bén altijd aan het werk."

"Heb je het meisje uit Garðabær al gevonden?"

"Nee, dat is geen zaak die voorrang heeft. Heb gisteren met haar man gesproken. Hij weet niets. Het meisje liet een boodschap achter waarin ze zei dat een zekere 'hij' walgelijk was en toen vroeg 'Wat heb ik gedaan?'"

"Dan heeft iemand daar op het feest tegen haar zitten zieken."

"Zieken", zei Erlendur, "is dat een woord?"

"Wat kan je een bruid op haar bruiloft aandoen dat haar ertoe brengt om ervandoor te gaan?"

"Dat weet ik niet", zei Erlendur met zijn gedachten ergens anders. "Ik zou me kunnen voorstellen dat de jongen de bruidsmeisjes heeft betast en dat zij dat heeft gezien. Ik vind het goed dat je het kind wilt hebben. Misschien breek je daardoor uit die vicieuze cirkel los. Het wordt tijd."

Hij zweeg.

"Het is een wonder hoe fris je bent vergeleken bij de toestand waarin je gisteren verkeerde", zei hij toen.

Hij bracht het zo voorzichtig mogelijk onder woorden maar hij wist dan ook dat als alles in deze wereld zou zijn zoals het doorgaans was, dat Eva Lind dan niet als een zonnetje zou stralen, in het bad geweest zou zijn, koffie gezet zou hebben en zou doen of ze nooit iets anders gedaan had dan voor haar vader zorgen. Ze keek hem aan en hij zag haar de verschillende mogelijkheden overwegen en wachtte op de preek, wachtte op het moment dat ze op zou springen om hem de levieten te lezen. Ze deed het niet.

"Ik heb wat pillen meegebracht", zei ze heel rustig. "Zoiets gaat niet vanzelf. En ook niet meteen. Het duurt een hele tijd en het gaat zoals ik het wil."

"En het kind?"

"Dat ondervindt geen schade van wat ik gebruik. Ik ga het kind niet schaden. Ik ga het krijgen."

"Hoe weet jij nou wat voor invloed die troep op de vrucht heeft?"

"Dat weet ik gewoon."

"Doe het dan maar op jouw manier. Neem je pillen, move in of hoe jullie dat ook noemen, woon hier in de flat, zorg goed voor jezelf. Ik kan ..."

"Nee", zei Eva Lind. "Jij doet helemaal niets. Jij gaat door met je eigen leven en houdt ermee op mij te bespioneren. Je bemoeit je niet met wat ik aan het doen ben. Als ik niet thuis ben als jij thuiskomt, dan gaat je dat niets aan. Als ik laat thuis kom of misschien zelfs helemaal niet hierheen kom, dan bemoei jij je er niet mee. Dan ben ik gewoon niet hier en daarmee basta."

"Goed, goed, het gaat me dus niets aan."

"Het is je nooit iets aangegaan", zei Eva Lind en ze nam een slok van haar koffie.

Op dat moment ging de telefoon en Erlendur stond op en nam op. Het was Sigurður Óli die van huis uit belde.

"Ik kon je gisteren niet te pakken krijgen", zei hij. Erlendur herinnerde zich dat hij zijn mobiele telefoon had afgezet toen hij in Keflavík met Elín praatte en dat hij hem niet meer had aangezet.

"Is er iets nieuws?" vroeg Erlendur.

"Ik heb gisteren met een man gepraat die Hilmar heet. Ook een vrachtwagenchauffeur. Hij sliep soms bij Holberg in Noorderveen. Een ruststop of hoe het ook maar heet. Hij vertelde me dat Holberg een goede kerel was geweest, hij had niets over hem te klagen en wist niet beter of hij was ieders beste vriend geweest daar op de werkplek, behulpzaam en sociaal, bla bla bla. Hij kon zich niet voorstellen dat Holberg vijanden had, maar wees er wel op dat hij hem niet echt goed kende. Toen ik naar die hele lofzang had geluisterd, vertelde Hilmar me dat Holberg de laatste keer dat hij bij hem was, zo'n tien dagen geleden, niet in zijn gewone doen was geweest. Zich zelfs vreemd had gedragen."

"Hoe vreemd?"

"Volgens Hilmars beschrijving was hij bang om de telefoon aan te nemen. Vertelde hem dat hij lastiggevallen werd door de een of andere zak, zijn woorden, die hem aanhoudend opbelde. Hilmar zei dat hij zaterdagnacht bij Holberg had mogen overnachten en dat deze hem een keer had gevraagd om de telefoon voor hem aan te nemen. Dat deed Hilmar en toen de beller merkte dat het niet Holberg was die antwoordde, had hij meteen opgelegd."

"Kunnen we zien wie Holberg de laatste tijd hebben opgebeld?"

"Daar ben ik mee bezig. O, ik heb een uitdraai van Holbergs telefoongesprekken van het telefoonbedrijf gekregen en daar kwam iets interessants uit."

"Wat?"

"Weet je nog dat hij een computer had?"

"Ja."

"We hebben er niet in gekeken."

"Nee, dat doet de Technische Dienst."

"Heb je gezien of hij met de telefoon verbonden was?"

"Nee."

"De meeste telefoontjes van Holberg, verreweg de meeste, gingen via internet. Hij zat hele en halve dagen op het net."

"Wat wil dat zeggen?" vroeg Erlendur, die opvallend slecht was in alles wat met computers te maken had.

"Dat zullen we misschien zien als we zijn computer aanzetten", zei Sigurður Óli.

Ze kwamen tegelijk bij Holbergs huis in Noorderveen aan. De gele politieafzetting was verdwenen en er was niets meer dat aan een misdaad deed denken. Op de bovenste verdiepingen scheen nergens licht. De buren waren kennelijk niet thuis. Erlendur had een sleutel van de woning. Ze gingen regelrecht op de computer af en zetten hem aan. Hij begon te suizen.

"Dit is een behoorlijk sterke computer", zei Sigurður Óli. Even overwoog hij of hij het vermogen en het merk aan Erlendur zou uitleggen maar hij zag ervan af. Hij had Holbergs klantnummer na enige druk van de provider losgekregen.

"Oké", zei hij, "laten we eerst maar eens zien of hij Netscape heeft, dat is een van de wegen om op het net te komen als je met de provider hier in IJsland verbinding hebt gekregen. We pakken eerst Start en dan hier naar Programma's, kijk, dan heb je hier internet ... en daar is Netscape. Eens zien of hij wat files hier onder Bookmark heeft opgeslagen, een hele hoop, godsamme wat een hoop. In Bookmark kun je de weg naar de adressen die je het vaakst bezoekt aanmerkelijk korter maken. Je ziet hoe lang de lijst is. Voorzover ik kan zien zijn het allemaal pornodiensten, Duitse, Hollandse, Zweedse, Amerikaanse. Misschien heeft hij wel iets ervan op zijn harde schijf gezet. Dan gaan we nu even hier naar beneden, pikken opnieuw Start en Programma's en dan hier naar boven naar Windows Explorer, openen! Hier heb je het materiaal op de harde schijf. Wel allemachtig!"

"Wat?" zei Erlendur.

"De schijf is propvol."

"En wat wil dat zeggen?"

"Je hebt heel wat materiaal nodig om de schijf vol te krijgen. Er moeten hele bioscoopfilms op staan. Hier is iets dat hij DFILMS3 noemt. Zullen we eens kijken wat dat is?"

"Graag."

Sigurður Óli opende de file en er verscheen een film in een klein venster. Ze keken er een tijdje naar. Het was een korte scène uit een pornofilm.

"Hielden ze nou een geit boven haar?" vroeg Erlendur ongelovig.

"Er zijn 312 DFILMS3-files", zei Sigurður Óli. "Die zouden wel eens soortgelijke scènes kunnen bevatten, zelfs volledige films."

"Wat betekent DFILMS?" vroeg Erlendur.

"Dat weet ik niet", zei Sigurður Óli. "Misschien dierenfilms. Hier heb je GFILMS. Zullen we bijvoorbeeld GFILMS88 eens bekijken? Dubbelklikken op de file, het beeld maximaliseren ..."

"Dubbelwat ..." begon Erlendur, maar hij bleef in zijn woorden steken toen vier neukende mannen het 17inch scherm vulden.

"GFILMS zijn dus waarschijnlijk gay-films", zei Sigurður Óli toen de scene was afgelopen. "Homoporno."

"De man is er gek op geweest", zei Erlendur. "Hoeveel films zijn het in totaal?"

"Hier zitten tussen de duizend en de tweeduizend files maar het kunnen er heel goed veel meer zijn."

De mobiele telefoon in Erlendurs zak liet zich horen. Het was Elínborg. Ze had uitgezocht waar de twee mannen waren die samen met Holberg op het vervolgfeestje in Keflavík waren geweest in de nacht waarin Kolbrún naar haar zeggen was aangerand. Elínborg vertelde Erlendur dat een van de twee, Grétar, vele jaren geleden verdwenen was.

"Verdwenen?" vroeg Erlendur.

"Ja, een van die verdwijningen van ons."

"En de ander?"

"De ander zit in Litla-Hraun", zei Elínborg. "Zijn leven lang een probleemfiguur. Veroordeeld tot vier jaar, moet nog één jaar zitten."

"Waarvoor?"

"Voor al wat je maar denken kan."

13

Ze maakten de Technische Dienst opmerkzaam op de computer. Het zou heel wat tijd kosten om alle gegevens erin te onderzoeken. Erlendur vroeg of ze elke file wilden bekijken, benoemen en rubriceren en een beschrijving van de inhoud wilden maken. Na hun onderhoud met de mannen van de Technische Dienst, gingen ze op weg naar Litla-Hraun. Ze waren ruim een uur onderweg. Het zicht was slecht, het was glad op de weg, de auto had nog zomerbanden en daarom reden ze voorzichtig. Toen ze door Þrengsli van het hoogland naar de kust reden werd het wat warmer. Ze reden over de brug van de Ölfusá en zagen toen de twee gevangenisgebouwen op de harde rotsgrond algauw tegen de grijze lucht oprijzen. Het oudste van de twee was een witgeschilderd gebouw van drie verdiepingen, met een rij gevels in oude stijl. Het had jaren lang een rood dak van golfplaten gehad en zag er vanuit de verte uit als een reusachtige IJslandse boerderij. Nu was het dak grijs geschilderd om het in overeenstemming te brengen met het nieuwe gebouw dat ernaast verrezen was. Dat was een met staal bekleed, blauwgrauw gebouw met een hoge toren, modern en stevig, dat wel enige overeenkomst met het ministerie van Financiën in Reykjavík vertoonde.

Wat veranderen de tijden toch, dacht Erlendur.

Elínborg had de leiding van de gevangenis laten weten dat ze eraan kwamen en met wie ze wilden praten. De directeur ontving hen, nam hen mee naar zijn kantoor en bood hun een stoel aan. Zei dat hij hun een en ander over de gevangene wilde vertellen voor ze met hem gingen praten. Ze hadden op geen slechter ogenblik kunnen komen. De gevangene zat in eenzame opsluiting nadat hij samen met twee anderen een veroordeelde pedofiel die onlangs naar de gevangenis was overgebracht in elkaar had geslagen en voor bijna dood had achtergelaten. De directeur zei dat hij niet nader op de details wilde ingaan, maar dat hij deze inlichtingen wel aan de politie wilde verstrekken, opdat het goed duidelijk was dat hun bezoek de eenzame opsluiting doorbrak en dat de gevangene in het beste geval verre van rustig was. Na dit gesprek werden ze naar de bezoekersruimte gebracht. Daar zaten ze op de gevangene te wachten.

Hij heette Elliði en was een 56-jarige recidivist. Erlendur kende hem wel, had hem zelf een keer naar Hraun gebracht. Hij had in zijn verrotte bestaan allerlei soorten werk gedaan, was op zee geweest, op zowel handels- als vissersschepen, waar hij zich bezighield met het smokkelen van drank en dope en waar hij uiteindelijk voor veroordeeld werd. Elliði probeerde de verzekering op te lichten toen hij het op zich nam om een boot van twintig ton tot zinken te brengen door hem in brand te steken. Drie man 'kwamen er met het leven van af'. De vierde man in het gezelschap bleef per ongeluk op de boot achter, opgesloten in de machinekamer, en zonk met het schip. De misdaad kwam aan het licht toen naar het wrak gedoken werd en duidelijk werd dat het vuur op drie plaatsen tegelijk was ontstaan. Elliði belandde voor vier jaar in Hraun voor verzekeringszwendel, dood door schuld en nog wat kleinere vergrijpen waarvoor hij meteen ook maar veroordeeld werd en die nog bij de officier van justitie hadden gelegen. Die keer zat hij tweeënhalf jaar vast.

Elliði stond bekend als een pleger van zwaar geweld met in de ergste gevallen als gevolgen verminking en blijvende invaliditeit. Erlendur herinnerde zich één voorval in het bijzonder en beschreef het op weg over het hoogland aan Sigurður Óli. Elliði was van mening geweest dat hij een appeltje te schillen had met een jonge man in een huis aan de Snorrabraut en voor de politie ter plekke was had hij hem zo weten toe te takelen dat hij vier dagen tussen leven en dood zweefde. Hij had de man op een stoel gebonden en zich ermee vermaakt om zijn gezicht met een kapotte fles te bewerken. Voordat het gelukt was hem te overmeesteren had hij één agent tegen de grond geslagen en de arm van een tweede agent gebroken. Voor deze daad en nog wat kleinere vergrijpen, net als eerder opgespaard, kreeg hij een gevangenisstraf van twee jaar. Toen het oordeel werd uitgesproken lachte hij.

De deur ging open en Elliði werd door twee gevangenbewaarders het vertrek binnengebracht. Hij was ondanks zijn leeftijd nog steeds een grote, krachtige man, kaal als een biljartbal, met een donkere huidskleur. Hij had kleine oren waarvan de oorlelletjes aan zijn hoofd vastzaten. Toch was het hem gelukt om een gaatje te maken voor een klein zwart hakenkruis dat aan een van zijn oren bungelde. Hij had een kunstgebit dat een fluittoon liet horen als hij sprak. Hij had een versleten spijkerbroek aan en een zwart T-shirt met korte mouwtjes zodat je de dikke spieren van zijn bovenarmen kon zien; beide armen waren over de hele lengte getatoeëerd. Hij was bijna twee meter lang. Ze zagen dat hij geboeid was. Een van zijn ogen was rood, hij had schrammen in zijn gezicht en zijn bovenlip was gezwollen.

"Sadistische gek", zei Erlendur zacht in zichzelf.

De bewaarders zochten een plaatsje bij de deur en Elliði liep naar de tafel en ging tegenover Erlendur en Sigurður Óli zitten. Hij nam hen op met grijze, kleurloze ogen, zonder enige interesse.

"Ken je een man die Holberg heet?" vroeg Erlendur.

Elliði toonde geen enkele reactie, deed of hij de vraag niet gehoord had. Hij keek met dezelfde wezenloze ogen beurtelings naar Erlendur en Sigurður Óli. De bewaarders bij de deur praatten zachtjes met elkaar. Ergens in het gebouw was geschreeuw te horen. Slaan van deuren. Erlendur herhaalde zijn vraag. Zijn woorden galmden door de lege zaal. "Holberg! Kun je je hem herinneren?"

Hij kreeg geen enkele reactie van de gevangene, die nu om zich heen begon te kijken en deed of ze er niet waren. Erlendur en Sigurður Óli keken elkaar aan en Erlendur herhaalde zijn vraag. Of hij Holberg gekend had, hoe het contact tussen hen geweest was. Holberg was dood. Was dood gevonden, vermoord.

De belangstelling van Elliði ontwaakte toen hij dat laatste woord hoorde. Hij legde zijn zware armen zo hard op de tafel dat de handboeien rinkelden. Hij kon zijn verbazing niet verbergen. Hij keek Erlendur vragend aan.

"Holberg werd het afgelopen weekeinde in zijn woning vermoord", zei Erlendur. "We praten met iedereen die hem ooit gekend heeft en aan het licht is gekomen dat jij een kennis van hem was."

Elliði was Sigurður Óli aan gaan staren en die staarde terug. Hij antwoordde Erlendur niet.

"Het is een routine ..."

"Geboeid praat ik niet met jullie", zei Elliði plotseling zonder zijn ogen van Sigurður Óli af te houden.

Zijn stem klonk hees, grof en treiterig. Erlendur dacht even na, stond toen op en ging naar de twee bewaarders. Hij legde hun uit wat Elliði wilde en vroeg of ze de boeien los wilden maken. Ze aarzelden maar gingen toen toch naar hem toe, maakten zijn boeien los en namen hun plaats bij de deur weer in.

"Wat kun je ons over Holberg vertellen?" vroeg Erlendur.

"Eerst zij eruit," zei Elliði met een hoofdknik richting cipiers.

"Dat is uitgesloten", zei Erlendur.

"Ben je zo'n verdomde homo?" vroeg Elliði aan Sigurður Óli.

"Geen praatjes", zei Erlendur. Sigurður Óli antwoordde Elliði niet. Ze bleven elkaar aankijken.

"Niets is uitgesloten", zei Elliði. "Vertel me niet dat er iets is uitgesloten."

"Ze gaan er niet uit", zei Erlendur.

"Ben je een homo?" vroeg Elliði nog eens terwijl hij naar Sigurður Óli bleef staren. Sigurður Óli vertoonde geen enkele reactie.

Ze zwegen een hele tijd. Ten slotte stond Erlendur op, ging naar de twee gevangenbewaarders toe en vroeg of er een mogelijkheid bestond om alleen met Elliði te zijn. De bewaarders zeiden dat daar geen sprake van was, ze hadden hun voorschriften. Na enig aandringen mocht Erlendur via de intercom met de directeur praten. Hij zei dat het niet veel uitmaakte aan welke kant van de deur de cipiers stonden, ze waren helemaal uit Reykjavík gekomen, de gevangene toonde een zekere bereidheid tot samenwerken mits aan bepaalde voorwaarden werd voldaan. De directeur praatte met zijn mensen en zei dat hij persoonlijk de verantwoordelijkheid voor de twee politiemannen op zich nam. De bewaarders verlieten het vertrek en Erlendur liep terug naar de tafel en ging weer zitten.

"Kun je nu met ons praten?" vroeg hij.

"Ik wist niet dat Holberg vermoord was", zei Elliði. "Die fascisten hier hebben me in de isoleer gezet voor een smerige zaak waar ik niets mee te maken had. Hoe werd hij vermoord?" Elliði zat Sigurður Óli nog steeds aan te staren.

"Gaat je niet aan", zei Erlendur.

"Mijn vader zei dat ik het nieuwsgierigste wezen op aarde was. Dat zei hij altijd. Gaat je niet aan. Gaat je niet aan! Hij is dood. De ezel. Doodgestoken? Werd Holberg doodgestoken?"

"Jou gaat dat niet aan."

"Gaat me niets aan!" herhaalde Elliði. "Rotten jullie dan maar op."

Erlendur dacht even na. Niemand buiten de recherche kende de details van de zaak. Maar hij had er ook meer dan genoeg van gekregen dat hij deze man in alles zijn zin moest geven.

"Hij kreeg een klap op zijn hoofd. Zijn schedel brak. Stierf bijna onmiddellijk."

"Was het een hamer?"

"Een asbak."

Elliði's blik gleed langzaam van Sigurður Óli naar Erlendur.

"Welke idioot gebruikt er nou een asbak?" zei hij. Erlendur zag dat er zweetdruppeltjes op het voorhoofd van Sigurður Óli begonnen te verschijnen.

"Daar willen we graag achterkomen", zei Erlendur. "Heb jij contact met Holberg gehad?"

"Heeft hij pijn gehad?"

"Nee."

"De gek."

"Kun je je Grétar herinneren?" vroeg Erlendur. "Hij was samen met jou en Holberg in Keflavík."

"Grétar?"

"Kun je je hem herinneren?"

"Waarom vraag je naar hem?" zei Elliði. "Wat is er met hem?"

"Voorzover ik begrepen heb is Grétar vele jaren geleden verdwenen", zei Erlendur. "Weet je daar iets van?"

"Wat moet ik daar nou van weten?" zei Elliði. "Waarom denk je dat ik daar iets van weet?"

"Wat waren jullie drieën, jij, Grétar en Holberg, in Keflavík aan het doen toen ..."

"Grétar was een stommeling," zei Elliði, Erlendur in de rede vallend.

"Wat waren jullie in Keflavík aan het doen toen ..."

"... hij die trut verkrachtte?" maakte Elliði de zin af.

"Sorry, wat zei je?" vroeg Erlendur.

"Zijn jullie daarom hier naartoe gekomen? Vanwege die trut in Keflavík?"

"Kun jij je dat herinneren?"

"Wat heeft die ermee te maken?"

"Ik heb nooit gezegd ..."

"Holberg mocht er graag over vertellen, stomme smeris. Beroemde zich erop. Begon erover."

"Wat ..."

"Hij pakte haar twee keer, wisten jullie dat?" Elliði zei het zonder omwegen en keek hen met zijn kleurloze ogen beurtelings aan.

"Heb je het over de verkrachting in Keflavík?"

"Wat voor slipje draag je, liefje?" zei Elliði opeens tegen Sigurður Óli en begon hem weer aan te staren. Erlendur keek naar zijn partner die zijn blik niet van Elliði afwendde.

"Geen vuilbekkerij hier, verdomme", zei Erlendur.

"Dat vroeg hij haar. Holberg. Vroeg naar haar slipje. Hij was gestoorder dan ik", zei Elliði, gesmoord lachend. "En dan sturen ze mij naar het gevang."

"Wie heeft hij naar haar slipje gevraagd?"

"Het meisje in Keflavík."

"Heeft hij je dat verteld?"

"Tot in de details", zei Elliði. "Hij had het er altijd over. Waarom zijn jullie eigenlijk naar Keflavík aan het vragen? Wat heeft Keflavík met de zaak te maken? En waarom zitten jullie nu naar Grétar te vragen? Wat is er eigenlijk aan de hand?"

"Gewoon dat saaie werk van ons."

"Juist ja, en wat schuift dat voor mij af?"

"Je hebt alles gekregen wat je wilde. We zitten hier alleen met jou en de boeien zijn af. We moeten naar je vuilbekkerij luisteren. Verder kunnen we niets meer voor je doen. Dus óf je beantwoordt nu onze vragen of we gaan."

Hij kon het niet langer uithouden, boog zich over de tafel, pakte het gezicht van Elliði tussen zijn sterke knuisten en draaide het in zijn richting.

"Heeft je pappie je nooit verteld dat het onbeschoft is om iemand aan te staren?" zei hij. Sigurður Óli keek Erlendur aan.

"Ik kan hem aan. Je hoeft me niet te helpen", zei hij.

Erlendur liet Elliði los.

"Hoe heb je Holberg leren kennen?" vroeg hij. Elliði wreef over zijn kaak. Hij wist dat hij al een kleine overwinning had behaald. En hij was nog niet klaar.

"Denk maar niet dat ik me jou niet herinner", zei hij tegen Erlendur. "Denk niet dat ik niet weet wie je bent. Denk niet dat ik Eva niet ken."

Als door de donder getroffen staarde Erlendur de gevangene aan. Het was niet de eerste keer dat hij iets dergelijks van boven hoorde maar hij was er altijd even slecht op voorbereid. Hij wist niet precies met wie Eva Lind omging, maar er zaten misdadigers bij: drugshandelaren, inbrekers, hoeren, winkeldieven, vechtersbazen. Het was een lange lijst. Zelf had ze ook de wet overtreden. Ze was een keer op aanwijzing van een ouder aangehouden toen ze bij een basisschool drugs stond te verkopen. Het was best mogelijk dat ze een man als Elliði kende. Een man als Elliði kon haar best kennen.

"Hoe heb je Holberg leren kennen?" herhaalde Erlendur.

"Eva is zó!" zei Elliði. Erlendur kon zijn woorden op heel veel manieren interpreteren.

"Als je haar nog eenmaal noemt zijn we vertrokken", zei hij. "En dan kun jij je over niemand vrolijk maken."

"Sigaretten, televisie in de cel, geen verdomd slavenwerk en geen verdomde eenzame opsluiting meer. Is dat te veel gevraagd? Kunnen twee supersmerissen dat niet voor elkaar krijgen? En dan zou het ook leuk zijn als ik zo één keer in de maand hier een hoertje zou kunnen krijgen. Zijn meisje bijvoorbeeld", zei hij met een blik op Sigurður Óli.

Erlendur stond op en Sigurður Óli kwam langzaam overeind. Elliði begon te lachen, een hese lach die ergens diep in hem opborrelde en in luid gerochel eindigde. Ten slotte hoestte hij gelig slijm op en spuugde dat op de grond. Ze keerden hem de rug toe en liepen naar de deur toe.

"Hij praatte vaak met mij over die verkrachting in Keflavík!" schreeuwde hij hen na. "Vertelde me alles over haar. Hoe die trut krijste als een varken en wat hij allemaal in haar oren fluisterde om hem weer overeind te krijgen. Willen jullie horen wat? Willen jullie horen wat hij tegen haar zei? Vervloekte klootzakken! Willen jullie horen wat?"

Erlendur en Sigurður Óli bleven staan. Ze draaiden zich om en zagen Elliði met zijn hoofd schudden en schuimbekkend vloeken en verwensingen uitbraken. Hij was opgestaan, had zijn handen op de tafel gezet en boog zich eroverheen, stak zijn grote kop in hun richting en loeide hen aan als een stier in het veld.

De deuren naar de bezoekersruimte gingen open en de twee gevangenbewaarders kwamen binnen.

"Hij vertelde haar over die andere vrouw!" schreeuwde Elliði. "Hij vertelde haar wat hij gedaan had met die andere verdomde trut die hij verkrachtte."

14

Toen Elliði de bewaarders zag draaide hij helemaal door. Hij sprong over de tafel en rende schreeuwend op de vier mannen af en wierp zich op hen. Erlendur en Sigurður Óli kwamen onder hem terecht en vielen allebei op de grond voor ze zich konden verzetten. Hij gaf Sigurður Óli zo'n kopstoot dat het bloed uit allebei hun neus spoot en hij had zijn vuist al opgeheven om Erlendur op zijn onbeschermde gezicht te slaan toen een van de twee gevangenbewaarders een klein zwart instrument uit zijn zak haalde waarmee hij hem een stroomstoot in zijn zij gaf. Dat remde hem af, maar het stopte hem niet. Hij hief zijn hand opnieuw. Pas toen ook de tweede bewaarder hem een stroomstoot toediende, zakte hij in elkaar en viel boven op Erlendur.

Ze kropen onder hem uit. Sigurður Óli hield een zakdoek tegen zijn neus en probeerde de bloeding te stoppen. Elliði kreeg een derde stroomstoot en bewoog daarna niet meer. De bewaarders sloegen hem in de boeien en wisten hem met veel moeite overeind te krijgen. Ze wilden hem mee de zaal uit nemen maar Erlendur vroeg of ze nog even wilden wachten. Hij ging naar Elliði toe.

"Welke andere?" vroeg hij.

Elliði vertoonde geen enkele reactie.

"Welke andere die hij verkrachtte?" herhaalde Erlendur.

Elliði probeerde te glimlachen, nog half verdoofd na de stroomstoot, en zijn gezicht verstrakte. Het bloed uit zijn neus was in zijn mond gelopen en er zat bloed op zijn kunstgebit. Erlendur probeerde geen opwinding in zijn stem door te laten klinken. Alsof het niet van belang voor hem was wat Elliði wist. Probeerde Elliði geen vat op hem te laten krijgen. Probeerde zijn gezicht niet te laten spreken. Hij wist dat ook maar het geringste teken van zwakte het hart van mannen als Elliði sneller liet slaan, ze tot kerels maakte, zin gaf aan hun jammerlijk zelfbedrog. Zelfs een heel kleine afwijking was al genoeg. Een dringende toon in de stem, een blik, handbeweging, een teken van ongeduld. Het was Elliði gelukt hem van zijn stuk te krijgen toen hij Eva Lind genoemd had. Erlendur was niet van plan hem het genoegen te gunnen dat hij voor hem kroop.

Ze keken elkaar in de ogen.

"Weg met hem", zei Erlendur ten slotte en hij wendde zich van Elliði af. De bewaarders wilden de gevangene wegvoeren, maar toen ze op weg wilden gaan, hield hij zich stijf en verroerde zich niet. Hij keek een hele tijd naar Erlendur alsof hij ergens op zat te broeden maar gaf uiteindelijk mee en de deur ging achter hen dicht. Sigurður Óli probeerde nog steeds de bloeding te stelpen. Zijn neus was gezwollen en zijn zakdoek dreef van het bloed.

"Dat is een lelijke bloedneus", zei Erlendur, de neus van Sigurður Óli bekijkend. "Verder niets, niets ernstigs. Je hebt geen schrammen en je neus is niet gebroken." Hij kneep er eens stevig in en Sigurður Óli gaf een schreeuw van pijn.

"Misschien is hij toch gebroken, ik ben geen dokter", zei Erlendur.

"Die verdomde klootzak", kreunde Sigurður Óli. "Die verdomde, vervloekte klootzak."

"Zou hij een spelletje met ons spelen of weet hij echt iets over een andere vrouw?" zei Erlendur toen hij de deur opendeed en ze de bezoekersruimte verlieten. "En als er een tweede was, waren er dan misschien nog meer die Holberg verkracht heeft en die zich nooit meldden?"

"Het is gewoon niet mogelijk om een verstandig gesprek met die man te voeren", zei Sigurður Óli. "Hij deed het alleen maar om een lolletje te hebben, ons op te jutten. Hij was een spelletje met ons aan het spelen. Je kunt geen woord van wat hij zegt vertrouwen. Vervloekte idioot. Verdomde, vervloekte idioot."

Ze gingen het kantoor van de gevangenisdirecteur binnen en gaven hem een kort verslag van wat er gebeurd was. Ze gaven als hun mening dat Ellidi in een gecapitonneerde cel op een gesloten psychiatrische afdeling thuishoorde. De directeur beaamde dat vermoeid, maar zei dat de autoriteiten hem alleen maar in Hraun konden vasthouden. Het was niet de eerste keer dat Ellidi voor gewelddadig gedrag binnen de gevangenis in eenzame opsluiting zat en het was vast en zeker ook niet de laatste keer.

Daarmee namen ze afscheid en ze gingen naar buiten in de frisse lucht. Toen ze van de gevangenis wegreden en stonden te wachten tot het grote, blauwgeschilderde hek van de parkeerplaats openging, zag Sigurður Óli dat een bewaarder hard in hun richting kwam aanrennen en gebaarde dat ze moesten stoppen. Ze wachtten tot hij bij de auto was.

"Hij wil met je praten", zei de bewaarder, nog nahijgend van het harde lopen toen Erlendur het raampje opende.

"Wie?" vroeg Erlendur.

"Ellidi. Ellidi wil met je praten."

"We zijn uitgepraat met Ellidi", zei Erlendur. "Zeg hem maar dat hij het dak op kan."

"Hij zegt dat hij je de inlichtingen wil geven die je wilde hebben."

"Dat liegt hij."

"Dat zei hij."

Erlendur keek naar Sigurður Óli. Die haalde zijn schouders op. Hij dacht even na.

"Goed, we komen", zei hij ten slotte.

"Hij wil alleen jou, hem niet", zei de gevangenbewaarder met een blik op Sigurður Óli.

Elliði werd niet opnieuw uit zijn cel gehaald zodat Erlendur met hem moest praten via een klein luik in de deur van de isoleercel dat met een schuif geopend werd. Het was stikdonker in de cel zodat Erlendur hem niet kon zien. Hij hoorde slechts zijn stem, hees en schraperig. De bewaarder had Erlendur naar de deur gebracht en hem daar alleen achtergelaten.

"Hoe staat het met de homo?" was het eerste waar Elliði naar vroeg. Hij stond niet bij de opening in de deur maar was ergens binnen in de cel. Misschien lag hij op zijn brits. Misschien zat hij tegen de muur. Voor Erlendurs gevoel kwam de stem diep uit het duister. Elliði was weer tot rust gekomen.

"Dit is geen koffieuurtje", antwoordde Erlendur. "Je wilde met me praten."

"Wie heeft Holberg vermoord, denken jullie?"

"Dat weten we niet. Wat wil je van me? Wat weet je van Holberg?"

"Ze heette Kolbrún, het meisje dat hij daar in Keflavík te pakken nam. Hij had het er vaak over. Vertelde dat het maar een haar gescheeld had of hij was gepakt, want de trut was zo stom geweest om een klacht in te dienen. Hij beschreef het tot in de details. Wil je horen wat hij zei?"

"Nee", zei Erlendur. "Wat voor contact had je eigenlijk met hem?"

"We kwamen elkaar zo af en toe eens tegen. In de tijd dat ik voer, verkocht ik hem aquavit en kocht porno voor hem. We leerden elkaar kennen toen we samen in een ploeg zaten bij de dienst Havenwerken. Voor hij vrachtwagens ging rijden. Gingen naar de vissersdorpen. Een verloren vangst is voorgoed verloren. Dat was het eerste wat hij me geleerd heeft. Hij kon praten. Groot en knap. Kon goed met de vrouwtjes aanpappen. Leuke kerel."

"Jullie gingen naar de vissersdorpen?"

"Daarom waren we in Keflavík. We waren de vuurtoren van Reykjanes aan het schilderen. Wat spookt het daar vreselijk, god-samme! Ben je er wel eens geweest? De hele nacht door gejammer en gekrijs. Erger dan in dit klerehol. Holberg was niet bang voor spoken. Hij was nergens bang voor."

"En heeft hij je meteen over zijn aanranding van Kolbrún verteld terwijl je hem nog helemaal niet zo lang kende?"

"Hij knipoogde naar me toen hij achter haar aan het feestje verliet. Ik wist wat dat betekende. Hij kon een heer zijn. Hij vond het een mop dat hij er zo goed vanaf kwam. Lachte zich dood over de een of andere smeris die het meisje ontving en de zaak voor haar verpestte."

"Kenden ze elkaar, de politieman en Holberg?"

"Weet ik niet."

"Heeft hij het wel eens gehad over de dochter die Kolbrún na haar verkrachting kreeg?"

"De dochter? Nee. Kwam er een kind van?"

"Je weet iets over een andere verkrachting", zei Erlendur, geen antwoord gevend. "Een andere vrouw die hij verkracht heeft. Wie was dat? Welke vrouw was dat?"

"Dat weet ik niet."

"Waarom laat je me dan roepen?"

"Ik weet niet wie het was maar ik weet wanneer het was en waar ze woonde. Zo ongeveer. Dat is genoeg voor jullie om haar te vinden."

"Waar? En wanneer?"

"Ja, índerdaad; maar wat zit er voor mij in?"

"Voor jou?"

"Wat kun je voor me doen?"

"Ik kan niets voor je doen en ik heb er ook geen zin in om iets voor je te doen."

"Vast wel! Dan zal ik je vertellen wat ik weet."

Erlendur dacht even na.

"Ik kan niets beloven", zei hij.

"Ik kan deze eenzame opsluiting niet uithouden."

"Heb je me daarom laten roepen?"

"Je weet niet wat die met een mens doet. Ik word langzaamaan gek hier in deze cel. Ze doen het licht nooit aan. Ik weet niet wat voor dag het is. Je wordt als een dier in een kooi vastgehouden. Ze behandelen je als een beest."

"En wat dan nog, je bent de graaf van Monte Christo!" zei Erlendur sarcastisch. "Je bent een sadist, Elliði. Een sadistische gek van de ergste soort. Een stomme idioot die lol beleeft aan geweld. Een homohater en een racist. Je bent de grootste gek die ik ooit ben tegengekomen. Het maakt me niets uit of ze je hier tot je dood toe laten zitten. Ik ga straks naar boven en stel dat voor."

"Ik zal je zeggen waar ze woonde als je me hieruit haalt."

"Ik kan je hier helemaal niet uithalen, stomme ezel. Ik ben er niet toe bevoegd en ik heb er geen zin in. Als je deze eenzame opsluiting wilt verkorten, zou je geen mensen moeten aanvallen."

"Je kunt een deal sluiten. Je kunt zeggen dat jullie me kwaad hebben gemaakt. Je kunt zeggen dat de homo begonnen is. Dat ik had willen meewerken maar dat hij me had zitten stangen. Dat ik je ook bij het onderzoek geholpen heb. Naar jou luisteren ze. Ik weet wie je bent. Ze luisteren naar jou."

"Heeft Holberg over meer vrouwen dan over deze twee gesproken?"

"Ga je dit voor me doen?"

Erlendur dacht even na.

"Ik zal zien wat ik doen kan. Had hij het over nog meer vrouwen?"

"Nee. Nooit. Ik wist alleen maar van deze twee af."

"Zit je nu te liegen?"

"Ik lieg helemaal niet. De andere vrouw diende geen klacht in. Het was ergens na 1960. Hij kwam nooit meer in dat plaatsje."

"Welk plaatsje?"

"Haal je me hier uit?"

"Welk plaatsje?"

"Beloof het!"

"Ik kan niets beloven", zei Erlendur. "Maar ik zal met ze praten. Welk plaatsje was het?"

"Húsavík."

"Hoe oud was ze?"

"Het was zo ongeveer als bij het meisje in Keflavík, alleen was het nog bruter", zei Elliði.

"Bruter?"

"Wil je horen hoe het was?" zei Elliði met onverholen heftigheid in zijn stem. "Wil je horen wat hij deed?"

Elliði wachtte het antwoord niet af. Zijn stem klonk door het luik en Erlendur stond bij de deur en luisterde noodgedwongen naar het duister.

Sigurður Óli zat in de auto op hem te wachten en ze reden weg. Erlendur stelde hem kort op de hoogte van zijn gesprek met Elliði maar zweeg over de monoloog van de gevangene aan het eind. Ze besloten dat ze de lijst van inwoners van Húsavík in de jaren rond 1960 zouden laten bekijken. Als de vrouw van dezelfde leeftijd als

Kolbrún was, zoals Elliði te verstaan had gegeven, dan was het misschien mogelijk haar te achterhalen.

"En wat gebeurt er met Elliði?" vroeg Sigurður Óli, toen ze weer via Þrengsli naar Reykjavík reden.

"Ik heb gevraagd of ze zijn eenzame opsluiting wilden bekorten maar dat hebben ze geweigerd. Meer kan ik niet doen."

"Je hebt je best gedaan", zei Sigurður Óli glimlachend. "Als Holberg die twee verkracht heeft, zouden er dan niet nog meer kunnen zijn?"

"Het zouden er meer kunnen zijn", zei Erlendur met zijn gedachten ergens anders.

"Waar zit jij nu aan te denken?"

"Er zijn twee dingen die me dwarszitten", zei Erlendur.

"Er is altijd wel iets dat je dwarszit", zei Sigurður Óli.

"Ik zou precies willen weten waaraan het kleine meisje gestorven is", zei Erlendur en hij hoorde Sigurður Óli naast zich een diepe zucht slaken. "En ik zou willen weten of ze werkelijk honderd procent zeker de dochter van Holberg was."

"Wat heb je in je hoofd?"

"Elliði vertelde me dat Holberg een zusje had gehad."

"Een zusje?"

"Dat jong gestorven is. We moeten het dossier over haar te pakken zien te krijgen. Ga jij de ziekenhuizen af. Zie wat je vinden kunt."

"Waaraan is ze gestorven? Een zusje van Holberg?"

"Misschien aan iets dergelijks als Auður. Holberg had het ooit eens gehad over iets in haar hoofd. Zo beschreef Elliði het tenminste. Ik vroeg of het een hersentumor geweest kon zijn maar dat wist hij niet."

"En wat hebben wij daaraan?" vroeg Sigurður Óli.

"Ik denk dat het om verwantschap gaat", zei Erlendur.

"Verwantschap? Wacht eens even, vanwege dat briefje dat we hebben gevonden?"

"Ja", zei Erlendur, "vanwege dat briefje. Misschien is deze hele zaak wel een kwestie van verwantschap en erfelijkheid."

15

De arts woonde in een klein rijtjeshuis in het oudste deel van Grafarvogur. Hij had zijn praktijk eraan gegeven en deed Erlendur zelf open.
Hij liet hem binnen in een ruime hal die hij als spreekkamer gebruikte.
Hij vertelde Erlendur dat hij voor juristen nog wat keuringen op
arbeidsongeschiktheid verrichtte. Zijn spreekkamer miste elke pre-
tentie, was netjes, met een klein bureau en een schrijfmachine. De
dokter was klein, slank en kwiek, droeg een overhemd met twee
pennen in zijn borstzakje. Een wat grof gezicht. Zijn naam was Frank.

Erlendur had van tevoren gebeld. Het was laat in de middag van
diezelfde dag en het duister begon te vallen. Sigurður Óli en Elínborg
zaten gebogen over een fotokopie van een veertig jaar oud bewoners-
register van Húsavík. Het provinciaal kantoor daar in het noorden
had hun dat per fax toegezonden. De dokter vroeg hem te gaan zitten.

"Zijn het nou niet allemaal leugenaars die bij je komen?" vroeg
Erlendur om zich heen kijkend.

"Leugenaars? Dat zou ik niet zo willen zeggen", zei de arts terughoudend. "Sommigen zeker wel. De nekletsels zijn het ergst. Je kunt
in feite niets anders doen dan patiënten serieus nemen die na een
auto-ongeluk over pijn in hun nek klagen. Die zijn het moeilijkst te
beoordelen. Sommigen lijden meer pijn dan anderen. Ik denk dat er
niet echt veel mensen zijn die hier een spelletje van maken."

"Toen ik je belde herinnerde je je het meisje uit Keflavík meteen."

"Het is moeilijk om zoiets te vergeten. Moeilijk om de moeder te
vergeten. Heette ze niet Kolbrún? Ik heb gehoord dat ze zelfmoord
heeft gepleegd."

"Het is één verdomde tragedie", zei Erlendur. Hij vroeg zich af of
hij de dokter zou raadplegen over de pijn in zijn borst die hij 's ochtends bij het wakker worden voelde, maar besloot dat hij dat maar niet
zou doen. De dokter zou ongetwijfeld ontdekken dat hij doodziek
was, hem naar het ziekenhuis sturen en dan zou hij nog voor het
weekeinde met de engelen in de hemel harp spelen. Als het maar
enigszins kon ging Erlendur slechte berichten uit de weg en hij
verwachtte beslist geen goede berichten over zichzelf.

"Je zei dat het over de moord in Noorderveen ging", zei de arts,
waarmee hij Erlendur naar de spreekkamer terughaalde.

"Holberg, de vermoorde man, was hoogstwaarschijnlijk de vader
van het meisje in Keflavík", zei Erlendur. "De moeder heeft dat altijd

volgehouden. Holberg bevestigde noch ontkende het. Hij gaf toe dat hij seksueel contact met Kolbrún had gehad. Het was niet mogelijk te bewijzen dat hij haar verkracht had. Vaak is er in dit soort zaken niet veel om op af te gaan. We zijn het verleden van de man aan het onderzoeken. Het meisje werd ziek en stierf in haar vierde levensjaar. Wat is er gebeurd?"

"Ik zie niet hoe dit iets met de moordzaak van doen kan hebben."

"Maak je daar maar niet druk over."

De arts zat Erlendur een hele tijd aan te kijken.

"Misschien is het maar het beste dat ik het je meteen zeg, Erlendur", zei hij ten slotte, alsof hij zich vermande. "In die tijd was ik een ander mens."

"Een ander mens?"

"En een slechter mens. Een ander en een slechter mens. Ik heb nu al bijna dertig jaar geen alcohol meer aangeraakt. Je moet weten, dan hoef je dat verder niet uit te zoeken, dat ik mijn bevoegdheid een tijd lang kwijt was, en wel van 1969 tot 1972."

"Om het kleine meisje?"

"Nee, nee, niet om haar, al zou dat op zichzelf natuurlijk al reden genoeg geweest zijn. Het was vanwege alcoholisme en grove nalatigheid. Ik wil er niet verder op ingaan tenzij het echt noodzakelijk is."

Erlendur wilde het erbij laten zitten, maar kon het toch niet laten.

"Je bent dus in die jaren altijd min of meer beschonken geweest, begrijp ik dat goed?"

"Min of meer."

"Kreeg je daarna je bevoegdheid terug?"

"Ja."

"En daarna niets meer aan de hand?"

"Nee, daarna niets meer aan de hand", zei de arts, nee schuddend. "Maar als gezegd, ik was niet in goede conditie toen ik het dochtertje van Kolbrún onder behandeling had. Auður. Ze had pijn in haar hoofd en ik dacht dat er sprake was van jeugdmigraine. Ze moest 's ochtends overgeven. Toen de pijn toenam gaf ik haar sterkere pijnstillers. Ik moet zeggen dat alles me nog maar tamelijk wazig voor ogen staat. Ik heb er de voorkeur aan gegeven zo veel mogelijk uit die periode te vergeten. Iedereen maakt fouten, dokters ook."

"Waar is ze aan gestorven?"

"Het had waarschijnlijk geen enkel verschil gemaakt als ik eerder had gereageerd en haar naar het ziekenhuis had gestuurd", zei de arts, als had hij het tegen zichzelf. "Dat probeerde ik mezelf tenminste wijs te maken. Er waren in die tijd nog niet veel specialisten in de kindergeneeskunde en we hadden ook die mooie ct-scans nog niet. We moesten veel meer op ons gevoel en onze kennis afgaan en zoals ik al zei, had ik in die jaren niet veel gevoel voor iets anders dan sterke drank. Een moeilijke scheiding maakte het er niet beter op. Ik ben me niet aan het verontschuldigen", zei hij met een blik op Erlendur, hoewel het duidelijk was dat hij daar nu juist wel mee bezig was.

Erlendur knikte.

"Na twee maanden, denk ik, begon ik te vermoeden dat er wel eens iets ernstigers aan de hand kon zijn dan jeugdmigraine. Het meisje ging helemaal niet vooruit. Er waren geen onderbrekingen tussen de aanvallen. Ze ging alleen maar achteruit. Kwijnde weg, werd broodmager. Er waren verschillende mogelijkheden. Ik dacht aan iets als acute tbc. Er was een tijd dat ze het over hoofdverkoudheid hadden als ze werkelijk niet wisten waar ze aan toe waren. Uiteindelijk veronderstelde ik dat het hersenvliesontsteking was, maar er ontbraken verschillende kenmerken van die ziekte en de ziekte verloopt ook sneller. Toen kreeg het meisje zogenaamde koffievlekken op haar huid en eindelijk begon ik aan een tumor te denken."

"Koffievlekken!" zei Erlendur. Hij herinnerde zich dat hij daar al eerder over had gehoord.

"Die kunnen verschijnen in geval van een tumor."

"Je hebt haar naar het ziekenhuis van Keflavík gestuurd."

"Daar stierf ze", zei de dokter. "Ik herinner me hoeveel verdriet haar moeder ervan had. Ze werd uitzinnig. We moesten haar platspuiten. Ze was er absoluut op tegen dat er sectie op het meisje verricht zou worden. Schreeuwde ons toe dat dat niet zou gebeuren."

"Maar toch werd er sectie verricht."

De dokter aarzelde.

"Daar kon men niet omheen. Op geen enkele manier."

"En wat kwam er aan het licht?"

"Een neurologische ziekte, zoals ik al zei."

"Wat bedoel je daarmee?"

"Een hersentumor", zei de arts. "Het was een hersentumor waaraan ze stierf."

"Wat voor soort hersentumor?"

"Dat weet ik niet precies", zei de dokter. "Ik weet niet of ze dat heel zorgvuldig hebben onderzocht. Het lijkt me waarschijnlijk dat ze dat gedaan hebben. Ik meen me te herinneren dat ze het over de een of andere erfelijke ziekte gehad hebben."

"Een erfelijke ziekte!" zei Erlendur en zijn stem schoot omhoog.

"Is dat tegenwoordig niet het modewoord? Erfelijkheidsonderzoek? Wat heeft dat met de moord op Holberg te maken?" vroeg de arts.

Erlendur zat diep in gedachten verzonken en hoorde de dokter niet.

"Waarom vraag je eigenlijk naar dit meisje?"

"Ik droom", zei Erlendur.

16

Eva Lind was niet in de woning toen Erlendur 's avonds thuiskwam. Hij probeerde haar raad op te volgen en er niet te veel bij stil te staan waar ze naartoe was gegaan of waar ze was, of ze wel terugkwam en hoe ze eraan toe zou zijn als ze terugkwam. Hij was bij een snackbar langs gegaan en had een zak met een paar kippenpoten voor hen tweeën meegebracht. Hij gooide de zak op een stoel en was zijn jas aan het uittrekken toen hij een oude vertrouwde etensgeur opsnoof. Hij had al heel lang geen etensgeuren meer uit de keuken geroken. Kippenpoten als die op de stoel waren zijn voedsel, hamburgers, kant-en-klaarmaaltijden van Múlakaffir, kant-en-klaarmaaltijden uit de koelvitrines van de winkels, koude gekookte schaapskop, potjes kwark, magnetronmaaltijden zonder enige smaak. Hij kon zich de tijd niet herinneren dat hij een maaltijd voor zichzelf in de keuken had staan klaarmaken. Hij kon zich niet herinneren wanneer hij daar voor het laatst zin in had gehad.

Erlendur sloop voorzichtig de keuken in alsof hij er een paar misdadigers verwachtte en zag toen dat er voor twee gedekt was met de mooie borden waarvan hij zich vaag herinnerde dat hij ze bezat. Ernaast stonden twee wijnglazen op hoge voet, op de borden lagen servetten, rode kaarsen brandden in twee niet bij elkaar passende kandelaars die Erlendur nooit eerder gezien had.

Hij ging behoedzaam wat verder de keuken in, op het fornuis af en zag dat er iets in een grote pan stond te koken. Hij lichtte het deksel op en zag toen een buitengewoon lekker uitziende vleessoep. Er lag een dun vetlaagje op de raapjes, aardappelen, stukken vlees en kruiden en het aroma dat uit de pan opsteeg vervulde zijn hele woning met de geur van echt voedsel. Hij stak zijn neus in de pan en snoof de geur van gekookt vlees en groenten op.

"Ik had geen worteltjes", zei Eva Lind in de deur van de keuken. Erlendur had niet gemerkt dat ze de woning was binnengekomen. Ze had een jack van hem aan en een klein zakje worteltjes in haar hand.

"Waar heb je vleessoep leren maken?" vroeg Erlendur.

"Mama kookte altijd vleessoep", zei Eva Lind, "en toen ze eens een keer niet op je stond te schelden, vertelde ze dat haar vleessoep jouw lievelingsgerecht was. Daarna zei ze dat je een ellendig stuk vreten was."

"De dame heeft op beide punten meer dan gelijk", zei Erlendur. Hij bleef kijken hoe Eva Lind de wortels in stukken sneed en ze bij de andere groenten in de pan deed. De gedachte bekroop hem dat hij nu wat echt gezinsleven beleefde en daar werd hij tegelijkertijd droevig en blij van. Hij stond zich niet de luxe toe om te denken dat dit geluk zou duren.

"Heb je de moordenaar al gevonden?" vroeg Eva Lind.

"Elliði liet je de groeten doen", zei Erlendur. Het was hem ontglipt voor hij bedacht dat beesten als Elliði in deze omgeving niet thuishoorden.

"Elliði. Die zit in de gevangenis. Weet hij wie ik ben?"

"De stakkers met wie ik praat noemen je naam wel eens", zei Erlendur. "Ze denken dat ze mij daarmee op de kast krijgen", voegde hij eraan toe.

"En hebben ze gelijk?"

"Soms wel. Zoals Elliði. Hoe ken je hem?" vroeg Erlendur voorzichtig.

"Ik heb verhalen over hem gehoord. Heb hem lang geleden een keertje ontmoet. Toen had hij zijn gebit met bisonkit vastgelijmd."

"Hij is echt een grote idioot."

Die avond hadden ze het niet meer over Elliði. Toen ze aan tafel gingen schonk Eva Lind water in de wijnglazen en Erlendur at zoveel vleessoep dat hij daarna de kamer nog maar net strompelend haalde. Daar viel hij in slaap en hij sliep in zijn kleren tot de volgende ochtend, slecht.

Ditmaal herinnerde hij zich het meeste van zijn droom. Hij wist dat het dezelfde droom was die hij de voorafgaande nachten had gehad maar die hij niet vast had weten te houden voor hij met de slaap was vervlogen.

Eva Lind verscheen hem zoals hij haar nooit eerder had gezien: omgeven door een licht waarvan hij niet wist waar het vandaan kwam, in een mooie zomerjurk die tot op haar enkels viel, met het dikke donkere haar los op haar rug. Het was een volmaakt visioen, bijna geurend naar zomer, en Eva Lind kwam op hem toe of misschien zweefde ze wel, want hij dacht bij zichzelf dat ze de grond niet beroerde. Hij kon geen omgeving onderscheiden, het enige wat hij zag waren dat heldere licht en Eva Lind die midden in dat licht breed glimlachend op hem toekwam en hij zag zichzelf zijn armen naar haar uitstrekken en erop wachten om zijn armen om haar heen te slaan en hij voelde zijn ongeduld. Alleen kwam ze niet in zijn armen maar reikte ze hem een foto aan en toen verdween het licht en Eva Lind verdween en in zijn handen hield hij de foto die hij zo goed kende, die van het kerkhof, en de foto kwam tot leven en hij stond er

middenin en keek op naar de zwarte hemel en voelde hoe de regen in zijn
gezicht striemde. En toen hij naar de grond keek zag hij de grafsteen ach-
terovervallen en het graf in het donker opengaan tot de kist zichtbaar
werd. En de kist ging open en hij zag het meisje in de kist opengesneden
van de buik tot aan de schouders en plotseling opende het meisje haar
ogen en staarde naar hem op en ze opende haar mond en uit het graf
klonk hem een verschrikkelijke jammerkreet tegemoet.

Hij schrok huiverend wakker en staarde voor zich uit terwijl hij
probeerde van de droom te bekomen. Hij riep Eva Lind maar er kwam
geen antwoord. Hij ging haar kamer binnen maar voelde de leegte nog
voor hij de deur opende. Hij wist dat ze weg was.

Toen Elínborg en Sigurður Óli het inwonersregister van Húsavík hadden doorgespit, hadden ze een lijst van 176 vrouwen die in aanmerking kwamen als potentiële verkrachtingsslachtoffers van Holberg.
Het enige dat ze hadden om van uit te gaan waren Elliði's woorden
dat het 'een soortgelijk geval' was geweest, zodat ze de leeftijd van
Kolbrún als uitgangspunt namen met naar beide kanten een speling
van tien jaar. Bij een nadere bestudering kwam aan het licht dat de
groep grofweg in drieën ingedeeld kon worden: een kwart van de
vrouwen woonde nog in Húsavík, de helft was naar Reykjavík
verhuisd en nog een kwart woonde verspreid over het hele land.

"Gekkenwerk", zei Elínborg zuchtend. Ze liet haar ogen over de
lijst gaan voor ze hem Erlendur toestak. Ze merkte dat hij er nog
verfomfaaider uitzag dan anders. Zijn baardstoppels waren een paar
dagen oud, zijn roodbruine haarbos stak alle kanten uit, zijn afge-
dragen en gekreukte pak moest nodig eens gestoomd worden.
Elínborg zat zich af te vragen of ze hem moest voorstellen het voor
hem te verbranden, maar de uitdrukking op Erlendurs gezicht
nodigde niet uit tot grapjes maken.

"Hoe slaap je tegenwoordig, Erlendur?" vroeg ze voorzichtig.

"Op mijn gat", zei Erlendur.

"En wat nu?" vroeg Sigurður Óli. "Moeten we nu maar gewoon
naar al die vrouwen toegaan en hen vragen of ze zo ongeveer een leven
geleden verkracht zijn? Is dat niet wat ... onbeschoft?"

"Ik zie niet hoe we het anders zouden kunnen doen. We zullen
beginnen bij de vrouwen die verhuisd zijn. We zullen onze zoektocht
in Reykjavík beginnen en zien of we daarbij niet wat meer over deze
vrouw te weten kunnen komen. Als Elliði, die verdomde idioot, niet
heeft zitten liegen, praatte Holberg tegen Kolbrún over haar. Ze heeft

daar misschien wel iets over gezegd, tegen haar zus, misschien zelfs tegen Rúnar. Ik moet nog een keer naar Keflavík."

Erlendur zat even na te denken.

"We kunnen de groep misschien wat kleiner maken", zei hij.

"Kleiner? Hoe?" zei Elínborg. "Wat bedoel je?"

"Het komt nu opeens in me op."

"Wat?" Elínborg werd plotseling ongedurig. Ze was op het werk verschenen in een nieuw bleekgroen mantelpakje dat niemand opgevallen leek te zijn.

"Verwantschap, erfelijkheid en ziekte", zei Erlendur.

"Ja", zei Sigurður Óli.

"We gaan ervan uit dat Holberg een verkrachter geweest is. We hebben er geen idee van hoeveel vrouwen hij heeft verkracht. We weten van twee en in wezen weten we het maar zeker van één. Hoewel hij het ontkend heeft, wijst alles erop dat hij Kolbrún heeft verkracht. Auður is zijn kind, dat moeten we tenminste aannemen, maar het is goed mogelijk dat hij bij de vrouw in Húsavík ook een kind had."

"Nog een kind?" vroeg Elínborg.

"Vóór Auður", zei Erlendur.

"Is dat niet onwaarschijnlijk?" vroeg Sigurður Óli.

Erlendur haalde zijn schouders op.

"Wil je dat we de groep terugbrengen tot de vrouwen die kort voor, wat was het ook alweer, 1964, een kind kregen?"

"Ik denk dat dat niet zo gek zou zijn."

"Hij zou dus hier en daar en overal kinderen kunnen hebben", zei Elínborg.

"Maar hij zou het ook maar één keer gedaan kunnen hebben", zei Erlendur. "Heb je ontdekt waar zijn zusje aan gestorven is?"

"Nee, daar ben ik nog mee bezig", zei Sigurður Óli. "Ik heb geprobeerd verwanten van haar en Holberg te vinden, maar daar is nog niets uit gekomen."

"Ik ben in die kwestie met Grétar gedoken", zei Elínborg. "Hij is plotseling verdwenen alsof de aarde hem had opgeslokt. Geen mens miste hem. Zijn moeder belde de politie toen ze twee maanden lang niets van hem had gehoord. Er werd een foto van hem in de krant gezet en op televisie vertoond maar dat leidde tot niets. Dat was zomer 1974, het jaar van het Nationale Feest op Thingvellir, ter ere van het 1100-jarig bestaan van IJsland. Zijn jullie op Thingvellir geweest?"

"Ja, ik was er", zei Erlendur. "Waarom Thingvellir? Denk je dat hij daar is verdwenen?"

"Meer weet ik niet", zei Elínborg. "Ze deden het routineonderzoek bij verdwijningen, praatten met iedereen die hij volgens zijn moeder gekend had, onder anderen Holberg en Elliði. Ze praatten met een stuk of drie andere mensen, maar niemand wist iets. Niemand miste Grétar behalve zijn moeder en zijn zus. Hij was in Reykjavík geboren, had geen vrouw en geen kinderen, geen liefje, geen verwanten. De zaak werd een paar maanden opengehouden en is toen naar de achtergrond verdwenen. Hij was 34 jaar oud."

"Als hij net zo'n lieverdje als zijn vrienden Elliði en Holberg was, verbaast het me niets dat niemand hem miste", zei Sigurður Óli.

"In de jaren zeventig toen Grétar verdwenen is, 'verdwenen er dertien mensen. Twaalf in de jaren tachtig, en dan hebben we het niet over de mannen die op zee verdwenen zijn."

"Dertien verdwijningen", zei Sigurður Óli, "is dat niet wat veel? Geen een daarvan opgehelderd?"

"Achter geen van die verdwijningen hoeft een misdaad te steken", zei Elínborg. "Mensen verdwijnen, verdwijnen opzettelijk, willen verdwijnen, verdwijnen."

"Als ik het goed begrijp", zei Erlendur, "zit de zaak als volgt in elkaar: tijdens een weekeinde in de herfst van 1964 zoeken Elliði, Holberg en Grétar hun vertier op een feest in de dancing Kross."

Hij zag Sigurður Óli één groot vraagteken worden.

"Kross was een oude ziekenbarak van het leger die in een dancing werd veranderd. Er werden daar heel wilde plattelandsfeesten gehouden."

"Volgens mij is de band Hljomar daar begonnen", kwam Elínborg ertussen.

"Ze treffen vrouwen in de dancing en een ervan houdt thuis nog een vervolgfeestje", vervolgde Erlendur. "We moeten proberen die vrouwen te vinden. Holberg brengt een van hen, Kolbrún, naar huis en verkracht haar. Het ziet ernaar uit dat hij dat spelletje eerder heeft gespeeld. Hij fluistert haar toe wat hij met een andere vrouw heeft gedaan. Misschien woont die vrouw in Húsavík of ze heeft er gewoond en waarschijnlijk heeft ze hem niet aangeklaagd. Drie dagen later heeft Kolbrún eindelijk genoeg moed bij elkaar geschraapt om de verkrachting aan te gaan geven maar ze loopt tegen een politieman op die weinig meegevoel kan opbrengen voor vrouwen die mannen na een feest bij zich thuis uitnodigen en dan roepen dat ze verkracht zijn. Kolbrún krijgt een kind. Holberg zou van het bestaan van dit kind af kunnen weten, in zijn bureau vinden we een foto van de steen op haar graf. Wie heeft die foto genomen? Waarom? Het meisje sterft aan een dodelijke ziekte en haar moeder beneemt zichzelf een paar jaar later het leven. Drie jaar daarna verdwijnt een van Holbergs kameraden. Holberg werd een paar dagen geleden vermoord en daarbij werd een onbegrijpelijke boodschap achtergelaten."

Erlendur onderbrak even zijn verhaal.

"Waarom werd Holberg nú vermoord, nu hij een oude man is? Bestaat er soms verband tussen de aanvaller en deze voorgeschiedenis? En als dat verband er is, waarom is Holberg dan niet eerder aangevallen? Waarom die lange wachttijd? Of heeft de moord op Holberg niets van doen met het feit, als het tenminste een feit is, dat Holberg een verkrachter was?"

"Ik vind dat je niet voorbij kunt gaan aan het feit dat het geen moord met voorbedachten rade lijkt", kwam Sigurður Óli ertussen. "Zoals Elliði al zei, welke idioten gebruiken nu een asbak? Dat ziet er toch niet naar een lange voorgeschiedenis uit. De boodschap is een soort grap, iets waar geen touw aan vast valt te knopen. De moord op Holberg heeft niets met een verkrachtingszaak te maken. De afdeling hier is er helemaal voor in om te zoeken naar de jonge man in het groene legerjack."

"Holberg was geen engel", zei Elínborg. "Misschien is het wel een moord uit wraak of hoe je zoiets ook noemen moet. Iemand vond misschien dat hij het verdiend had."

"De enige van wie we zeker weten dat ze Holberg haatte, is Elín in Keflavík", zei Erlendur. "En ik kan me niet voorstellen dat zij iemand met een asbak dood zou slaan."

"Zou ze daar niet iemand voor ingehuurd kunnen hebben?" vroeg Sigurður Óli.

"Wie?" vroeg Erlendur.

"Weet ik veel. Aan de andere kant, en daar voel ik eigenlijk het meeste voor, ziet dit eruit alsof er iemand door de wijk heeft rondgezworven die ergens naar binnen wilde om te stelen en misschien ook te vernielen, daarbij door Holberg betrapt is, die toen de asbak tegen zijn hoofd kreeg. Het is een junk geweest die volkomen van de wereld was. Heeft niets met het verleden van doen maar precies het tegenovergestelde, met het heden. Met Reykjavík zoals het tegenwoordig is."

"In elk geval is iemand van mening geweest dat je deze man maar het beste koud kon maken", zei Elínborg. "We moeten aandacht schenken aan die boodschap. Die is geen grapje."

Sigurður Óli keek Erlendur nadenkend aan.

"Toen je het erover had dat je precies wilde weten waar het meisje aan gestorven is, bedoelde je toen wat ik denk dat je bedoelt?" vroeg hij.

"Helaas wel", zei Erlendur.

17

Rúnar kwam zelf naar de deur en keek Erlendur een hele tijd aan zonder dat hij hem thuis wist te brengen. Erlendur stond in een klein portaal, flink nat na zijn ren naar het huis. Rechts van hem was een trap naar de bovenste verdieping. Op de treden lag tapijt maar het was totaal versleten op de plaatsen waar er het meest op gelopen was. Er hing een kelderlucht en hij vroeg zich af of er paardenliefhebbers in het huis woonden. Hij vroeg Rúnar of hij zich hem herinnerde en dat scheen zo te zijn want Rúnar probeerde de deur meteen weer dicht te doen, maar Erlendur was sneller. Hij stond binnen voor Rúnar er iets tegen kon doen.

"Gezellig", zei Erlendur rondkijkend in de donkere woning.

"Wil je me met rust laten!" Rúnar probeerde tegen Erlendur te schreeuwen, maar zijn stem brak en werd schel.

"Pas op je bloeddruk. Ik heb er geen zin in om lucht in je te moeten blazen als je tegen de grond gaat. Ik moet je een paar kleinigheden vragen en dan ben ik foetsie en mag jij doorgaan met hierbinnen doodgaan. Zou niet al te lang moeten duren. Je ziet er nou niet direct uit als ouwetje van het jaar."

"Eruit!" zei Rúnar, zo kwaad als het een man op zijn leeftijd maar mogelijk was, hij draaide zich om, liep een kleine woonkamer in en ging op de bank zitten. Erlendur ging achter hem aan en liet zich zwaar neervallen op een stoel tegenover hem. Rúnar keek hem niet aan.

"Heeft Kolbrún het over een andere verkrachting gehad toen ze vanwege Holberg naar je toe kwam?"

Rúnar gaf hem geen antwoord.

"Hoe eerder je antwoordt des te eerder ben je van me af."

Rúnar hief het hoofd en keek Erlendur aan.

"Ze heeft het nooit over een andere verkrachting gehad. Wil je nu gaan!"

"We hebben redenen om aan te nemen dat Holberg iemand verkracht heeft voor hij Kolbrún ontmoette. Misschien heeft hij er na haar nog meer verkracht, dat weten we niet. Kolbrún is de enige vrouw die een aanklacht tegen hem indiende, ook al heeft die aanklacht dankzij jou tot niets geleid."

"Donder op!"

"Weet je zeker dat ze het niet over een andere vrouw heeft gehad?

Het is goed denkbaar dat Holberg over een tweede verkrachting heeft opgeschept en Kolbrún erover verteld heeft."

"Daar heeft ze niets over gezegd", zei Rúnar met zijn blik op de tafel.

"Holberg was die avond samen met twee van zijn vrienden. Een van de twee is Elliði, een geharde crimineel die je misschien wel kent. Hij zit in Hraun waar hij in een kleine donkere cel tegen spoken en droomgestalten vecht. De ander is Grétar. Hij verdween in de zomer van het Nationale Feest van het aardoppervlak. Weet je iets over dit stel?"

"Nee. Laat me met rust!"

"Wat waren zij hier in de stad aan het doen op de avond dat Kolbrún verkracht werd?"

"Dat weet ik niet."

"Heb je nooit met een van hen gesproken?"

"Nee."

"Wie leidde het onderzoek in Reykjavík?"

Voor de eerste keer keek Rúnar Erlendur vol in het gezicht.

"Dat was Marion Briem."

"Marion Briem!"

"Die verdomde idioot."

Elín was niet thuis toen Erlendur bij haar aanklopte. Daarom ging hij weer in zijn auto zitten, stak een sigaret op en overwoog of hij door zou rijden naar Sandgerði. De regen dreunde op de auto en Erlendur, die nooit naar het weerbericht luisterde, vroeg zich af of dit natte weer ooit nog zou ophouden. Misschien was dit een kleine uitgave van de zondvloed, dacht hij bij zichzelf, ernaar kijkend door de blauwe sigarettenrook. Misschien was het niet overbodig om de zonden van de mensen zo nu en dan weg te spoelen.

Erlendur zag ertegen op om Elín te ontmoeten en was best opgelucht toen bleek dat ze niet thuis was. Hij wist dat ze zich tegen hem zou keren en hij wilde haar niet in de stemming brengen waarin ze was toen ze hem een rotte smeris noemde. Toch viel dat niet te vermijden. Vroeg of laat zou het gebeuren. Hij zuchtte diep en liet zijn sigaret opbranden tot hij de hitte aan zijn vingertoppen voelde. Hij hield de rook in zijn longen vast terwijl hij een trekje nam en blies hem dan weer moeizaam uit. Door zijn hoofd speelde een zin uit een advertentie tegen het roken: om kanker te krijgen hoefde er maar één cel ziek te worden.

Die ochtend had hij de pijn op zijn borst weer gevoeld, maar nu was hij weg.

Erlendur stond net op het punt om weg te rijden toen Elín op zijn raampje klopte.

"Moest je mij hebben?", vroeg ze vanonder haar paraplu toen hij het raampje omlaag draaide.

Erlendur produceerde iets dat op een glimlach leek, een gelaatsuitdrukking die onmogelijk geduid kon worden, en knikte flauwtjes. Hij wist dat de mannen al op weg naar het kerkhof waren.

Ze opende haar huis voor hem en hij voelde zich een bedrieger. Hij nam zijn hoed af en hing hem aan een haakje, trok zijn jas en zijn schoenen uit en ging de kamer binnen in zijn gekreukelde pak. Onder zijn jasje had hij een bruin gebreid vest aan maar dat had hij zo scheef dichtgeknoopt dat het onderste knoopsgat te zien was. Hij ging op dezelfde stoel zitten als toen hij voor de eerste maal in het huis kwam en zij kwam tegenover hem zitten toen ze terug in de kamer was. Ze was even naar de keuken gegaan, had koffiegezet en de geur ervan vulde het huisje.

De bedrieger schraapte zijn keel.

"Een van de mannen die met Holberg op stap waren op de avond dat hij Kolbrún verkrachtte, heet Elliði en zit gevangen in Litla-Hraun. Het is al heel lang geleden dat we hem als een goede bekende van de politie begonnen te beschouwen. De derde man die erbij was heette Grétar. Hij verdween in 1974 van het aardoppervlak. In het feestjaar."

"Ik was op Thingvellir", zei Elín. "Heb Tómas Guðmundsson, die bekende dichter, gezien."

Erlendur schraapte zijn keel.

"En, heb je met die Elliði gepraat?" ging Elín door.

"Een bijzonder onaangenaam stuk vreten", zei Erlendur.

Elín verontschuldigde zich even, stond op en ging de keuken in. Hij hoorde kopjes rinkelen. De mobiele telefoon in zijn zak ging en hij trok een lelijk gezicht terwijl hij hem aanzette. Op het schermpje zag hij dat het Sigurður Óli was.

"We zijn zover", zei Sigurður Óli en Erlendur hoorde de regen door de telefoon.

"Niets doen voor ik weer contact met je opneem", zei Erlendur. "Begrepen? Geen beweging voor je van me hoort of voor ik er ben."

"Heb je al met het oude mens gesproken?"

Erlendur gaf hem geen antwoord maar brak het gesprek af en stopte de telefoon weer in zijn zak. Elín kwam met de koffie, zette kopjes op tafel en schonk hun beiden in. Ze dronken de koffie allebei zwart. Ze zette de kan op tafel en kwam weer tegenover Erlendur zitten. Hij schraapte zijn keel.

"Elliði zei dat Holberg voor Kolbrún een andere vrouw had verkracht en dat hij haar daarover verteld had", zei hij en hij zag een uitdrukking van verbazing op Elíns gezicht verschijnen.

"Als Kolbrún iets over een andere vrouw heeft geweten, dan heeft ze mij daar in elk geval nooit iets over gezegd", zei ze, nadenkend het hoofd schuddend. "Is het mogelijk dat hij de waarheid zegt?"

"Daar moeten we van uitgaan", zei Erlendur. "Weliswaar is Elliði zo gestoord dat hij iets dergelijks bij elkaar zou kunnen liegen, maar aan de andere kant beschikken we over geen enkele aanwijzing die zijn woorden logenstraft."

"We hebben niet vaak over haar verkrachting gesproken", zei Elín. "Ik denk dat dat vanwege Auður was. Onder andere. Kolbrún was een heel eenzelvige vrouw, verlegen en gesloten en na die gebeurtenis trok ze zich nog meer in zichzelf terug. En het was natuurlijk helemaal niet goed om over die gruwelijke ervaring te praten toen ze haar kind ver- wachtte, laat staan toen het kind geboren was. Kolbrún deed alles wat ze kon om te vergeten dat er ooit een verkrachting geweest was. Alles wat ermee te maken had."

"Ik denk zo dat als Kolbrún geweten heeft dat er nog een andere vrouw was, dat ze dat dan ter ondersteuning van haar verklaring tegen de politie gezegd heeft, al was het alleen maar daarom. Maar in de rapporten die ik gelezen heb staat er niets over."

"Misschien heeft ze die vrouw willen sparen", zei Elín.

"Sparen?"

"Kolbrún wist wat het was om een verkrachting te beleven. Ze wist wat het was om een verkrachting aan te geven. Ze aarzelde er zelf lang mee en het bleek tot niets anders te leiden dan tot vernedering in een politiebureau in de stad. Als die andere vrouw zich niet heeft willen melden, dan heeft Kolbrún die houding misschien gerespecteerd. Ik kan me dat voorstellen. Maar ik begrijp niet helemaal waar u het over hebt."

"Ze hoeft geen details geweten te hebben, geen naam, misschien heeft ze alleen maar een flauw vermoeden gehad. Als hij ergens toe- spelingen op heeft gemaakt."

"Over zoiets heeft ze het nooit met me gehad."

"Als jullie het over die verkrachting hadden, hoe ging dat dan?"

"Het ging nooit regelrecht over het gebeuren zelf", zei Elín.

De telefoon in Erlendurs zak ging weer en Elín hield op met praten. Erlendur trok de telefoon ruw uit zijn zak en zag het nummer van waaruit gebeld werd. Het was Sigurður Óli. Erlendur zette de telefoon af en stak hem weer in zijn zak.

"Sorry", zei hij.

"Zijn ze niet onmogelijk, die telefoons?"

"Vreselijk", zei Erlendur. Hij zat nu in tijdnood.

"Ze had het erover hoeveel ze van haar dochtertje Auður hield. Ondanks die beroerde omstandigheden hadden ze een heel speciale band met elkaar. Auður betekende alles voor haar. Het is natuurlijk vreselijk om het te zeggen, maar ik denk dat ze Auður niet had willen missen. Snap je? Ik had zelfs het gevoel dat ze Auður als een soort compensatie, of hoe moet ik het noemen, voor de verkrachting zag. Ik weet dat het onhandig klinkt om het zo onder woorden te brengen, maar het was net of het meisje het geluk bij dat ongeluk was. Ik kan je niet zeggen wat mijn zus dacht, hoe ze zich voelde of wat voor gevoelens ze diep vanbinnen had, dat weet ik van mezelf ook maar tot op zekere hoogte en ik ga niet in haar naam praten. Maar ze kreeg het kleine meisje steeds vuriger lief en verloor haar nooit uit het oog. Nooit. Hun verhouding was in aanzienlijke mate het gevolg van wat er gebeurd was maar Kolbrún zag in het meisje nooit het beest dat haar leven verwoest had. Ze zag slechts het mooie kind dat Auður was. Mijn zus was overbezorgd voor haar kind en dat ging verder dan graf en dood zoals ook uit het grafschrift blijkt: 'Vijanden jagen me angst aan. Bescherm mijn leven.'"

"Weet je wat je zus precies met die woorden bedoelde?"

"Het is een aanroep van God zoals je kunt zien als je de psalm leest. Het heeft natuurlijk betrekking gehad op het sterven van het kleine meisje. Hoe dat verliep en hoe droevig dat was. Kolbrún wilde er niet van horen dat er sectie op Auður verricht zou worden. Wilde er niet van horen."

Erlendur sloot zijn ogen en zijn gezicht vertrok. Elín merkte het niet.

"Je kunt je goed voorstellen", zei Elín, "dat de vreselijke ervaringen die Kolbrún had, eerst de verkrachting en toen de dood van haar dochter, haar geestelijke gezondheid ernstig beïnvloed hebben. Ze kreeg een zenuwinzinking. Toen ze over sectie begonnen namen haar vervolgingswaan en het gevoel dat ze de kleine Auður moest beschermen sterk toe. Ze kreeg een dochter onder zulke vreselijke omstandigheden en verloor haar meteen weer. Ze zag het als Gods wil. Mijn zus wilde dat haar dochter met rust gelaten werd."

Erlendur zat een tijdje na te denken voor hij met de waarheid over de brug kwam.

"Ik denk dat ik een van die vijanden ben."

Elín keek hem aan, ze begreep niet wat hij bedoelde.

"Ik denk dat het noodzakelijk is om de kist op te graven en een nauwkeuriger sectie te verrichten als dat mogelijk is."

Erlendur zei het zo voorzichtig als hij maar kon. Het duurde een tijdje voor zin en samenhang van de woorden tot Elín doordrongen en toen ze begrepen had wat ze betekenden keek ze Erlendur vol onbegrip aan.

"Wat zeg je me daar, man?"

"We kunnen dan misschien een verklaring voor haar sterven vinden."

"Verklaring? Het was een hersentumor!"

"Misschien ..."

"Waar heb je het over? Haar opgraven? Het kind? Ik kan mijn oren niet geloven! Ik vertelde je net ..."

"We hebben er twee redenen voor."

"Twee redenen?"

"Om sectie te verrichten", zei Erlendur.

Elín was opgestaan en liep geschokt heen en weer door de kamer. Erlendur bleef zitten waar hij zat maar was dieper in de zachte fauteuil weggezakt.

"Ik heb met de artsen hier in het ziekenhuis in Keflavík gepraat. Ze hebben geen enkel rapport over Auður gevonden behalve het voorlopig rapport van de arts die de sectie verrichtte. De arts is overleden. Het jaar waarin Auður stierf was zijn laatste jaar als arts in het ziekenhuis. Hij vermeldde slechts de hersentumor en beschouwde deze als de doodsoorzaak. Ik wil weten welke ziekte het was waaraan het meisje overleden is. Ik wil weten of het een erfelijke ziekte geweest kan zijn."

"Een erfelijke ziekte! Ik weet niets van een erfelijke ziekte."

"We zoeken naar die ziekte in Holberg", zei Erlendur. "De tweede reden voor de opgraving is dat we met zekerheid vastgesteld willen zien dat Auður de dochter van Holberg is. Dat wordt met DNA-onderzoek gedaan."

"Twijfelen jullie eraan dat dat zo is?"

"Niet echt, maar we moeten het vastgesteld krijgen."

"Maar waarom?"

"Holberg ontkende dat het zijn kind was. Hij zei dat hij seksueel contact met Kolbrún gehad had met haar instemming, maar van het vaderschap wilde hij niets weten. Toen de zaak geseponeerd werd, vond men dat er geen bijzondere noodzaak was om dat vast te stellen. Je zus heeft nooit om een onderzoek gevraagd. Zij had er natuurlijk meer dan genoeg van en heeft Holberg uit haar leven willen bannen."

"Wie zou anders de vader geweest kunnen zijn?"

"We hebben de vaststelling nodig vanwege de moord."

"De moord op Holberg?"

"Ja."

Elín bleef voor Erlendur staan en staarde hem aan.

"Mag dat stuk ongeluk een mens dus nog voorbij graf en dood blijven kwellen?"

Erlendur wilde haar antwoorden maar ze liet hem niet aan het woord komen.

"Jullie denken dus nog steeds dat mijn zus zat te liegen", zei Elín. "Jullie zullen haar nooit geloven. Je bent niet beter dan die idioot van een Rúnar. Geen haar beter!"

Ze boog zich over Erlendur in de fauteuil.

"Verdomde rotsmeris!" siste ze. "Ik had je nooit in mijn huis moeten binnenlaten."

18

Sigurður Óli zag de autolichten in de regen naderbij komen en wist dat het Erlendur was. De graafmachine stond te dreunen op de plaats die hij voor het graf had ingenomen, klaar om met graven te beginnen zodra het teken werd gegeven. Het was een kleine machine die zigzaggend tussen de graven door was gekropen. De rupsbanden slipten in de modder. De machine spuwde een zwarte rookwolk uit en vervulde de lucht met een vette oliestank.

Sigurður Óli en Elínborg stonden bij het graf met een gerechtsarts namens het Openbaar Ministerie, een jurist van de Dienst, een dominee en een koster, enkele politiemannen uit Keflavík en twee gemeentewerklui. Ze stonden allemaal te kleumen in de regen en benijdden Elínborg die als enige een paraplu bij zich had en Sigurd Oli toestond er half onder te staan. Toen Erlendur uit de auto stapte en met langzame schreden op hen toekwam zagen ze dat hij alleen was. Ze hadden documenten van de autoriteiten waarin toestemming voor de opgraving verleend werd, maar er werd niets ondernomen voor hij het groene licht gaf.

Erlendur liet zijn blik over het terrein gaan en betreurde in stilte de verstoring, de vernielingen, de ontheiliging. De grafsteen was verwijderd en op een pad achter het graf neergelegd. Een groene vaas met een lange punt die je in de aarde kon steken, lag ernaast. In de vaas zat een bosje verwelkte rozen en Erlendur nam aan dat Elín die bij de steen had neergezet. Hij bleef staan, las het opschrift nog een keer en schudde zijn hoofd. Een hekje van witgeschilderd hout dat nauwelijks twintig centimeter boven de aarde uitstak en het graf van de omgeving had afgegrensd, lag kapot naast de grafsteen. Erlendur had dergelijke hekjes op de graven van kinderen gezien en zuchtte. Hij keek op naar de zwarte hemel. De regen lekte van de rand van zijn hoed neer op zijn schouders en hij tuurde er met half toegeknepen ogen doorheen. Hij overzag het groepje mensen dat bij het graf stond, keek toen eindelijk naar Sigurður Óli en knikte. Sigurður Óli gaf de machinist van de graafmachine een teken. De bak ging de lucht in en zonk neer in de zachte aarde.

Erlendur zag hoe de bak een dertig jaar oude wond openscheurde. Hij kromp in elkaar bij elke hap. De hoop aarde werd gestadig hoger en hoe dieper het gat werd des te meer duister slokte het op. Erlendur stond van een afstandje toe te kijken hoe de bak dieper en dieper in de open wond groef. Plotseling bekroop hem het gevoel dat hij dit al eerder beleefd had, alsof hij dit alles al eerder in een droom gezien had en heel even kreeg het toneel voor hem het aanzicht van een droom; zijn collega's bij de politie die in het graf stonden te kijken, de gemeentewerklui in hun oranje overalls die op hun schop leunden, de dominee in een dikke zwarte jas, de regen die in het graf plensde en in de bak weer mee omhoog kwam alsof het gat bloedde.

Had hij dit werkelijk zo gedroomd?

En toen verdween het gevoel weer en net als altijd wanneer iets dergelijks gebeurde kon hij absoluut niet begrijpen waar het vandaan kwam. Waarom hij het gevoel had dat hij gebeurtenissen herbeleefde die nooit eerder hadden plaatsgevonden. Erlendur geloofde niet in voorgevoelens, visioenen en dromen, niet in reïncarnatie of karma, hij geloofde niet in God ook al had hij vaak in de bijbel gelezen, niet in een eeuwig leven of dat zijn gedrag in dit leven er invloed op zou hebben of hij later in de hemel of in de hel belandde. Hij vond dat het leven zelf al een mengelmoes van beide bood.

Maar toch beleefde hij soms die onbegrijpelijke en bovennatuurlijke herhaling, beleefde plaats en tijd alsof hij het allemaal al eens eerder had gezien, alsof hij buiten zichzelf trad, plotseling in een toeschouwer van zijn eigen leven veranderde. Hij kon op geen enkele manier uitleggen wat er dan gebeurde of waarom het gebeurde, waarom zijn geest hem op deze manier voor de gek hield.

Hij kwam weer tot zichzelf toen de bak op het deksel van de kist neerkwam en er een holle dreun uit het graf opklonk. Hij kwam een stap dichterbij. Het regenwater stroomde in het gat en hij zag vaag de omtrekken van de kist verschijnen.

"Voorzichtig", riep Erlendur tegen de man op de machine en stak zijn handen op.

In de verte zag hij autolichten over de weg naderen. Ze keken allemaal in de richting van het licht en zagen de auto langzaam in de regen voortkruipen tot hij bij het hek van het kerkhof stopte. Op het dak zagen ze de naam van een taxibedrijf. Een oudere vrouw in een groene jas stapte uit. Elín. De taxi reed weg en zij stormde op het graf af. Toen Erlendur binnen gehoorsafstand was begon ze naar hem te schreeuwen en met haar vuist te schudden.

"Grafschender!" hoorde hij haar roepen. "Grafschenders! Lijkenpikkers!"

"Hou haar in bedwang", zei Erlendur kalm tegen de agenten en zij gingen Elín tegemoet en hielden haar tegen toen ze nog maar een paar meter van het graf verwijderd was. In dolle woede probeerde ze hen van zich af te slaan maar ze pakten haar bij haar armen en hielden haar vast.

De twee gemeentewerklui gingen nu met hun spaden het gat in, groeven de kist vrij en brachten er touwen om aan. De kist was nog in redelijk goede staat. De regen donderde met hol gedreun neer op het deksel en spoelde de aarde eraf. Erlendur dacht dat hij waarschijnlijk wit was geweest. Een kleine witte kist met koperen handvatten opzij en een kruisje op het deksel. De mannen maakten de touwen aan de bak van de graafmachine vast en die trok vervolgens de kist zeer voorzichtig uit de grond omhoog. Hij was nog heel maar leek niet erg solide meer. Erlendur zag dat Elín niet langer vocht en naar hem schreeuwde. Ze was gaan huilen toen de kist tevoorschijn kwam en even stil in de touwen boven het graf hing. Een kleine bestelauto reed voorzichtig achteruit over het pad en stopte toen. De kist werd op de grond gezet en de touwen werden losgemaakt. De dominee ging er naartoe, maakte er het kruisteken over en bewoog zijn lippen in een gebed. De gemeentewerklui tilden de kist in de bestelauto en deden het portier dicht. Elínborg ging voorin naast de chauffeur zitten en deze reed weg over het kerkhof, door het hek en de weg op totdat de rode achterlichten in regen en duisternis verdwenen.

De dominee ging naar Elín toe en vroeg of de agenten haar los wilden laten. Dat deden ze meteen. De dominee vroeg of hij iets voor haar kon doen. Ze kenden elkaar kennelijk goed en praatten zachtjes met elkaar. Het zag ernaar uit dat Elín rustiger werd. Erlendur en Sigurður Óli keken naar elkaar en toen in het graf. Het regenwater was al een plas op de bodem aan het vormen.

"Ik wilde proberen om dit smerige werk, deze heiligschennis, te stoppen", hoorde Erlendur Elín tegen de dominee zeggen. Hij voelde zich wat beter nu hij zag dat Elín wat kalmer was. Hij ging naar haar toe en Sigurður Óli kwam stil achter hem aan.

"Dit vergeef ik je nooit", zei Elín tegen Erlendur. De dominee stond naast haar. "Nooit", zei ze. "Als je dat maar weet!"

"Dat begrijp ik", zei Erlendur, "maar het onderzoek gaat voor."

"Het onderzoek! De duivel hale je onderzoek", zei Elín nijdig. "Waar ga je met het lijkje naartoe?"

"Naar Reykjavík."

"En wanneer breng je het weer terug?"

"Over twee dagen."

"Kijk nou toch eens wat je met haar graf hebt gedaan", zei Elín verslagen zuchtend en op een toon alsof ze nog niet helemaal had begrepen wat er gebeurd was. Ze liep langs Erlendur in de richting van de steen en het hekje, de bloemenvaas en het open graf.

Erlendur besloot haar te vertellen over de boodschap die in Holbergs woning gevonden was.

"Er was een boodschap bij Holberg achtergelaten, toen we hem vonden", zei Erlendur, Elín achterna lopend. "We begrepen er weinig van tot er sprake was van Auður en toen praatten we met haar oude dokter. IJslandse moordenaars laten over het algemeen alleen maar rotzooi achter maar de man die Holberg vermoordde wilde ons iets geven om over na te denken. Toen de dokter de mogelijkheid van een erfelijke ziekte noemde, kreeg de boodschap opeens een bepaalde betekenis. Zeker na wat Elliði me in de gevangenis vertelde. Er zijn geen verwanten van Holberg in leven. Hij had een zusje dat gestorven is toen ze negen was. Sigurður Óli", zei Erlendur met een gebaar naar zijn collega, "heeft haar ziektedossier achterhaald en wat Elliði dacht, bleek juist. Ze stierf net als Auður tengevolge van een hersentumor. Leed hoogstwaarschijnlijk aan dezelfde ziekte."

"Wat vertel je me nou? Wat voor boodschap was dat dan?" vroeg Elín.

Erlendur aarzelde. Hij keek naar Sigurður Óli, die naar Elín en toen weer naar hem keek. Ze keken elkaar even aan.

"Ik ben hem", zei Erlendur.

"Wat bedoel je?"

"Zo luidde de boodschap: 'ik ben hem'. Met nadruk op het laatste woord. HEM."

"Ik ben hem", herhaalde Elín. "Wat betekent dat?"

"Dat is onmogelijk te zeggen maar ik vroeg me af of het misschien verwees naar iets van verwantschap", zei Erlendur. "De man die 'ik ben hem' schreef vond kennelijk dat hij iets met Holberg gemeenschappelijk had. Het zouden natuurlijk ook de hersenspinsels kunnen zijn van de een of andere gek die niets van Holberg afwist. Onbegrijpelijke nonsens. Maar dat denk ik niet. Ik denk dat de ziekte ons zal helpen. Ik denk dat we erachter moeten zien te komen wie Holberg precies was."

"Wat voor verwantschap?"

"Volgens officiële stukken had Holberg geen kinderen. Auður stond niet op zijn naam. Ze was alleen maar Kolbrúnsdóttir. Als het waar is wat Elliði vertelt, dat Holberg meer vrouwen verkracht heeft dan alleen Kolbrún en als die vrouwen dat niet hebben gemeld, dan bestaat de mogelijkheid dat er nog meer kinderen van hem zijn. Dat Kolbrún niet het enige slachtoffer was dat een kind van hem kreeg. We hebben onze zoektocht naar een mogelijk slachtoffer in Húsavík ingeperkt tot de vrouwen die in een bepaalde periode een kind kregen en we hebben goede hoop dat daar binnenkort iets uitkomt."

"Húsavík?"

"Het andere slachtoffer van Holberg komt daar waarschijnlijk vandaan."

"En hoe zit het met die erfelijke ziekte?" vroeg Elín. "Wat voor ziekte is dat? Is dat de ziekte waaraan Auður stierf?"

"We moeten Holberg nog onderzoeken, vaststellen dat hij de vader van Auður was en dat dan allemaal op een rijtje zetten. Maar als onze theorie juist is, dan is er waarschijnlijk sprake van een zeldzame ziekte die erfelijk wordt overgedragen."

"En Auður had die ziekte?"

"Het kan zijn dat er al te veel tijd sinds haar dood verlopen is om een bevredigende uitslag te kunnen krijgen maar we moeten het proberen."

Ze waren op de kerk toegelopen, Elín naast Erlendur en Sigurður Óli er achteraan. Elín maakte uit waar ze heen gingen. De kerk was open, ze stapten de regen uit en stonden in het portaal, keken naar het duister buiten.

"Ik denk dat Holberg de vader van Auður was", zei Erlendur. "Ik heb, om de waarheid te zeggen, geen enkele reden om jouw woorden en dat wat je van je zus hebt gehoord niet te geloven. Maar we hebben een bewijs nodig. Dat is noodzakelijk vanuit het gezichtspunt van de recherche. Als er sprake is van een erfelijke ziekte die Holberg op haar heeft overgedragen, dan zou die ziekte ook elders kunnen voorkomen. Het is goed denkbaar dat de moord op Holberg samenhangt met die ziekte."

Ze merkten de auto niet op die langzaam van het kerkhof wegreed over een oud spoor, met gedoofde lichten en moeilijk in het donker te zien. Toen hij in Sandgerði kwam nam de snelheid toe, gingen de lichten aan en algauw had hij de bestelwagen met de kist ingehaald. Op de Keflavíkerweg zorgde de chauffeur ervoor dat er steeds twee en soms drie auto's tussen de bestelwagen en hemzelf in zaten. Op die manier volgde hij de kist naar Reykjavík.

Toen de bestelwagen voor het mortuarium op de Barónsstígur stilhield, parkeerde hij zijn auto op enige afstand ervan en keek toe toen de kist het huis in werd gedragen en de deuren zich achter de kist sloten. Hij zag de bestelwagen wegrijden en zag de vrouw die met de kist was meegereden het mortuarium verlaten en een taxi nemen.

Toen alles weer rustig was reed hij zachtjes weg.

19

Marion Briem deed de deur voor hem open. Erlendur had zich niet van tevoren aangemeld. Hij kwam regelrecht uit Sandgerði en had besloten om met Marion te gaan praten voor hij naar huis ging. Het was zes uur en buiten was het aardedonker. Marion vroeg hem binnen te komen en zei dat hij maar niet op de rommel moest letten. Het was een kleine woning, woonkamer, slaapkamer, badkamer en keuken. De woning getuigde van de slonzigheid van de bewoonster en zag er niet zoveel anders uit dan de woning van Erlendur. Kranten, tijdschriften en boeken lagen door de hele kamer verspreid, het tapijt was vuil en versleten, de vaat stond opgestapeld naast de wasbak in de keuken. Het licht van een schemerlamp verspreidde een flauw licht door de donkere kamer. Marion zei Erlendur wat kranten van een stoel naar de grond te verplaatsen en dan te gaan zitten.

"Je hebt me niet verteld dat jij indertijd bij deze zaak betrokken was", zei Erlendur.

"Niet een van mijn beste prestaties", zei Marion. Met haar kleine, fijne handen stak ze een sigaartje uit een klein doosje op. Op haar gezicht lag een uitdrukking van pijn; ze had een groot hoofd, maar voor het overige was ze fijn gebouwd. Erlendur bedankte. Hij wist dat Marion nog steeds de zaken die in de aandacht stonden goed bijhield, dat ze van oude collega's bij de politie inlichtingen los probeerde te krijgen en in bepaalde gevallen zelfs nog wel eens een bijdrage aan een zaak leverde.

"Je wilt meer over Holberg te weten komen", zei Marion.

"En over zijn vrienden", zei Erlendur. Na een hoop kranten opzij geschoven te hebben ging hij zitten. "En over Rúnar in Keflavík."

"Ja, Rúnar in Keflavík", zei Marion. "Er was een tijd dat hij me wel kon vermoorden."

"Vandaag de dag niet meer zo waarschijnlijk, de stakker", zei Erlendur.

"Je hebt hem dus ontmoet", zei Marion. "Hij heeft kanker, wist je dat? Eerder een zaak van weken dan van maanden."

"Wist ik niet", zei Erlendur en hij zag het magere, uitgemergelde gezicht van Rúnar voor zich. De druppel aan zijn neus toen hij daar de bladeren in de tuin stond aan te harken.

"Hij had heel machtige vrienden bij het ministerie. Daarom kon hij blijven zitten. Ik heb ontslag aanbevolen. Hij kreeg een berisping."

"Kun je je Kolbrún herinneren?"

"Het zieligste slachtoffer dat ik in mijn leven ontmoet heb", zei Marion. "Ik heb haar niet echt goed leren kennen, maar wist dat ze absoluut niet in staat was tot liegen. Ze kwam met die klacht tegen Holberg en beschreef de behandeling die ze van Rúnar kreeg. Je kent het verhaal. In de zaak-Rúnar was het haar woord tegen zijn woord, maar haar verklaring was geloofwaardig. Hij had haar niet naar huis mogen sturen, om nog maar te zwijgen van het verhaal over het slipje. Holberg heeft haar verkracht. Dat stond als een paal boven water. Ik heb Holberg en Kolbrún met elkaar geconfronteerd. En er was geen enkele twijfel mogelijk."

"Hen met elkaar geconfronteerd?"

"Dat was een vergissing. Ik dacht dat het zou helpen. Arme vrouw."

"Hoezo?"

"Ik arrangeerde het als een toeval of een ongelukje. Ik realiseerde me niet ... Ik zou je dit niet moeten vertellen. Ik was vastgelopen in mijn onderzoek. Zij zei dit en hij zei dat. Ik heb hen tegelijkertijd opgeroepen en ervoor gezorgd dat ze elkaar ontmoetten."

"Wat gebeurde er?"

"Ze werd hysterisch en we moesten een dokter laten komen. Ik had nog nooit zoiets gezien. En heb dat ook later niet."

"En hij?"

"Stond erbij te grijnzen."

Erlendur zweeg.

"Denk je dat hij de vader van het kind was?"

Marion haalde haar schouders op.

"Kolbrún heeft dat altijd volgehouden."

"Heeft Kolbrún het met je over een andere vrouw gehad die Holberg voor haar verkracht zou hebben?" vroeg Erlendur ten slotte.

"Was er nog een?"

Erlendur vertelde wat Elliði gezegd had en algauw had hij de voornaamste feiten van het onderzoek uit de doeken gedaan. Marion Briem zat haar sigaartje te roken en te luisteren, haar ogen strak op Erlendur gericht, klein, waakzaam en stekend. Ze misten niets. Ze zagen voor zich een vermoeid uitziende man van middelbare leeftijd met donkere kringen onder zijn ogen, met een baardgroei van een paar dagen, volle wenkbrauwen die recht vooruit staken, een verwarde bos roodbruin haar, een stel sterke tanden die zo nu en dan even tussen bleke lippen te zien waren, met een droefgeestige uitdrukking op een gezicht dat getuige was geweest van alle verdorvenheid die onder het menselijk vullis wordt aangetroffen. In de ogen van Marion stond medelijden te lezen en het droevig weten dat ze naar hun eigen spiegelbeeld zaten te kijken.

Erlendur was door Marion Briem begeleid toen hij zijn werk bij de recherche begon en alles wat hij de eerste jaren geleerd had, was hem door Marion bijgebracht. Net als Erlendur had Marion nooit een leidende positie bij de politie gehad maar altijd het traditionele onderzoekswerk gedaan en ze beschikte over een immense ervaring. Haar geheugen was zeer goed en in de loop van de jaren in geen enkel opzicht achteruitgegaan. Alles wat haar ogen en oren opvingen werd gerubriceerd, opgetekend en ondergebracht in de grenzeloos uitgebreide opslagruimten van haar hersenen en zonder enige moeite opgeroepen zodra iemand het nodig had. Marion kon oude zaken tot in de kleinste details ophalen, was een onuitputtelijke bron van kennis op alle gebieden die maar iets met de geschiedenis van de IJslandse misdaad van doen hadden. Haar deducerend vermogen was scherp en haar denken strikt logisch.

Als collega was Marion Briem een onuitstaanbaar pietluttig, veeleisend en ongeduldig mirakel, zoals Erlendur het eens tegenover Eva Lind verwoord had toen het onderwerp ter sprake kwam. Tussen hem en zijn oude leermeesteres hadden een aantal jaren diepgaande meningsverschillen bestaan en er was een tijd geweest dat er nauwelijks een woord tussen hen beiden werd gewisseld. Erlendur had het gevoel dat hij Marion op de een of andere onuitgesproken manier had teleurgesteld. Hij vond dat Marion dat ook steeds duidelijker liet blijken tot zijn leermeesteres ten slotte vanwege haar leeftijd met haar werk moest ophouden, tot enige opluchting van Erlendur.

Toen Marion was opgehouden, leek het contact tussen hen weer beter te worden. De spanning nam af en de concurrentiezucht verdween grotendeels.

" ... en daarom dacht ik dat ik maar eens bij jou op bezoek moest gaan om erachter te komen wat jij je over Holberg, Elliði en Grétar herinnert", besloot Erlendur zijn verhaal.

"Je hoopt toch niet dat je Grétar na al die jaren nog vindt?" zei Marion met een duidelijk verbaasde toon in haar stem. Erlendur meende even een bezorgde uitdrukking op haar gezicht te zien.

"Hoever ben jij ermee gekomen?"

"Ik kwam helemaal nergens, ik deed het er trouwens alleen maar bij", zei Marion. Erlendur dacht een verontschuldigende ondertoon te horen en had even een binnenpretje. "Hij verdween waarschijnlijk gedurende hetzelfde weekeinde dat het Nationale Feest op Thingvellir gehouden werd. Ik sprak met zijn moeder, met zijn vrienden, Elliði en

Holberg, en zijn collega's. Toen Grétar verdween werkte hij bij Eimskip in de laadploeg. Ze hielden het er maar op dat hij over boord geslagen was. Ze zeiden dat het hun niet ontgaan zou zijn als hij in een van de ruimen gevallen was."

"Waar waren Holberg en Elliði in de tijd dat Grétar verdween? Kun je je dat herinneren?"

"Ze zeiden allebei dat ze op het Nationale Feest waren geweest en dat konden we ook vaststellen. Maar het was natuurlijk niet zeker wanneer Grétar nu precies verdwenen is. Hij was al twee weken door niemand gezien toen zijn moeder contact met ons opnam. Weet je er meer over? Zijn er nieuwe gegevens over Grétar boven water gekomen?"

"Nee", zei Erlendur. "En ik ben ook niet naar hem op zoek. Als hij niet plotseling is opgedoken en in Noorderveen zijn oude vriend Holberg vermoord heeft, mag hij wat mij betreft voor eeuwig verdwenen blijven. Ik ben bezig erachter te komen wat voor stel mensen het was, Holberg, Elliði en Grétar."

"Het was tuig. Alle drie. Je kent Elliði zelf. Grétar was geen haar beter. Een zieliger geval. Ik heb me een keer vanwege een inbraak met hem moeten bezighouden en ik kreeg de indruk van een beginnende droeve carrière als kleine crimineel. Ze werkten alle drie bij het Havenbedrijf. Zo leerden ze elkaar kennen. Elliði was een stomme sadist. Lokte een gevecht uit als hij de kans kreeg. Trapte de zwakkeren. Als ik het goed begrijp is hij niets veranderd. Holberg was een soort leider van het stel. De slimste van de drie. Kwam er in die zaak met Kolbrún goed van af. Toen ik indertijd inlichtingen over hem inwon waren de mensen erg terughoudend. Grétar was de sukkel die erbij hing, onbetekenend en laf, maar ik kreeg het gevoel dat het een façade was."

"Kenden Rúnar en Holberg elkaar?"

"Dat geloof ik niet."

"We hebben er nog niets over in de openbaarheid gebracht", zei Erlendur, "maar we hebben een boodschap op het lijk gevonden."

"Een boodschap?"

"De moordenaar schreef 'ik ben hem' op een briefje dat hij op Holberg legde."

"Ik ben hem?"

"Wijst dat niet op verwantschap?"

"Tenzij sprake is van een messiascomplex. Een mislukte man Gods."

"Ik hou het liever op verwantschap."

"Ik ben hem? Wat wil iemand daarmee zeggen? Wat houdt die boodschap in?"

"Wist ik het maar", zei Erlendur.

Hij stond op en zette zijn hoed op, zei dat hij nodig naar huis moest. Marion vroeg hoe het met Eva Lind ging. Erlendur vertelde dat ze probeerde met haar problemen in het reine te komen. Marion liep met hem mee naar de deur en liet hem uit. Een stevige handdruk in de deuropening. Toen Erlendur de trap afliep riep Marion hem na.

"Erlendur! Wacht nog even."

Erlendur draaide zich om en keek op naar Marion in de deuropening en zag hoe de ouderdom zijn stempel op haar waardige uiterlijk had gezet, hoe haar trotse houding door de gebogen schouders minder imposant was en hoe de rimpels in haar gezicht getuigden van een moeilijk leven. Het was lang geleden dat hij in dit huis op bezoek was geweest en toen hij in de stoel tegenover Marion had gezeten, had hij eraan moeten denken over hoe de tijd de mensen tekent.

"Laat wat je over Holberg te weten komt je niet al te diep raken", zei Marion Briem. "Laat hem niets in je doden wat je niet kwijt wilt raken. Laat hem niet winnen. Dat was alles."

Erlendur stond stil in de regen, er niet zeker van wat zijn raadgeefster bedoelde. Marion knikte hem toe.

"Wat voor inbraak was het?" riep Erlendur voor de deur dicht viel.

"Inbraak?" vroeg Marion terwijl de deur weer openging.

"Die Grétar pleegde. Waar brak hij in?"

"In een fotowinkel. Hij had iets met foto's", zei Marion Briem. "Nam foto's."

Twee mannen, allebei in een leren jack en op zwarte halfhoge leren laarzen met veters, klopten aan en stoorden Erlendur toen hij later die avond thuis in zijn luie stoel zat te slapen. Hij was thuisgekomen, had Eva Lind geroepen maar geen antwoord gekregen, en was op de kippenbouten gaan zitten waarop hij de vorige nacht geslapen had en die nog steeds in de stoel lagen. De twee mannen vroegen naar Eva Lind. Erlendur had hen nooit eerder gezien en had ook zijn dochter niet meer gezien sinds zij hem op de lekkere vleessoep had getrakteerd. Ze zagen er dreigend uit toen ze Erlendur vroegen waar ze haar konden vinden en probeerden naar binnen te kijken zonder langs hem te dringen. Erlendur vroeg wat ze van zijn dochter wilden. Ze vroegen of de klootzak haar soms binnen verstopt hield. Erlendur vroeg of ze incasseerders waren. Ze zeiden dat hij zijn bek moest houden. Hij zei dat ze op moesten lazeren. Zij zeiden dat hij schijt kon gaan vreten.

Toen hij de deur dicht wilde doen, zette een van de twee zijn knie ertussen. "Je dochter is een verdomde hoer", riep hij. Hij had een leren broek aan.

Erlendur kreunde.

Het was een lange, vervelende dag geweest.

Hij hoorde de knie breken toen de deur er met zo'n kracht tegen aan sloeg dat de bovenste scharnieren losschoten.

20

Sigurður Óli vroeg zich af hoe hij de vraag zou inkleden. Hij had een lijst in handen met de namen van tien vrouwen die rond 1960 in Húsavík gewoond hadden en naar Reykjavík verhuisd waren. Twee vrouwen op de lijst waren overleden. Twee hadden nooit een kind gekregen. Zes ervan waren moeder en hadden kinderen gekregen in de periode dat de verkrachting waarschijnlijk plaats had gevonden. Sigurður Óli stond nu bij de eerste voor de deur. Ze woonde in Barmahlíð. Gescheiden. Had drie volwassen zoons.

Maar hoe moest hij de vraag voor deze al wat oudere vrouwen inkleden? 'Neem me niet kwalijk, mevrouw, maar ik ben van de politie en ben naar u toe gestuurd om u te vragen of u ooit verkracht bent in de tijd dat u in Húsavík woonde.' Hij had het erover met Elínborg, die een lijst met tien andere vrouwen had, maar zij kon niet begrijpen wat het probleem was.

Volgens Sigurður Óli zou het proces dat Erlendur in gang had gezet tot niets leiden. Zelfs als zou blijken dat Elliði de waarheid had gesproken en tijd en plaats klopten en ze uiteindelijk na een lange zoektocht de juiste vrouw zouden treffen, hoe waarschijnlijk was het dan nog dat ze over haar verkrachting zou vertellen? Ze had er een leven lang over gezwegen. Waarom zou ze er dan nu over gaan vertellen? Het enige dat ze hoefde te zeggen als Sigurður Óli of een ander van de vijf rechercheurs die met net zo'n lijst op stap waren bij haar voor de deur stond, was 'nee' en dan zouden ze niet veel meer kunnen zeggen dan 'excuses voor de overlast'.

"Het is een kwestie van reacties, gebruik wat psychologie", had Erlendur gezegd toen Sigurður Óli probeerde hem zijn probleem voor te leggen. "Probeer bij hen binnen te komen, te gaan zitten, een kop koffie te accepteren, wat te praten, speel een beetje een oude kletskous."

"Wat psychologie", sputterde Sigurður Óli in zichzelf toen hij op Barmahlíð uit zijn auto stapte. Zijn gedachten dwaalden af naar zijn vriendin Bergþóra. Hij wist niet hoe hij 'de psychologie' op haar zou moeten toepassen. Ze hadden elkaar een tijdje eerder onder ongewone omstandigheden ontmoet, toen Bergþóra getuige was in een moeilijke zaak, en na een korte vrijage hadden ze besloten om samen te gaan wonen. Ze bleken heel goed bij elkaar te passen, hadden dezelfde interesses en wilden allebei een mooi ingericht huis met uitgelezen meubelen en kunstwerken, waren geboren yuppen. Ze kusten elkaar als ze elkaar na een lange werkdag terugzagen. Gaven elkaar kleine cadeautjes. Openden zelfs een fles wijn. Soms gingen ze regelrecht naar bed als ze thuiskwamen van hun werk maar de laatste tijd was dat aanzienlijk minder geworden.

Dat was nadat ze hem een paar doodgewone Finse visserslaarzen voor zijn verjaardag had gegeven. Hij probeerde van vreugde te stralen maar de ongelovige uitdrukking bleef te lang op zijn gezicht zitten en ze zag dat er iets was. Toen er eindelijk een glimlach tevoorschijn kwam, was het een geforceerde.

"Omdat je geen laarzen hebt", zei ze.

"Ik heb geen laarzen gehad sinds mijn ... tiende", zei hij.

"Ben je er niet blij mee?" vroeg ze.

"Ik vind het geweldig", zei Sigurður Óli, zich ervan bewust dat hij geen antwoord op de vraag gaf. Dat wist zij ook. "Nee, heus", voegde hij eraan toe en voelde hoe hij zich flink in de nesten werkte. "Schitterend!"

"Je bent er helemaal niet blij mee", zei ze terneergeslagen.

"Ja heus wel", zei hij, nog steeds wat perplex, omdat hij maar moest blijven denken aan het armbandhorloge van dertigduizend kronen dat hij haar voor haar verjaardag had gegeven. Voor het kopen daarvan had hij een week nodig gehad met uitvoerige verkenningstochten door de hele stad en gesprekken met horlogemakers over soorten, het vergulden, uurwerken, bandjes, mate van waterproof-zijn, Zwitserland en koekoeksklokken. Hij had al zijn kennis en ervaring als rechercheur ingezet om het juiste horloge te vinden en het uiteindelijk ook gevonden, en zij was er heel erg blij mee geweest, haar vreugde en genoegen waren ongeveinsd.

En nu zat hij daar voor haar met een bevroren glimlach op zijn gezicht en probeerde echt blij te lijken maar het lukte hem helaas van geen kant.

Psychologie, sputterde Sigurður Óli bij zichzelf.

Toen hij op de etage was aangekomen, drukte hij op de bel en stelde zijn vraag met alle psychologische diepgang die hij kon opbrengen, maar het mislukte op een vreselijke manier. Voor hij het wist had hij de vrouw daar in het trapportaal zonder omwegen gevraagd of ze wel eens verkracht was.

"Wat heeft deze nonsens eigenlijk te betekenen?" zei de mevrouw, in volle oorlogsbeschildering, met ringen aan haar vingers en een harde uitdrukking op haar gezicht die niet zachter leek te kunnen worden. "Wie ben jij? Wat is dit voor een onbeschoftheid?!"

"Neem me alstublieft niet kwalijk", zei Sigurður Óli met een zucht en hij was de trap in een mum van tijd weer af.

Elínborg ging het beter af maar zij had haar gedachten dan ook bij haar werk en ze had geen remmingen om praatjes met mensen te maken. Haar specialiteit was koken, ze was een buitengewoon toegewijde en goede kokkin en had geen enkel probleem met het aansnijden van een gespreksonderwerp. Als het zo uitkwam vroeg ze wat het voor een heerlijke geur was die daar uit de woning kwam en zelfs mensen die misschien al een week lang alleen maar op popcorn geleefd hadden, ontvingen haar met plezier.

Ze zat nu in de woonkamer van een souterrainwoning in Breiðholt en accepteerde een kop koffie van een wat oudere vrouw uit Húsavík, al vele jaren weduwe en moeder van twee volwassen kinderen. Ze heette Sigurlaug en was de laatste naam op Elínborgs lijst. Het had Elínborg geen moeite gekost om de pijnlijke vraag onder woorden te brengen en ze vroeg de mensen met wie ze gesproken had of ze contact met haar wilden opnemen als ze iets in hun kennissenkring hoorden, desnoods zelfs kletsverhalen uit Húsavík.

"... en daarom zijn we op zoek naar een vrouw van jouw leeftijd uit Húsavík die Holberg in die tijd gekend zou kunnen hebben en misschien zelfs moeilijkheden met hem gekregen zou kunnen hebben."

"Ik kan me niemand in Húsavík herinneren die Holberg heette," zei de vrouw. "Wat voor soort moeilijkheden bedoel je?"

"Holberg was op bezoek in Húsavík", zei Elínborg, "je hoeft je hem dus niet noodzakelijk te herinneren. Hij heeft er nooit gewoond. En het was een gewelddaad. We weten dat hij enige decennia geleden een vrouw uit die stad heeft aangevallen en we zijn bezig haar op te sporen."

"Dat moet dan toch in jullie rapporten te vinden zijn?"

"Er werd nooit een aanklacht ingediend."

"Wat voor aanval?"

"Verkrachting."

De vrouw sloeg onwillekeurig een hand voor haar mond en haar ogen werden twee keer zo groot.

"Heremetijd!" zei ze. "Nee, daar weet ik niets van. Een verkrachting! God, allemachtig! Daar heb ik nooit iets over gehoord."

"Nee, het lijkt een groot geheim gebleven te zijn", zei Elínborg. Ze wist zich de opdringerige vragen van de vrouw die de details van de zaak te horen wilde krijgen handig te omzeilen, en sprak van onderzoek in de beginfase en alleen geruchten. "Ik vroeg me af", zei ze toen, "of jij soms vrouwen kent die iets over deze zaak zouden kunnen weten." De vrouw gaf haar de namen van twee vriendinnen in Húsavík aan wie volgens haar nooit iets ontging. Elínborg schreef hun namen op, bleef nog een tijdje zitten om niet onbeschoft te lijken en nam toen afscheid.

Erlendur had een snee in zijn voorhoofd waar hij zelf een pleister op had geplakt. Een van de twee bezoekers van de vorige avond was uitgeschakeld nadat Erlendur de deur zo hard tegen zijn knie had dichtgeslagen dat hij jammerend op de grond viel. De ander keek vol verbazing naar wat er gebeurde en voor hij het wist stond Erlendur op de overloop voor hem en duwde hem zonder ook maar een ogenblik te aarzelen achteruit de trap af. Hij slaagde erin de leuning vast te grijpen en zo te voorkomen dat hij van de trap viel. Erlendur leek hem geen gemakkelijke prooi zoals hij daar met een gezwollen en bebloed voorhoofd boven aan de trap stond, en hij keek even naar zijn makker die krimpend van de pijn op de grond lag, toen weer naar Erlendur en besloot ervandoor te gaan. Hij was hoogstens twintig.

Erlendur belde een ambulance en terwijl ze daarop wachtten kwam hij te weten wat ze van Eva Lind wilden. De man was eerst onwillig maar toen Erlendur hem vriendelijk aanbood om even naar zijn knie te kijken werd hij meteen spraakzamer. Ze waren incasseerders. Eva Lind was zowel geld als drugs schuldig aan een man van wie Erlendur nog nooit had gehoord.

Toen Erlendur de volgende dag op het werk verscheen legde hij niemand uit wat de pleister te betekenen had en er was niemand die hem ernaar durfde te vragen. De deur had hem bijna bewusteloos geslagen toen hij terugschoot van het been van de incasseerder en tegen zijn hoofd was geklapt. Zijn voorhoofd deed hem gemeen pijn en hij maakte zich ernstige zorgen over Eva Lind en kon die nacht bijna niet slapen. Hij dommelde af en toe een uurtje in zijn stoel en hoopte dat zijn dochter terug zou komen voordat alles mis ging. Hij bleef net lang genoeg op het bureau om erachter te komen dat Grétar een zus had gehad en dat zijn moeder nog leefde. Zij woonde in het bejaardenhuis Grund.

Zoals hij Marion Briem had gezegd, zocht hij niet speciaal naar Grétar, niet meer dan naar het verdwenen meisje uit Garðabær, maar hij dacht dat het geen kwaad kon wat meer over hem te weten te komen.

In de nacht dat Kolbrún verkracht was, was Grétar ook op het feest geweest. Misschien had hij wel een herinnering aan die avond nagelaten, een detail dat hij iemand verteld had. Hij nam niet aan dat hij iets nieuws over zijn verdwijning te weten zou komen. Wat hem betreft mocht Grétar waar dan ook in vrede rusten, maar Erlendur was al heel lang in IJslandse verdwijningen geïnteresseerd. Elk van die verdwijningen had iets wat je de koude rillingen over de rug liet lopen, maar de gedachte aan mensen die verzwolgen werden door de aarde zonder dat iemand wist waarom, had ook iets wonderlijk aantrekkelijks.

De moeder van Grétar was negentig en blind. Erlendur sprak kort met de directrice van het bejaardenhuis, die haar ogen maar met moeite van zijn voorhoofd af kon houden, en hij kwam te weten dat Theodóra een van de oudste bewoonsters van het huis was en ook een van degenen die er het langst woonden, in alle opzichten een voorbeeldige vrouw, bemind en bewonderd door het personeel en de andere bewoners.

Erlendur werd naar Theodóra gebracht en aan haar voorgesteld. De oude vrouw zat in een rolstoel in haar kamer, gekleed in een ochtendjas, een wollen deken over haar heen, het lange grijze haar hing in een dikke vlecht over de rug van de stoel, een in elkaar gezakt lijfje, handen vel over been en een vriendelijk gezicht. Er waren maar weinig persoonlijke bezittingen. Een foto van John F. Kennedy, president van de Verenigde Staten, hing in een lijst boven haar bed. Erlendur ging op een stoel voor haar zitten en keek in ogen die niet langer iets zagen en zei dat hij het over Grétar wilde hebben. Haar gehoor leek goed in orde te zijn en haar gedachten helder. Ze gaf geen enkel blijk van verbazing maar kwam meteen terzake zoals ze natuurlijk haar hele leven lang gedaan had. Men had Erlendur verteld dat ze uit de Skagafjord kwam. Ze sprak met een zwaar noordelijk accent.

"Die Grétar van mij was geen lieve jongen", zei ze. "Om je de waarheid te zeggen was hij een vreselijk stuk ongeluk. Van wie hij dat had weet ik niet. Diefachtig en niets waard. Altijd in het gezelschap van andere lammelingen en allerlei onguur volk, allemaal galgebrokken. Hebben jullie hem soms gevonden?"

"Nee", zei Erlendur. "Een van zijn vrienden is onlangs vermoord, Holberg. Misschien heb je daarover gehoord?"

"Die ken ik niet. Zei je dat ze hem koud gemaakt hebben?"

Erlendur glimlachte en voor de eerste keer in lange tijd zag hij ook een reden om te glimlachen.

"Bij hem thuis. Ze werkten vroeger samen, je zoon en hij. Bij het Havenbedrijf."

"Het laatste dat ik van die jongen van me gezien heb, en dat was in een tijd dat ik nog heel goed kon zien, was toen hij in de zomer van het Nationale Feest bij me op bezoek kwam en het geld uit mijn portemonnee pikte en ook wat zilver. Pas toen hij alweer weg was merkte ik dat het geld verdwenen was. En toen verdween Grétar zelf. Alsof hij ook gestolen was. Weet jij wie hem gestolen heeft?"

"Nee", zei Erlendur. "Weet jij soms wat hij voor zijn verdwijning uitvoerde? Met wie hij contact had?"

"Geen idee", zei de oude vrouw. "Ik wist nooit wat Grétar uitvoerde. Dat heb ik jullie indertijd ook al verteld."

"Wist je dat hij fotografeerde?"

"Ja, hij nam foto's. Hij was altijd foto's aan het nemen. Waarom weet ik niet. Hij zei me dat de foto's een afspiegeling van de tijd waren maar ik had er geen idee van waar hij het over had."

"Was dat niet een beetje hoogdravend voor Grétar?"

"Ik had hem nooit eerder zo horen praten."

"Zijn laatste adres was op Bergstaðastræti waar hij een kamer huurde. Wat is er met zijn bezittingen gebeurd, het fototoestel en de films, weet je dat?"

"Misschien weet mijn Klara dat wel", zei Theodóra. "Mijn dochter. Zij heeft zijn kamer uitgemest. Heeft alle troep weggegooid, geloof ik."

Erlendur stond op en zij volgde zijn bewegingen met haar hoofd. Hij bedankte haar voor haar hulp, zei dat ze een grote steun geweest was. Hij wilde haar een complimentje maken, zeggen dat ze er goed uitzag en een helder hoofd had, maar hij deed het niet. Wilde niet met haar praten of ze een kind was. Zijn blik gleed over de wand achter haar bed naar de foto van Kennedy en toen kon hij niet nalaten om het te vragen.

"Waarom heb je een foto van Kennedy boven je bed?" vroeg hij en hij keek haar in de lichtloze ogen.

"Ach", zei Theodóra met een zucht, "indertijd, toen hij nog leefde, had ik een hoge dunk van hem."

21

De lijken lagen naast elkaar op de koude operatietafels van het lijkenhuis aan de Barónsstígur. Erlendur probeerde er niet aan te denken hoe hij vader en dochter in de dood bij elkaar had gebracht. Het lichaam van Holberg was al geopend en onderzocht maar wachtte nog op verder onderzoek dat zich zou richten op de aanwezigheid van een erfelijke ziekte en de verwantschap met Auður. Erlendur zag dat Holbergs vingers zwart waren. Ze hadden vingerafdrukken van hem genomen. Het lijk van Auður lag in een witte linnen doek gewikkeld op een tafel naast Holberg. Men had haar nog niet aangeraakt.

Erlendur kende de patholoog-anatoom niet en kon weinig van hem zien. Het was een lange man, met grote handen in dunne plastic handschoenen, gekleed in een wit schort over een groene jas die van achteren was dichtgeknoopt en een groene broek van hetzelfde materiaal. Hij had een masker voor zijn mond en een blauwe plastic muts op zijn hoofd. Aan zijn voeten droeg hij witte gymschoenen.

Erlendur was al eerder in het laboratorium geweest en hij voelde zich er altijd even ellendig. De geur van de dood drong door tot in al zijn zintuigen en zette zich vast in zijn kleren, een geur van formaline en ontsmettingsmiddelen en de vreselijke stank van dode lichamen die geopend waren. Er hingen tl-buizen aan het plafond die een fel helderwit licht door de vensterloze ruimte verspreidden. Op de grond lagen grote witte tegels en de wanden waren tot halverwege betegeld. De bovenste helft was met witte plastiek beschilderd. Tegen de muren stonden tafels met microscopen en andere onderzoeksinstrumenten. Aan de wanden hingen kasten, sommige ervan met glazen deuren waardoor instrumenten en potten te zien waren die Erlendur niet thuis wist te brengen. Maar wel begreep hij de rol van de messen, tangen en zagen die in een ordelijke rij op de lange instrumententafel lagen.

Erlendur zag een geurkaart aan de tl-buis boven de tweede operatietafel hangen. Er stond een strand op met een meisje in rode bikini dat over het witte zand holde. Op een van de tafels stond een bandrecorder met wat banden ernaast. Er kwam klassieke muziek uit. Mahler, dacht Erlendur. Het etensblad van de arts stond op een tafel naast een van de microscopen.

"Ze geeft al heel lang geen geur meer af, dat meisje, maar haar lichaam is nog in goede staat", zei de arts met een blik op Erlendur die bij de deur stond alsof hij er tegenop zag binnen te gaan in het verlichte vertrek van dood en verrotting.

"Wat?" zei Erlendur die zijn ogen niet van het witte hoopje af kon houden. In de toon van de arts klonk een zekere geamuseerdheid door die hij niet begreep.

"Het bikinimeisje bedoel ik", zei de arts met een hoofdknik naar de kaart. "Ik moet een nieuwe kaart halen. Een mens went waarschijnlijk nooit aan de lucht. Kom binnen. Wees niet bang. Het zijn slechts vleesresten." Hij zwaaide met een mes over het lichaam van Holberg. "Geen ziel, geen leven, alleen maar vlees en botten. Geloof je in spoken?"

"Wat?" zei Erlendur weer.

"Denk je dat hun ziel op ons zit te letten? Denk je dat de zielen hier door de kamer zweven of denk je dat ze zich in een ander lichaam gevestigd hebben? Wedergeboren. Geloof je in een leven na de dood?"

"Nee, dat doe ik niet", antwoordde Erlendur.

"Deze man hier is gestorven na een harde klap tegen zijn hoofd die een gat in de hoofdhuid maakte, de schedel brak en tot in de hersenen drong. Het ziet ernaar uit dat de man die de klap gaf tegenover hem heeft gestaan. Het is niet ondenkbaar dat ze elkaar hebben aangekeken. De man die hem aanviel is waarschijnlijk rechtshandig, de wond zit links. En hij is lichamelijk in zeer goede conditie, een jonge man of misschien een van middelbare leeftijd, waarschijnlijk geen vrouw tenzij ze zwaar werk heeft gedaan. De klap heeft hem daarom bijna onmiddellijk gedood. Hij heeft de tunnel en het heldere licht gezien."

"Het zit er dik in dat hij de andere kant op is gegaan", zei Erlendur.

"Zo. De maag is zo goed als leeg, resten van eieren en koffie, de darm is vol. Hij leed aan verstopping, maar dat is misschien wat te sterk uitgedrukt. Niet ongewoon op deze leeftijd. Niemand heeft het lichaam opgeëist, heb ik begrepen, en daarom hebben we toestemming gevraagd om hem voor het onderwijs te mogen gebruiken. Wat vind je daarvan?"

"Dan is hij dood meer waard dan toen hij nog leefde."

De arts keek Erlendur aan, ging naar een van de tafels, pakte een stuk rood vlees uit een stalen bak en hield het met één hand omhoog.

"Ik kan niet zien of mensen goed of slecht zijn", zei hij. "Dit zou even zo goed het hart van een heilige kunnen zijn. Wat wij moeten weten is, als ik je goed begrijp, of het slecht bloed heeft rondgepompt."

Erlendur keek verbijsterd naar de arts die het hart van Holberg vasthield en het bestudeerde. Hij zag hem de dode spier hanteren alsof er niets in de wereld vanzelfsprekender was.

"Dit is een sterk hart", ging de arts verder. "Het zou nog vele jaren door hebben kunnen pompen, zou zijn eigenaar honderd jaar gemaakt kunnen hebben. Er is niets mee aan de hand."

De arts legde het hart weer in de stalen bak.

"Er is iets met die Holberg van ons dat wel interessant is", zei hij, "zonder dat ik hem speciaal daarop onderzocht heb. Je zult waarschijnlijk willen dat ik dat doe. Hij heeft een paar lichte symptomen die in de richting van een bepaalde ziekte wijzen. Ik vond een kleine tumor in zijn hersenen, een goedaardige tumor waarvan hij wat last heeft gehad, en hij heeft pigmentvlekken op zijn huid, vooral hier onder zijn armen."

"Koffievlekken?" vroeg Erlendur.

"Café au lait worden ze in de studieboeken genoemd. Ja, koffievlekken. Weet je daar iets over?"

"Niets."

"Ik zal ongetwijfeld meer symptomen vinden als ik hem nader onderzoek."

"Er was sprake van koffievlekken op het meisje. Ze kreeg een hersentumor. Kwaadaardig. Weet je wat voor ziekte dat is?"

"Daar kan ik nu nog niets over zeggen."

"Is er sprake van een erfelijke ziekte?"

"Dat weet ik niet."

De arts ging naar de tafel waar Auður op lag.

"Heb je het verhaal over Einstein wel eens gehoord?" vroeg hij.

"Einstein?" zei Erlendur.

"Albert Einstein."

"Wat voor verhaal?"

"Een ongelofelijk maar waar verhaal. Thomas Harvey? Nooit van hem gehoord? Een patholoog-anatoom."

"Nee."

"Hij had dienst toen Einstein stierf", ging de arts verder. "Een weetgierig man. Verrichtte sectie op het lijk, en omdat het Einstein was kon hij het niet laten om de schedel te openen en de hersenen te bestuderen. En hij deed meer dan dat. Hij stal Einsteins hersenen."

Erlendur zei niets. Hij snapte helemaal niets van de arts.

"Nam de hersenen mee naar huis. Wonderlijk, die verzamelwoede in mensen, vooral wanneer het om beroemde mensen gaat. Toen de diefstal bekend werd, verloor Harvey zijn baan en in de loop van de tijd werd hij een geheimzinnig personage, bijna iemand uit een volksverhaal. Er werden verhalen om hem heen geweven. Hij bewaarde de hersenen de hele tijd bij zich thuis. Ik weet niet hoe hij dat straffeloos kon doen. De familie van Einstein probeerde steeds weer de hersenen van hem terug te krijgen, zonder enig resultaat. Maar toen Harvey een oude man was sloot hij eindelijk vrede met de familie en besloot hun de hersenen terug te bezorgen. Hij zette ze achter in zijn auto en reed er heel Amerika mee door naar Einsteins kleinkind in Californië."

"Is dat waar?"

"Zowaar als ik hier sta."

"Waarom vertel je me dit?" vroeg Erlendur.

De arts tilde het laken over het kinderlijkje op en keek eronder.

"Haar hersenen ontbreken", zei hij en plotseling was de opgewekte uitdrukking van zijn gezicht verdwenen.

"Wat?" vroeg Erlendur met een verbaasde zucht.

"De hersenen", zei de arts, "zijn niet op hun plaats."

22

Erlendur begreep niet wat de arts zei en keek hem aan of hij hem niet gehoord had. Hij kon niet vatten waar de arts het over had. Hij keek een ogenblik neer op het lijkje maar keek snel weer op toen hij een bot van een klein handje onder het laken uit zag komen. Hij dacht dat hij het beeld van wat er onder het laken lag niet in zijn herinnering zou kunnen bewaren. Hij wilde niet weten hoe de aardse resten van het meisje eruitzagen. Wilde niet dat dát beeld elke keer dat hij aan haar moest denken, zou worden opgeroepen.

"Ze is al eerder opengemaakt", zei de patholoog-anatoom.

"Ontbreken de hersenen?" bracht Erlendur uit.

"Er is indertijd sectie op haar verricht."

"Ja, in het ziekenhuis in Keflavík."

"Wanneer is ze gestorven?"

"In 1968", zei Erlendur.

"En als ik het goed begrijp zou Holberg haar vader geweest zijn. Woonden haar ouders niet samen?"

"Het meisje had alleen haar moeder."

"Is er toestemming gegeven om organen van haar voor onderzoek te gebruiken?" vervolgde de arts. "Weet je daar iets over? Gaf de moeder daar toestemming voor?"

"Dat kan ik me niet voorstellen", zei Erlendur.

"Het is mogelijk dat ze zonder toestemming zijn weggenomen. Wie behandelde haar toen ze stierf? Wie was haar arts?"

Erlendur noemde Franks naam. De arts kreeg een nadenkende uitdrukking op zijn gezicht.

"Ik kan niet zeggen dat dergelijke gevallen mij geheel onbekend zijn. Familie krijgt soms het verzoek of men organen ten behoeve van het onderzoek mag wegnemen. Alles in naam van de wetenschap natuurlijk. We hebben het nodig. Ook in het onderwijs. Ik ken er wel voorbeelden van dat men als er geen familie aanwezig is bepaalde organen voor onderzoek verwijdert voor het lichaam begraven wordt. Maar dat organen gewoon gestolen worden als er familie bij betrokken is, heb ik nog niet vaak gehoord."

"Hoe kunnen de hersenen weg zijn?" vroeg Erlendur nog eens.

"Het hoofd is doorgezaagd en ze zijn in hun geheel verwijderd."

"Nee, ik bedoel ..."

"Keurig gedaan", ging de arts verder. "Een bekwaam man aan het werk. De wervelkolom is via de nek hier van achteren losgesneden en zo zijn de hersenen losgemaakt."

"Ik weet dat de hersenen vanwege een hersentumor onderzocht zijn", zei Erlendur. "Bedoel je nu dat ze niet teruggeplaatst zijn?"

"Er is een bepaalde verklaring voor", zei de arts terwijl hij het lijkje weer toedekte. "Als ze de hersenen voor onderzoek hebben weggenomen, hebben ze nauwelijks tijd gehad om ze nog voor de begrafenis terug te brengen. Ze moeten gefixeerd worden."

"Gefixeerd?"

"Om er beter mee te kunnen werken. Ze worden als kaas. Zoiets heeft tijd nodig."

"Was het niet voldoende geweest om alleen een stukje weefsel te nemen?"

"Weet ik niet", zei de arts. "Het enige dat ik weet is dat de hersenen niet op hun plaats zijn zodat het moeilijk wordt om precies vast te stellen waaraan ze gestorven is. Misschien kunnen we erachter komen door DNA-onderzoek van de botten. Het is de vraag wat dat ons zeggen zal."

De uitdrukking van verbazing op Franks gezicht was duidelijk zichtbaar toen hij de deur opendeed en Erlendur weer in de stromende regen op de stoep zag staan.

"We hebben het meisje opgegraven", zei Erlendur zonder verdere inleiding, "en haar hersenen blijken te ontbreken. Weet jij daar iets van?"

"Opgegraven? De hersenen?" zei de arts vol verbazing terwijl hij Erlendur in zijn spreekkamer binnenliet. "Wat bedoel je met dat de hersenen ontbraken?"

"Precies wat ik zeg. De hersenen zijn verwijderd. Waarschijnlijk om ze te onderzoeken in verband met de doodsoorzaak, maar daarna zijn ze niet teruggeplaatst. Jij was haar arts, weet jij wat er gebeurd is, weet je iets van deze zaak?"

"Ik was haar huisarts. Volgens mij heb ik je dat uitgelegd toen je hier de vorige keer was. Ze was onder behandeling van het ziekenhuis in Keflavík, van de artsen daar."

"De arts die de sectie verrichtte, is overleden. We kregen een kopie van het sectierapport. Dat is heel beknopt en noemt alleen een hersentumor. Als hij het nog wat nader onderzocht heeft, staat dat in elk geval niet in het rapport. Zou het niet voldoende geweest zijn om wat stukjes weefsel te nemen? Was het nodig om de hersenen in hun geheel te verwijderen?"

De arts haalde zijn schouders op.

"Ik ben hier niet zo goed in thuis."

Hij aarzelde even.

"Ontbraken er nog meer organen?" vroeg hij toen.

"Meer?" vroeg Erlendur.

"Dan de hersenen. Waren die het enige dat ontbrak?"

"Wat bedoel je?"

"Ze zijn nergens anders aan geweest?"

"Dat geloof ik niet. De patholoog heeft het er niet over gehad. Aan iets anders geweest? Waar wil je naartoe?"

Frank keek Erlendur nadenkend aan.

"Ik neem niet aan dat je ooit over het Glaspaleis hebt horen praten."

"Het Glaspaleis?"

"Ja."

"Wat voor Glaspaleis?"

"Het is nu gesloten, heb ik gehoord, niet eens zo heel erg lang geleden. Het vertrek werd zo genoemd. Het Glaspaleis."

"Het vertrek?"

"Op de Barónsstígur. Waar ze de organen bewaarden."

"De organen bewaarden?"

"Ze werden in glazen potten in formaline bewaard. Allerlei organen die ze uit de ziekenhuizen kregen. Voor het onderwijs. Voor de medicijnenstudie, de anatomie, de pathologie en hoe het ook allemaal maar heet. Ze werden bewaard in een vertrek dat de studenten het Glaspaleis noemden. Ze zaten in formaline in glazen potten. Ingewanden. Harten, nieren en ledematen. Ook hersenen."

"Uit de ziekenhuizen?"

"Mensen sterven in ziekenhuizen. Er wordt sectie verricht. Ook ten behoeve van het onderwijs. Organen worden bekeken. Die worden niet allemaal teruggegeven, sommige ervan worden achtergehouden voor het onderwijs. Indertijd werden organen in het Glaspaleis opgeslagen."

"Waarom vertel je me dit?"

"Het is mogelijk dat de hersenen niet echt weg zijn."

"Hoezo?"

"Het is heel goed denkbaar dat ze nog ergens in een of ander Glaspaleis zijn. De specimina die bijvoorbeeld met het oog op het onderwijs worden bewaard, zijn allemaal beschreven en gerubriceerd. Als jij die hersens wilt achterhalen, bestaat er een kans dat ze er nog zijn."

"Daar heb ik nooit eerder over gehoord. Worden die organen zonder toestemming genomen of wordt de naaste familie om toestemming gevraagd ... hoe werkt het?"

De arts haalde zijn schouders op.

"Om de waarheid te zeggen weet ik dat niet. Het kan natuurlijk op allerlei manieren gaan. Organen zijn ontzettend belangrijk bij het onderwijs. Alle universiteitsziekenhuizen overal in de wereld hebben een grote organenverzameling. Ik heb zelfs gehoord dat sommige artsen, artsen die onderzoek verrichten, er hun eigen privé-verzameling op na houden, maar voor de waarheid daarvan durf ik mijn hand niet in het vuur te steken."

"Orgaanverzamelaars?"

"Die bestaan."

"Orgaanverzamelaars?"

"Ja."

"Wat is er van dat ... Glaspaleis geworden? Als het niet langer bestaat."

"Dat weet ik niet."

"Denk je dat de hersenen in dat Glaspaleis beland kunnen zijn? In formaline bewaard?"

"Zou kunnen. Hebben jullie het meisje opgegraven?"

"Misschien was dat een vergissing", zei Erlendur zuchtend. "Misschien is deze hele zaak één grote vergissing."

23

Elínborg spoorde Grétars zuster Klara op. Haar zoektocht naar het tweede slachtoffer van Holberg, de vrouw uit Húsavík zoals Erlendur haar noemde, had geen enkel resultaat opgeleverd. De reacties van de vrouwen waren allemaal eender geweest: eerst grote en oprechte verbazing en dan brandende nieuwsgierigheid zodat Elínborg alles op alles moest zetten om zelfs de onbelangrijkste details van de zaak niet uit zich te laten trekken. Hoewel zijzelf en de andere rechercheurs die de vrouw zochten erop hamerden dat de zaak gevoelig lag en dat er met niemand over gesproken mocht worden, wist ze dat het hun toch niet zou lukken om te voorkomen dat de kletslijnen tegen de avond roodgloeiend zouden staan.

Klara woonde in een nette flatwoning in de wijk Seljahverfi in Breiðholt. Ze ontving Elínborg in de deuropening, een slanke vrouw van in de vijftig, met donker haar, in jeans en een blauwe trui. Ze rookte een sigaret.

"Hebben jullie met mijn moeder gesproken?" vroeg ze nadat Elínborg zich had voorgesteld en zij haar binnen had gevraagd, vriendelijk en belangstellend.

"Dat heeft Erlendur gedaan", zei Elínborg, "met wie ik samenwerk."

"Ze vertelde dat hij zich niet goed voelde", zei Klara. Ze ging Elínborg voor de kamer in en vroeg haar te gaan zitten. "Ze heeft altijd van die opmerkingen waar een mens niets van snapt."

Elínborg gaf haar geen antwoord.

"Ik heb vrij vandaag", zei ze, alsof ze wilde uitleggen waarom ze zo midden op de dag sigaretten rokend thuis rondhing. Ze vertelde dat ze in ploegendienst bij een reisbureau werkte. Haar man aan het werk, de twee kinderen uitgevlogen; de dochter studeerde medicijnen, zei ze trots. Ze had haar sigaret nog niet uitgedrukt of ze pakte een nieuwe en stak hem aan. Elínborg kuchte beleefd maar Klara merkte de hint niet op.

"Ik heb in de kranten over Holberg gelezen", zei Klara alsof ze haar eigen woordenvloed wilde stoppen. "Moeder zei dat de man naar Grétar gevraagd had. Grétar en ik waren halfbroer en -zus. Moeder vergat hem dat te zeggen. We hebben dezelfde moeder. Onze twee vaders zijn lang geleden gestorven."

"Dat wisten we niet", zei Elínborg.

"Wil je de spullen zien die ik bij Grétar heb weggehaald?"

"Dat zou fijn zijn", zei Elínborg.

"Een smerig hol waar hij in woonde. Hebben jullie hem gevonden?"

Klara keek Elínborg aan en zoog de rook gulzig in haar longen op.

"Nee, we hebben hem niet gevonden", zei Elínborg, "en ik denk ook niet dat we nou in het bijzonder naar hem op zoek zijn." Ze kuchte nog eens beleefd. "Het is meer dan vijfentwintig jaar geleden dat hij verdwenen is, zodat ..."

"Ik heb er geen idee van wat er gebeurd is", viel Klara haar in de rede en ze blies een dichte rookwolk uit. "We hadden niet veel contact met elkaar. Hij was wat ouder dan ik, eigengereid en een echte naarling. Je kon nooit een woord uit hem krijgen, hij pestte moeder en stal van ons beiden als hij de kans kreeg. Toen ging hij het huis uit."

"Dan ken je Holberg dus niet?" vroeg Elínborg.

"Nee."

"Of Elliði?" voegde ze eraan toe.

"Welke Elliði?"

"Maakt niet uit."

"Ik wist niet met wie Grétar omging. Toen hij verdween praatte een zekere Marion met me en die ging samen met me naar zijn huis. Het was een smerig hol. Een weerzinwekkende stank in de kamer en op de vloer een dikke laag rotzooi, half afgekloven schaapskoppen en een beschimmelde bietenpuree waar hij op geleefd had."

"Marion?" vroeg Elínborg. Ze had niet lang genoeg bij de recherche gezeten om de naam te kennen.

"Ja, zo heette ze."

"Herinner je je of er in de rommel bij je broer ook een fototoestel lag?"

"Dat was het enige dat heel was in die kamer. Ik heb het meegenomen maar nooit gebruikt. De politie dacht dat het gestolen was en daar voel ik me niet lekker bij. Ik bewaar het in een hok hier beneden in de kelder. Wil je het zien? Kwam je voor het fototoestel?"

"Zou ik er eens naar mogen kijken?" vroeg Elínborg.

Klara stond op. Ze verontschuldigde zich even bij Elínborg, liep de keuken in en kwam terug met een sleutelbos. Ze gingen het trappenhuis in en de trap af naar de kelder. Klara opende de deur naar de gang met de hokken, deed het licht aan, liep naar een van de deuren en maakte hem open. In het hok was het een enorme bende: ligstoelen en slaapzakken, skispullen en kampeergerei. De ogen van Elínborg vielen meteen op een blauw voetmassageapparaat en een Soda-Stream-apparaat en vanbinnen zuchtte ze diep.

"Ik heb het hier allemaal in een doos", zei Klara toen ze zich tot halverwege in het hok een weg door de rommel had gebaand. Ze boog voorover en pakte een kleine, bruine kartonnen doos op. "Ik denk dat ik alle spullen hierin heb gestopt. De man bezat helemaal niets, alleen dat fototoestel." Ze maakte de doos open en wilde de spullen eruit halen maar Elínborg hield haar tegen.

"Niets uit de doos halen", zei ze, haar hand naar de doos uitstekend. "Je weet maar nooit welke betekenis de inhoud voor ons kan hebben", gaf ze als verklaring.

Klara gaf haar de doos met een wat gepikeerd gezicht en Elínborg maakte hem open. Er zaten drie verfomfaaide pockets in, detectiveromans, zakmessen, wat kleingeld en een fototoestel, een Kodak Instamatic die in je zak paste. Elínborg herinnerde zich dat die toestellen in vroeger jaren gewilde kerst- en confirmatiecadeaus waren geweest. Geen bijzonder bezit voor een man met een heel grote belangstelling voor fototoestellen maar het had ongetwijfeld goede diensten gedaan. Ze zag geen films in de doos. Erlendur had haar gevraagd er speciaal op te letten of er nog films van Grétar waren. Ze pakte haar zakdoek, draaide het toestel om en zag dat er geen film in zat. Er zaten geen foto's in de doos.

"En dan zijn hier ook nog allerlei bakken en vloeistoffen", zei Klara en ze wees naar achter in het hok. Ik geloof dat hij zijn foto's zelf ontwikkelde. Er is ook nog wat fotopapier. Dat zal wel niet meer te gebruiken zijn, denk je niet? Gewoon rotzooi."

"Het is maar het beste dat ik dat ook meeneem", zei Elínborg en Klara stortte zich opnieuw in de troep.

"Weet je of hij ook films bewaarde? Heb je er misschien een paar bij hem thuis zien liggen?" vroeg Elínborg.

"Nee, geen", zei Klara terwijl ze zich zuchtend en steunend naar de bakken boog.

"Weet je waar hij zijn foto's bewaarde?"

"Nee."

"En weet je waarom hij foto's nam?"

"Tja, omdat hij het leuk vond, denk ik zo", zei Klara.

"Ik bedoel de onderwerpen. Heb je iets van zijn foto's gezien?"

"Nee, hij heeft me nooit iets laten zien. We hadden weinig contact met elkaar, zoals ik je al heb verteld. Ik heb er geen idee van waar zijn foto's zijn. Grétar was een verdomde rottige nietsnut", zei ze, er niet helemaal zeker van of ze zich aan het herhalen was en toen haalde ze haar schouders op alsof ze wilde zeggen dat je een goed liedje niet vaak genoeg kunt zingen.

"Ik zou de doos graag mee willen nemen", zei Elínborg. "Als dat mag tenminste. Je krijgt hem gauw weer terug."

"Wat is er eigenlijk aan de hand?" vroeg Klara en ze toonde met die vraag voor de eerste maal belangstelling voor het bezoek van de politie en de vragen over haar broer. "Weten jullie waar Grétar is?"

"Nee", zei Elínborg en ze probeerde elke twijfel uit te sluiten, "er is niets nieuws in de zaak naar voren gekomen. Helemaal niets."

De namen van de twee vrouwen die samen met Kolbrún uit waren op de avond dat Holberg Kolbrún had aangerand, stonden in de onderzoeksrapporten van de politie. Erlendur had hen laten zoeken en toen kwam aan het licht dat ze allebei uit Keflavík kwamen maar dat geen van de twee daar nog woonde.

Een van de twee was korte tijd na het gebeuren met een soldaat van de vliegbasis getrouwd en woonde in de Verenigde Staten en de ander verhuisde ongeveer vijf jaar later van Keflavík naar Stykkishólm. Daar stond ze nog steeds geregistreerd. Erlendur vroeg zich af of hij een hele dag moest besteden aan een tocht naar Stykkishólm of dat hij de vrouw zou bellen en zien of dat niet genoeg was.

Erlendur sprak slecht Engels en daarom liet hij Sigurður Óli proberen de vrouw in de Verenigde Staten te achterhalen. Hij kreeg haar echtgenoot aan de lijn en toen bleek dat ze vijftien jaar geleden was overleden. De doodsoorzaak was kanker. Ze was daar in het westen begraven.

Erlendur belde naar Stykkishólm en kreeg de vrouw zonder noemenswaardige problemen aan de lijn. Hij belde eerst naar haar huis en hoorde toen dat ze op haar werk was. Ze was verpleegkundige in het ziekenhuis.

De vrouw luisterde naar wat Erlendur te zeggen had en zei toen dat ze hem helaas niet kon helpen. Ze had de politie indertijd niet kunnen helpen en er was sindsdien niets veranderd.

"We nemen aan dat Holberg vermoord is", zei Erlendur, "en zelfs dat die moord wel eens met deze gebeurtenis kan samenhangen."

"Ik heb het op het nieuws gezien", zei de stem in de telefoon. De vrouw heette Agnes en Erlendur probeerde zich op basis van haar stem een beeld van haar te vormen. Eerst zag hij een energieke en besliste vrouw van in de zestig voor zich, wat aan de dikke kant, omdat ze kortademig was. Maar toen viel hem op dat ze een lelijk rokershoestje had en daarmee nam Agnes een andere vorm in zijn gedachten aan, ze werd broodmager, met een gele, gerimpelde huid. Ze hoestte met regelmatige tussenpozen, een lelijke, rochelende hoest.

"Herinner je je die avond in Keflavík?" vroeg Erlendur.

"Ik ging eerder naar huis dan de anderen", zei Agnes.

"Jullie waren in het gezelschap van drie mannen."

"Ik ging naar huis met een man die Grétar heette. Dat heb ik jullie indertijd al verteld. Ik vind het niet echt leuk om hierover te praten."

"Voor mij is het een nieuw gegeven dat je met Grétar bent vertrokken", zei Erlendur, de rapporten die voor hem lagen doorbladerend.

"Ik heb het hun verteld toen ze me er al die jaren geleden naar hebben gevraagd." Ze hoestte, maar probeerde Erlendur het gerochel te besparen. "Neem me niet kwalijk. Ik heb nooit met dat verdomde roken op kunnen houden. Hij was eigenlijk maar een stakker, de ziel. Die Grétar. Daarna heb ik hem nooit meer gezien."

"Hoe kenden Kolbrún en jij elkaar?"

"We werkten samen. Dat was voor ik in de verpleging ging. We werkten met zijn tweeën in een winkel in Keflavík die er allang niet meer is. Het was de eerste en de enige keer dat we samen uit gingen. Zoals je zult begrijpen."

"Geloofde je Kolbrún toen ze over de verkrachting vertelde?"

"Ik heb er niets over gehoord voordat jullie van de politie plotseling op mijn stoep stonden en me naar die avond begonnen te vragen. Ik kan me niet voorstellen dat ze zoiets gelogen zou hebben. Kolbrún was heel erg keurig. Goudeerlijk in al wat ze deed maar een beetje een zieltje. Fijn gebouwd en ziekelijk. Geen sterke persoonlijkheid. Het is misschien vreselijk om het te zeggen maar ze was niet gezellig als je begrijpt wat ik bedoel. Er viel weinig met haar te lachen."

Agnes zweeg en Erlendur wachtte tot ze verderging.

"Ze had weinig behoefte aan uitgaan en eigenlijk moest ik haar die avond bijna met geweld met mij en mijn vriendin Helga zaliger mee zien te krijgen. Helga is in Amerika gestorven, dat weten jullie misschien. Kolbrún was zo teruggetrokken en ergens zo eenzaam en ik wilde iets voor haar doen. Ze wilde wel mee naar het dansen en daarna ging ze met ons mee naar Helga maar toen wilde ze algauw naar huis. Toch ging ik uiteindelijk eerder weg dan zij, zodat ik eigenlijk niet weet wat daar gebeurd is. Ze verscheen 's maandags niet op het werk en ik weet nog dat ik haar opbelde, maar dat er niet werd opgenomen. Een paar dagen later kwamen jullie van de politie naar Kolbrún vragen. Ik wist niet wat ik ervan moest denken. Ik had niets in verband met Holberg en Kolbrún opgemerkt dat ook maar enigszins niet normaal was. Voorzover ik me herinner was hij een nogal charmante man. Ik was stomverbaasd toen de politie over verkrachting begon."

"Hij zal zich wel aardig hebben voorgedaan", zei Erlendur. "Een versierder, zei geloof ik de beschrijving."

"Ik herinner me nog dat hij in de winkel kwam."

"Hij? Holberg?"

"Ja, Holberg. Ik denk dat ze daarom die avond bij ons kwamen zitten. Hij zei dat hij een accountant uit Reykjavík was, maar dat was dan zeker een leugen, nietwaar?"

"Ze werkten alle drie bij het Havenbedrijf. Wat voor winkel was het?"

"Damesmode. We verkochten dameskleding. Ook ondergoed."

"En hij kwam de winkel in?"

"Ja, de dag ervoor. Op vrijdag. Ik moest me dit indertijd weer voor de geest halen en herinner het me goed. Hij zei dat hij naar iets voor zijn vrouw zocht. Ik hielp hem en toen we elkaar bij het dansen tegenkwamen deed hij of we goede bekenden waren."

"Heb je na het gebeurde nog contact met Kolbrún gehad? Heb je met haar gepraat over wat er gebeurd was?"

"Ze kwam nooit meer terug in de winkel en zoals ik al zei, wist ik niet wat er gebeurd was voor jullie ernaar begonnen te vragen. Zo goed kende ik haar niet. Ik probeerde haar een paar keer thuis te bellen toen ze niet op haar werk verscheen en één keer ben ik haar gaan opzoeken maar trof haar niet thuis. Ik wilde me niet al te veel aan haar opdringen. Ze was zo. Erg op zichzelf. En toen kwam haar zus naar me toe en vertelde dat Kolbrún ermee opgehouden was. Ik heb gehoord dat ze een paar jaar later gestorven is. Toen was ik al hier in Stykkishólm. Was het zelfmoord? Dat heb ik gehoord."

"Ze stierf", zei Erlendur en hij dankte Agnes beleefd voor het gesprek.

Hij moest opeens aan Sveinn denken, de man over wie hij had zitten lezen. Hij overleefde het noodweer op het hoogland van Mosfell. Het lijden en de dood van zijn makkers leken Sveinn in geen enkel opzicht te raken. Hij had de beste uitrusting van de reizigers en was de enige die de bewoonde wereld gezond en wel bereikte. Het eerste wat hij deed nadat hij op de eerste boerderij na het hoogland verzorgd was, was zijn schaatsen onderbinden om vrolijk op een plas daar in de buurt te gaan schaatsen.

Zijn kameraden lagen toen nog op het hoogland dood te vriezen.

Vanaf die tijd werd hij alleen nog maar Sveinn Harteloos genoemd.

24

Toen Sigurður Óli en Elínborg die avond in Erlendurs bureau kwamen zitten om bij te praten en te overleggen voor ze naar huis gingen, had de zoektocht naar de vrouw uit Húsavík geen resultaten opgeleverd. Sigurður Óli zei dat hem dat niets verbaasde, ze zouden de vrouw op deze manier nooit vinden. Toen Erlendur wrevelig vroeg of hij een betere methode wist, schudde hij zijn hoofd.

"Ik heb helemaal niet het gevoel dat we op zoek zijn naar de moordenaar van Holberg", zei Elínborg met een strakke blik op Erlendur. "Het is net of we naar iets heel anders zoeken en het is me helemaal niet duidelijk wat dat precies is. Je hebt het kleine meisje op laten graven en ik bijvoorbeeld heb er geen idee van waarom. Je bent gaan zoeken naar een man die een mensenleven geleden verdwenen is en ik zie niet in wat dat met de zaak te maken heeft. Ik denk dat we helemaal niet vragen naar wat voor de hand ligt: de moordenaar is iemand uit Holbergs naaste omgeving of hij is hem volkomen onbekend, iemand die bij hem binnen is gedrongen en hem heeft willen beroven. Mij persoonlijk lijkt dat de meest voor de hand liggende verklaring. Ik vind dat we wat beter naar die man zouden moeten zoeken. Het groene legerjack. Daar hebben we eigenlijk niets aan gedaan."

"Misschien is het wel iemand die Holberg voor zijn diensten heeft betaald", kwam Sigurður Óli ertussen. "Gezien alle porno in zijn computer is het helemaal niet onwaarschijnlijk dat hij betaalde seks had."

Erlendur hoorde deze kritiek zwijgend en met gebogen hoofd aan. Hij wist dat het meeste van wat Elínborg gezegd had waar was. Misschien was zijn oordeel wel vertroebeld door de zorgen die hij zich over Eva Lind maakte. Hij wist niet waar ze gebleven was, hij wist niet in wat voor toestand ze was, ze werd achtervolgd door mannen die niets goeds met haar voor hadden en hij stond er hulpeloos bij. Hij vertelde Sigurður Óli noch Elínborg wat hij bij de patholooganatoom had ontdekt.

"We hebben de boodschap", zei hij. "Het is geen toeval dat we die bij het lijk hebben gevonden."

Plotseling ging de deur open en stak de chef van de Technische Dienst zijn hoofd om de hoek.

"Ik ben weg", zei hij. "Ik wilde jullie alleen maar zeggen dat ze nog bezig zijn met het onderzoek van het fototoestel en jullie zullen bellen zodra ze iets vinden dat de moeite waard is."

Hij deed de deur dicht zonder te groeten.

"Misschien pakken we het wel verkeerd aan", zei Erlendur. "Misschien bestaat er een doodsimpele oplossing voor dit alles. Misschien was het de een of andere gek. Maar misschien, en ik denk dat het dát is, liggen de wortels van de moord veel dieper dan wij ons realiseren. Misschien is er wel niets simpels aan. Misschien ligt de verklaring wel in de aard van de mens die Holberg was en in wat hij in zijn leven heeft gedaan."

Erlendur zweeg even.

"En de boodschap", zei hij. "Ik ben hem. Wat willen jullie daarmee doen?"

"Hij zou van een van zijn 'vrienden' kunnen zijn", zei Sigurður Óli. "Of van een collega. We hebben ons nog niet erg op die terreinen begeven. Om de waarheid te zeggen weet ik niet waar al dat zoeken naar die oude vrouwen toe moet leiden. Ik weet absoluut niet hoe ik het moet aanpakken om hen te vragen of ze ooit verkracht zijn zonder een vaas bloemen naar mijn kop te krijgen."

"En heeft Elliði niet zijn leven lang al vreselijk zitten liegen?" zei Elínborg. "Is dit niet precies wat hij wil, dat we onszelf voor gek zetten? Heb je daar wel aan gedacht?"

"Ach, hou nou toch eens op", zei Erlendur op een toon of hij geen zin had om nog langer naar dit gezeur te luisteren. "Het onderzoek heeft ons op dit spoor gezet. Het zou vreemd zijn als we de aanwijzingen die we krijgen niet zouden onderzoeken, waar ze ook vandaan komen. Ik weet dat IJslandse moorden niet ingewikkeld zijn, maar als jullie de moord aan simpel toeval willen toeschrijven, zit er in deze zaak iets dat niet klopt. Ik denk dat dit geen ondoordachte gewelddaad was."

De telefoon op het bureau van Erlendur rinkelde. Hij antwoordde, luisterde een tijdje, knikte toen en bedankte voor hij de hoorn weer oplegde. Zijn vermoeden was juist gebleken.

"De Technische Dienst", zei hij met een blik op Elínborg en Sigurður Óli. "Het fototoestel van Grétar is gebruikt om de foto van het graf van Auður op het kerkhof te maken. Bij ontwikkeling komen dezelfde krassen op de foto tevoorschijn. Dus nu weten we dat het op zijn minst zeer waarschijnlijk is dat Grétar de foto heeft genomen. Het is natuurlijk mogelijk dat iemand anders zijn toestel heeft gebruikt maar de andere mogelijkheid is veel waarschijnlijker."

"En wat zegt dat ons?" vroeg Sigurður Óli. Hij keek op de klok. Hij had Bergþóra die avond uit eten gevraagd om te proberen of hij zijn stomme gedrag op zijn verjaardag goed kon maken.

"Het vertelt ons bijvoorbeeld dat Grétar wist dat Auður de dochter van Holberg was. Dat wisten maar heel weinig mensen. En het vertelt ons ook dat Grétar vond dat er ten eerste een reden was om het graf te gaan zoeken en ten tweede om er ook nog een foto van te maken. Deed hij dat omdat Holberg hem erom had gevraagd? Deed hij het tegen Holbergs zin? Staat Grétars verdwijning in verband met de foto? En zo ja, hoe? Wat wilde Grétar met die foto? Waarom vonden we die foto verstopt in Holbergs bureau? Wie neemt er nou foto's van kindergraven?"

Elínborg en Sigurður Óli keken naar de vragen stellende Erlendur. Ze hoorden hoe zijn stem tot een bijna fluisteren afzakte en zagen dat hij niet langer tegen hen sprak maar in zichzelf gekeerd was, ver weg met zijn gedachten en onbereikbaar. Hij legde onwillekeurig een hand op zijn borst en wreef erover zonder dat hij zich leek te realiseren wat hij aan het doen was. Ze keken elkaar aan en durfden niets te vragen.

"Wie neemt er nou foto's van kindergraven?" verzuchtte Erlendur nog eens.

Die avond wist Erlendur de man te achterhalen die de incasseerders op Eva Lind had afgestuurd. Hij kreeg inlichtingen bij de afdeling Verdovende Middelen, die een nogal dik dossier over hem bezat, en kwam erachter dat hij te vinden was in een kroeg in het centrum die Napoleon heette. Erlendur ging erheen en ging tegenover de man zitten. De man heette Eddi en was ongeveer vijftig, gezet, met een paar gele tanden in zijn mond, en kaal.

"Dacht je dat Eva een andere behandeling zou krijgen omdat jij bij de politie bent?" vroeg Eddi toen Erlendur bij hem kwam zitten. Hij wist kennelijk meteen wie Erlendur was, ook al hadden ze elkaar nooit eerder gezien. Erlendur had het gevoel dat Eddi hem had verwacht.

"Heb je haar gevonden?" vroeg Erlendur. Hij keek om zich heen in de verduisterde ruimte naar een paar arme stumpers die aan een tafel zaten en met handgebaren en gezichtsuitdrukking deden of ze heel wat waren. In zijn gedachten kreeg de naam van de kroeg plotseling betekenis.

"Ik ben haar vriend, dat begrijp je toch", zei Eddi. "Ik geef haar wat ze hebben wil. Soms betaalt ze me. Soms verloopt er te veel tijd. De knie doet je de groeten."

"Hij heeft over je gekletst."

"Het is moeilijk goede mensen te vinden", zei Eddi, het lokaal in wijzend.

"Hoeveel?"

"Eva? Tweehonderd. En ze heeft niet alleen schulden bij mij."

"Kunnen we een deal sluiten?"

"Zoals je wilt."

Erlendur haalde de twintigduizend kronen tevoorschijn die hij op weg naar de kroeg uit de automaat had gehaald en legde ze op tafel. Eddi pakte het geld, telde het zorgvuldig na en stak het in zijn zak.

"Ik kan je over een week of zo meer geven."

"Dat is oké."

Eddi keek Erlendur onderzoekend aan. Ze waren ongeveer even oud.

"Ik dacht dat je een grote bek zou opzetten", zei hij.

"Waarom?" zei Erlendur.

"Ik weet waar ze is", zei Eddi, "maar het zal je nooit lukken om Eva te redden."

Erlendur vond het huis. Hij was al eerder met hetzelfde doel in zulke huizen geweest. Eva Lind lag in het krot op een matras tussen andere mensen in. Sommigen waren van haar leeftijd, anderen veel ouder. Het huis was open en de enige hindernis was een man – Erlendur schatte hem rond de twintig – die hem wild met zijn armen zwaaiend in de deur tegemoetkwam. Erlendur smeet hem tegen de muur en werkte hem naar buiten. Een kaal lichtpeertje hing aan het plafond van een van de kamers. Hij boog zich over Eva Lind en probeerde haar te wekken. Haar ademhaling was regelmatig en natuurlijk, haar hartslag aan de snelle kant. Hij probeerde haar wakker te schudden, gaf haar een licht tikje op haar wang en algauw gingen haar ogen open.

"Opa", zei ze en haar ogen vielen weer dicht. Hij tilde Eva op en ging met haar in zijn armen de kamer uit erop lettend dat hij niet op de anderen trapte die daar bewegingloos op de grond lagen. Hij wist niet of ze wakker waren of sliepen. Eva deed haar ogen weer open.

"Ze is hier", fluisterde ze, maar Erlendur wist niet waar ze het over had en liep met haar door naar de auto. Hoe eerder hij hier met haar weg kwam hoe beter. Hij zette haar neer om het portier open te maken en ze leunde zwaar tegen hem aan.

"Heb je haar gevonden?" vroeg ze.

"Welke haar? Waar heb je het over?" Hij legde haar op de voorbank, bond de veiligheidsgordel over haar vast, ging aan het stuur zitten en wilde wegrijden.

"Is ze bij ons?" vroeg Eva Lind zonder haar ogen open te doen.

"Wie verdomme?" schreeuwde Erlendur.

"De bruid", zei Eva Lind. "Het lieve meisje uit Garðabær. Ik lag naast haar."

25

Het geluid van de telefoon kreeg Erlendur eindelijk wakker. Het galmde door zijn hoofd tot hij zijn ogen opende en om zich heen keek. Hij sliep in zijn luie stoel in de kamer. Zijn hoed en jas lagen op de bank. Het was donker in de woning. Erlendur stond langzaam op en vroeg zich af of hij nog een dag in dezelfde kleren kon rondlopen. Hij kon zich niet herinneren wanneer hij zich voor het laatst had uitgekleed. Hij keek even in de slaapkamer voor hij de telefoon aannam en zag de twee meisjes op zijn bed liggen. Daar had hij ze de vorige avond neergelegd. Hij zette de deur naar hen op een kier.

"De vingerafdrukken op de camera komen overeen met het tweede stel afdrukken op de foto", viel Sigurður Óli met de deur in huis toen Erlendur eindelijk opnam. Hij moest de zin driemaal herhalen voor Erlendur begreep waar hij het over had.

"Bedoel je de vingerafdrukken van Grétar?"

"Ja, van Grétar."

"En staan de vingerafdrukken van Holberg ook op de foto?" zei Erlendur. "Wat waren ze in 's hemelsnaam aan het bekokstoven?"

"*Beats me*", zei Sigurður Óli.

"Wat zeg je?" vroeg Erlendur.

"Niets. Grétar heeft de foto dus genomen. Daar kunnen we van uitgaan. Hij heeft de foto aan Holberg laten zien of Holberg heeft hem gevonden. We gaan vandaag door met het zoeken naar die vrouw, ja toch?" vroeg Sigurður Óli. "Jij hebt niets nieuws?"

"Ja", zei Erlendur. "En nee."

"Ik ben op weg naar Grafarvogur. We zijn bijna klaar met de vrouwen hier in Reykjavík. Moeten we mensen naar het noorden sturen als we hier klaar zijn?"

"Ja", zei Erlendur en hij legde neer. Eva Lind was de keuken in gekomen. Ze was wakker geworden van de telefoon. Ze had haar kleren nog aan, het meisje uit Garðabær ook. Erlendur was het krot weer binnengegaan, had haar ook gehaald en beide meisjes naar zijn huis gereden.

Eva Lind verdween zonder een woord te zeggen naar de wc en Erlendur hoorde haar vreselijk overgeven. Hij ging de keuken in en zette sterke koffie, het enige dat hij in een situatie als deze kon bedenken, ging aan tafel zitten en wachtte tot zijn dochter weer tevoorschijn kwam. Het duurde een hele tijd, hij schonk twee koppen koffie in. Eindelijk kwam Eva Lind eraan. Ze had haar gezicht gewassen.

Erlendur vond dat ze er verschrikkelijk uitzag. Haar broodmagere lichaam leek los aan elkaar te hangen.

"Ik wist dat ze soms dope gebruikte", zei Eva Lind met hese stem toen ze bij Erlendur kwam zitten, "maar het was puur toeval dat ik haar tegenkwam."

"Wat is er met jou gebeurd?" vroeg Erlendur.

Ze keek haar vader aan.

"Ik ben het aan het proberen", zei ze, "maar het is moeilijk."

"Er kwamen twee knapen hier naartoe die jou moesten hebben. Een paar echte hufters. Ik heb een zekere Eddi geld gegeven dat jij hem schuldig was. Hij verwees me naar dat krot."

"Eddi is prima."

"Ben je van plan om het te blijven proberen?"

"Zou ik het niet weg laten maken?" Eva Lind sloeg haar ogen neer. "Dat weet ik niet."

"Ik ben zo bang dat ik het kapot heb gemaakt."

"Misschien ben je dat wel willens en wetens aan het proberen."

Het hoofd van Eva Lind kwam omhoog en ze keek haar vader aan.

"God allemachtig, wat ben jij zielig!" zei ze.

"Ik!"

"Ja, jij!"

"Wat moet een mens dan denken? Vertel me dat eens!" schreeuwde Erlendur. "Zou je misschien dat bodemloze zelfmedelijden van je eens aan kunnen pakken? God, wat kan jij toch een stakker zijn. Voel je je nou werkelijk zo lekker in je ellende dat je je niets beters voor kunt stellen? Met welk recht eigenlijk ga jij zo met je leven om? Met welk recht eigenlijk ga je zo met het leven in je om? Denk je dat je het zo vreselijk beroerd hebt? Denk je soms dat het jou het beroerdst van iedereen op deze aarde gaat? Ik ben bezig met het onderzoek naar de dood van een meisje dat niet eens vier jaar is geworden. Dat een ziekte kreeg en doodging. Er was iets onbegrijpelijks dat haar kapotmaakte en doodde. Haar kistje was één meter lang. Hoor je wat ik zeg? Welk recht heb jij om te leven? Vertel me dat eens!"

Erlendur was gaan schreeuwen. Hij was overeind gekomen en sloeg zo hard met zijn vuist op de tafel dat de kopjes omvielen en toen hij dat zag pakte hij ze op en smeet ze tegen de muur achter Eva Lind. Zijn bloed begon te koken en even verloor hij zijn zelfbeheersing. Hij smeet de keukentafel omver, veegde alles wat los was van het aanrecht; borden, pannen en glazen vlogen tegen de grond en de muren. Eva Lind zat stilletjes op haar stoel, zag haar vader door het dolle heen raken en haar ogen vulden zich met tranen.

Ten slotte kwam hij weer tot bedaren, hij draaide zich om naar zijn dochter en zag haar schouders schokken. Ze had haar handen voor haar gezicht geslagen. Hij keek naar zijn dochter, haar vuile haren, de dunne armen, de polsen die maar nauwelijks dikker waren dan zijn vingers, het broodmagere bibberende lijf. Ze had blote voeten met aan elke nagel een rouwrand. Hij ging op haar toe en probeerde haar handen van haar gezicht los te maken maar dat liet ze niet toe. Hij wilde haar om excuus vragen. Wilde haar liefst in zijn armen nemen. Hij deed geen van beide.

In plaats daarvan ging hij op de grond naast haar zitten. De telefoon ging maar hij nam niet op. Het meisje in de slaapkamer gaf taal noch teken. De telefoon ging niet langer en het werd weer stil in de woning. Het enige geluid was het gesnik van Eva Lind. Erlendur wist dat hij geen modelvader was en dat de preek die hij gehouden had net zo goed op hemzelf had kunnen slaan. Waarschijnlijk had hij het evenzeer tegen zichzelf als tegen Eva Lind en was hij bijna even boos op zichzelf als op haar. Een psychiater zou zeggen dat hij zijn woede op het meisje had afgereageerd. Maar misschien had wat hij gezegd had toch enige invloed. Hij had Eva Lind nooit eerder zien huilen. Niet sinds ze een klein meisje was. Hij ging bij haar weg toen ze twee jaar was.

Eindelijk haalde Eva Lind de handen voor haar gezicht weg, ze haalde haar neus op en veegde haar tranen weg.

"Het was haar vader", zei ze.

"Haar vader?" zei Erlendur.

"Die walgelijk was", zei Eva Lind. "'Hij is walgelijk. Wat heb ik gedaan?' Het was haar vader. Begon aan haar te zitten toen ze borsten begon te krijgen en ging verder en verder. Liet haar zelfs niet met rust op haar eigen bruiloft. Trok haar met zich mee een gang in. Zei dat ze er zo sexy uitzag in haar bruidsjurk en dat hij niet anders kon. Kon niet verdragen dat ze van hem wegging. Begon haar te betasten. Ze had het niet meer."

"Wat een zootje!" verzuchtte Erlendur.

"Ik wist dat ze soms wat gebruikte. Ze heeft mij gevraagd om haar te helpen. Ze stortte helemaal in en ging naar Eddi. Sindsdien heeft ze in dat krot gelegen."

Eva Lind zweeg.

"Ik denk dat haar moeder ervan wist", zei ze toen. "Al die jaren, maar ze deed er niets aan. Een te mooi huis, te veel auto's."

"Wil ze geen aanklacht indienen?"

"Wauw!"

"Wat?"

"Al dat verdomde geouwehoer moeten doorstaan voor een voorwaardelijke veroordeling tot drie maanden, als iemand haar gelooft? Come on!"

"Wat is ze van plan?"

"Ze gaat naar haar man. Haar echtgenoot. Ik denk dat ze van hem houdt."

"Heeft ze zichzelf de schuld gegeven, of hoe zit dat?"

"Ze weet niet wat ze moet denken."

"Omdat ze schreef: 'Wat heb ik gedaan?' Ze heeft de schuld op zich genomen."

"Het is toch geen wonder dat ze een beetje in de war is."

"En het lijkt altijd wel of de verdomde vuilakken die zoiets doen de gelukkigste mensen van de wereld zijn. Glimlachen iedereen toe alsof er nooit iets aan het geweten van die verdomde idioten knaagt."

"Niet nog eens zo tegen me praten", zei Eva Lind. "Praat nooit meer zo tegen me."

"Ben je meer mensen geld schuldig dan Eddi?" vroeg Erlendur.

"Een paar. Maar Eddi is het probleem."

De telefoon ging weer. Het meisje in de slaapkamer bewoog zich, kwam half overeind, keek om zich heen en kwam uit bed. Erlendur zat te denken of hij wel zou opnemen. Of hij zin had om te gaan werken. Of hij de dag niet met Eva Lind zou moeten doorbrengen. Haar gezelschap zou moeten houden, haar er misschien toe overreden om met hem naar de dokter te gaan om het kind te laten bekijken, als je het tenminste al een kind kon noemen. Erachter komen of alles in orde was. Iets met haar afspreken.

Maar de telefoon bleef maar gaan. Het meisje was inmiddels de gang in gekomen en keek verward om zich heen. Ze vroeg of er iemand thuis was. Eva Lind antwoordde dat ze in de keuken zaten. Erlendur stond op, ontving het meisje in de deur van de keuken en zei goedemorgen. Hij kreeg geen antwoord. Ze hadden allebei net als Erlendur volledig gekleed liggen slapen. Het meisje liet haar blik over de keuken gaan die Erlendur totaal naar de vernieling had geholpen en keek uit een ooghoek naar hem.

Hij nam eindelijk de telefoon op.

""Wat voor lucht hing er in de woning van Holberg?" Erlendur had enige tijd nodig om zich te realiseren dat het de stem van Marion Briem was.

"Wat voor lucht?" herhaalde Erlendur.

"Wat voor lucht hing er in zijn woning?"

"Zo'n nare kelderlucht", zei Erlendur. "Een vochtlucht. Stank. Ik weet niet precies. Als van paarden?"

"Nee, het zijn geen paarden", zei Marion Briem. "Ik was een beetje aan het bijlezen over Noorderveen. Heb het er met mijn vriend de loodgieter over gehad en hij heeft mij naar andere loodgieters verwezen. Ik heb met een heleboel loodgieters gesproken."

"Loodgieters?"

"Reuze interessant allemaal. Je had me niet over de vingerafdrukken op de foto verteld." In haar stem klonk een verwijtende toon door.

"Nee", zei Erlendur. "Dat heb ik niet uitgezocht."

"Ik heb erover gehoord. Grétar en Holberg die samen iets zitten te bekokstoven. Grétar wist dat het meisje de dochter van Holberg was. Misschien wist hij nog wel meer."

Erlendur bleef stil.

"Wat bedoel je?" vroeg hij toen.

"Weet je wat het belangrijkste is dat we over Noorderveen moeten weten?" vroeg Marion Briem.

"Nee," zei Erlendur, die Marions gedachtegang maar moeilijk kon volgen.

"Het is zo duidelijk dat ik het indertijd helemaal niet heb gezien."

"Wat is het dan?"

Marion zweeg even als om haar woorden meer kracht bij te zetten.

"Noorderveen is een moeras!"

26

Het verbaasde Sigurður Óli dat de vrouw in de deuropening wist waar hij voor kwam voor hij het gezegd had. Hij stond in weer een trappenhuis, ditmaal in een flatgebouw met twee verdiepingen in Grafarvogur. Hij had zich net voorgesteld en was halverwege met de uitleg waarom hij daar stond, toen de vrouw hem binnen vroeg met de woorden dat ze hem al had verwacht.

Het was vroeg in de ochtend. Buiten hing een laaghangend dik wolkendek met fijne motregen en herfstduister dat zich over de stad uitstrekte als om te verklaren dat de winter er ras aan kwam, dat het nog donkerder en kouder zou worden. Op de radio werd gezegd dat men vele decennia terug in de tijd moest gaan om een periode te vinden die net zo nat was als deze.

De vrouw wilde zijn jas aannemen. Sigurður Óli trok hem uit en ze hing hem in een kast. Een man van ongeveer dezelfde leeftijd als de vrouw kwam uit een kleine keuken en gaf hem een hand. Het was een echtpaar, beiden ongeveer zeventig jaar oud, gekleed in een soort trainingspak en witte sokken alsof ze op weg waren om te gaan joggen. Hij had hen bij het ontbijt gestoord. De woning was heel klein maar efficiënt ingedeeld, een kleine badkamer, een woonkamer met een keukenhoek, een ruime slaapkamer. Het was er heel erg warm. Sigurður Óli accepteerde een kop koffie en vroeg of hij er een glas water bij kon krijgen. Hij had al meteen een droge keel. Ze wisselden wat woorden over het weer tot Sigurður Óli zich niet langer kon inhouden.

"Het lijkt wel of je me verwachtte", zei hij. Hij nam een slokje van zijn koffie. De koffie was heel slap en smaakte vies.

"Nou ja, er wordt ook over niets anders gesproken dan over die arme vrouw naar wie jullie op zoek zijn", zei ze.

Sigurður Óli keek haar met grote ogen aan.

"Door ons mensen uit Húsavík", zei de vrouw op een toon of ze zoiets vanzelfsprekends niet aan iemand hoefde uit te leggen. "Sinds jullie die vrouw zijn gaan zoeken hebben we het over niets anders gehad. We hebben een heel sterke en actieve regionale vereniging hier in de stad. Ik weet zeker dat iedereen hier weet dat jullie naar die vrouw op zoek zijn."

"Het over niets anders gehad?" herhaalde Sigurður Óli haar woorden.

"Sinds gisteravond hebben al drie van mijn vriendinnen uit het noorden die hier in Reykjavík wonen me opgebeld en vanochtend ben ik uit Húsavík gebeld. Er wordt eindeloos veel over gesproken."

"En weten jullie nu dan wat meer?"

"Eigenlijk niet", zei ze met een blik op haar man. "Wat zou die Holberg die vrouw hebben aangedaan?"

Ze deed geen moeite haar nieuwsgierigheid te verbergen. Ze deed geen moeite haar ongezonde belangstelling te verbergen. Die was zo groot dat Sigurður Óli er niet goed van werd en onwillekeurig probeerde op zijn woorden te letten.

"Er is sprake van een gewelddaad", zei hij. "We zijn op zoek naar het slachtoffer maar dat wist je waarschijnlijk al."

"Ja, ja. Maar waarom. Wat heeft hij haar aangedaan? En waarom nu? Ik, ik bedoel wij", zei ze met een blik op haar man die er zwijgend bij zat en naar het gesprek luisterde, "vind het zo curieus dat dit na al die jaren van belang lijkt te zijn. Ik hoorde dat ze verkracht is. Klopt dat?"

"Ik kan helaas geen inlichtingen over het onderzoek in deze zaak verstrekken", zei Sigurður Óli. "En misschien is het niet van belang. Ik vind dat jullie dit niet te veel moeten opblazen. In gesprekken met andere mensen, bedoel ik. Is er iets dat je me kunt vertellen dat ons verder kan helpen?"

Het echtpaar keek elkaar aan.

"Dit te veel opblazen?", zei ze en haar verbazing leek ongeveinsd. "We blazen het helemaal niet op. Eyvi, vind jij dat we dit zitten op te blazen?" Ze keek naar haar man die leek te twijfelen. "Nou, man, geef eens antwoord!" zei ze bits. De man schrok ervan.

"Nee, dat zou ik niet willen zeggen, dat klopt niet."

Sigurður Óli werd gebeld. Hij droeg zijn mobiele telefoon niet los in zijn jaszak zoals Erlendur, maar bewaarde hem in een keurig etui dat bevestigd was aan de riem van zijn piekfijn geperste broek. Sigurður Óli verontschuldigde zich bij het echtpaar, stond op en drukte op de knop. Het was Erlendur.

"Kun je me bij Holberg thuis treffen?" vroeg hij.

"Wat is er nu weer aan de hand?" vroeg Sigurður Óli.

"Meer graafwerk", zei Erlendur en hij verbrak de verbinding.

Toen Sigurður Óli Noorderveen in reed, waren Erlendur en Elínborg er al. Erlendur stond in de deur van het souterrain een sigaret te roken, maar Elínborg was binnen in Holbergs woning. Als Sigurður Óli het goed zag, stond ze de lucht op te snuiven; ze stak haar hoofd naar voren en ademde in door haar neus, ademde uit en ademde weer in. Hij keek naar Erlendur die zijn schouders ophaalde en zijn sigaret de tuin in gooide, waarna ze samen de woning binnen gingen.

"Wat voor lucht vind jij hierbinnen hangen?" vroeg Erlendur hem en hij begon net als Elínborg de lucht op te snuiven. Sigurður Óli en Elínborg liepen snuivend van kamer naar kamer, Erlendur niet, want als gevolg van vele jaren roken had hij een heel slecht reukvermogen.

"Toen ik hier voor de eerste maal binnen kwam", zei Elínborg, "dacht ik dat ergens in huis of hier in deze woning paardenliefhebbers woonden. De lucht deed me aan paarden denken, rijlaarzen, zadels of iets dergelijks. Paardenmest. Gewoon een paardenstal. Het was dezelfde lucht als de lucht die in de woning hing die ik kocht toen ik op mezelf ging wonen, mijn eerste woning. Maar ook toen waren het geen paardenliefhebbers die er woonden. Het was vuil en het was vocht. Jaren lang hadden verwarmingen op tapijt en parket staan lekken en niemand had er ooit iets aan gedaan. Ook was het riool ergens open komen te liggen en er zaten ratten in de woning. Toen de loodgieters klaar waren met hun werk stopten ze gewoon wat stro in het gat en brachten er een dun laagje cement over aan. Daarom kwam er altijd iets van rioollucht doorheen."

"Waarmee je wilt zeggen?" zei Erlendur.

"Ik vind dat dit dezelfde lucht is, alleen is hij hier veel erger. Vocht en vuil en rioolratten."

"Ik heb Marion Briem gesproken", zei Erlendur. Hij was er niet zeker van of ze de naam kenden. "Marion heeft natuurlijk alles gelezen wat er over Noorderveen te vinden was en ze kwam tot de conclusie dat het van belang is om te weten dat het hier een moeras is."

Elínborg en Sigurður Óli keken elkaar aan.

"Noorderveen was zoiets als een zelfstandig dorp hier midden in Reykjavík", ging Erlendur door. De huizen werden tijdens en na de oorlog gebouwd. IJsland werd een republiek en ze noemden de straten naar de helden uit de ijslandsaga's: de Gunnarsbraut en de Skeggjagata, enzovoort. Er heeft zich hier een zeer gevarieerde menselijke flora gevestigd, van mensen in redelijk goeden doen, rijke lui zelfs, die in chique huizen wonen, tot mensen die nog geen nagel hebben om hun gat te krabben en goedkope souterrains zoals dit hier huren. Er zijn veel eenpersoonswoninkjes hier in het moeras waarin oude mensen als Holberg wonen, al hebben de meeste een betere inborst, en veel van die mensen wonen in precies zulke souterrains. Dit heb ik allemaal van Marion gehoord."

Erlendur wachtte even.

"Iets anders dat kenmerkend is voor Noorderveen zijn souterrains zoals dit hier. Vroeger waren dit geen woningen, maar toen lieten de huiseigenaren de souterrains veranderen, zetten er een keuken in en plaatsten muren, maakten kamers, maakten er woningen van. Daarvoor waren zulke souterrains een soort werkplaatsen van – hoe noemde Marion dat nou ook alweer? – selfsupporting huishoudens. Weten jullie wat dat is?"

Ze schudden allebei hun hoofd.

"Jullie zijn natuurlijk nog zo jong", zei Erlendur, die wel wist dat ze het niet konden uitstaan als hij zoiets zei. "In souterrains zoals dit hier waren de dienstbodekamers. In die tijd hadden de betere families dienstboden. Die hadden kamers in uithoeken zoals deze. Er waren hier ook een washok, een vertrek waar bijvoorbeeld bloed- en leverworst werden gemaakt en ook ander voedsel werd toebereid, proviandkamers, een badkamer, dat soort dingen dus."

"En niet te vergeten dat het een moeras is?" zei Sigurður Óli sarcastisch.

"Probeer je ons iets van belang te vertellen?" vroeg Elínborg.

"Onder deze souterrains zit grond ..." zei Erlendur.

"Dat is nou echt iets bijzonders", zei Sigurður Óli tegen Elínborg.

"... net als onder elk huis", ging Erlendur door, zonder zich door Sigurður Óli's hatelijkheden te laten afleiden. "Als jullie met loodgieters zouden praten zoals Marion Briem gedaan heeft ..."

"Wat is dit eigenlijk voor Marion Briem gezwets?" vroeg Sigurður Óli.

"... dan zouden jullie erachter komen dat ze zo nu en dan hier in Noorderveen besteld zijn vanwege een probleem dat zich soms vele jaren en zelfs decennia nadat er huizen in het moeras gebouwd zijn voordoet. Het probleem ontstaat op sommige plaatsen wel en op andere niet. Aan de buitenkant van sommige huizen is te zien wat er gebeurt. Veel huizen zijn bepleisterd met schelpenzand en onder aan de muur kun je zien waar het gepleisterde gedeelte ophoudt en de kale huiswand begint. Het scheelt soms wel vijftig tot tachtig centimeter. Het probleem is dat de grond ook binnenshuis verzakt."

Erlendur zag dat de grijns van hun gezicht verdwenen was.

"In de onroerendgoedwereld heet dit een verborgen defect en men weet bij god niet wat men in zo'n geval moet beginnen. Als de grond verzakt ontstaat er spanning op het riool onder de vloer en dat begeeft het. Voor je het weet stort je al je rotzooi gewoon op de grond. Zoiets kan heel lang doorgaan want de stank dringt niet door de funderingsplaat heen. Wel ontstaan er vochtplekken in de vloeren omdat de leiding van het hete water in veel van deze oude huizen door de rioolbuis loopt en gaat lekken als de buis kapotgaat; dan ontwikkelen zich warmte en stoom die naar de oppervlakte komen. Parket gaat bollen."

Erlendur had nu de volle aandacht.

"En dat heb je van Marion?" zei Sigurður Óli.

"Dan moet de vloer worden opengebroken", ging Erlendur door, "en moeten ze naar beneden om de rioolbuis te repareren. De loodgieters vertelden Marion dat ze soms in het niets uitkwamen als ze met de pneumatische boor aan het werk gingen en door de vloer heen boorden. Op sommige plaatsen is de fundering betrekkelijk dun en daaronder zit alleen maar lucht. De grond is verzakt, bijna een halve of zelfs een hele meter. Allemaal omdat het moerasgrond is."

Sigurður Óli en Elínborg keken elkaar aan.

"Zit er dan hier onder de vloer een holle ruimte?", vroeg Elínborg, met één voet op de grond stampend.

Erlendur glimlachte.

"Het is Marion zelfs op de een of andere manier gelukt om de loodgieter te vinden die uitgerekend in het jaar van het Nationale Feest hier in huis is geweest. Het is een jaar dat veel mensen zich goed herinneren en deze loodgieter herinnerde zich heel goed dat hij hier besteld was vanwege vocht in de vloer."

"Wat wil je daarmee zeggen?" vroeg Sigurður Óli.

"De loodgieter brak de vloer hier open. De funderingsplaat is niet erg dik. Er zit op veel plaatsen een holle ruimte onder en de loodgieter is nog verontwaardigd dat Holberg hem niet toestond zijn werk af te maken."

"Hoezo?"

"Hij brak de vloer open en repareerde de rioolbuis maar daarna gooide Holberg hem eruit, zeggend dat hij het karwei verder zelf zou afmaken. En dat deed hij."

Ze stonden zwijgend bij elkaar tot Sigurður Óli het niet langer kon uithouden.

"Marion Briem?" zei hij. "Marion Briem!" Hij zei die naam keer op keer alsof hij er niets van begreep. Erlendur had gelijk gehad. Sigurður was te jong om zich Marion bij de politie te herinneren. Hij bleef de naam maar herhalen alsof het een onbegrijpelijk raadsel was, hield er toen plotseling mee op, kreeg een nadenkende uitdrukking op zijn gezicht en vroeg ten slotte: "Wacht eens even, Marion? Marion? Wat is dat ge-Marion? Wat voor naam is dat eigenlijk? Is het een man of een vrouw?"

Sigurður Óli keek Erlendur aan.

"Dat vraag ik me zelf soms ook af", antwoordde Erlendur en hij pakte zijn mobiele telefoon.

27

De Technische Dienst begon met het verwijderen van de vloerbedekking uit alle kamers van de woning, uit de keuken, de badkamer en het halletje. Het had de hele dag gekost om de benodigde vergunningen ervoor te krijgen. Erlendur had zijn zaak tijdens een bijeenkomst met de commissaris van de Rijkspolitie met argumenten bepleit en deze gaf toe, zij het wat terughoudend, dat er voldoende aanleiding bestond om de vloeren in Holbergs woning open te breken. De zaak kreeg voorrang vanwege de moord die daar in huis was gepleegd.

Erlendur legde verband tussen de opgraving en de zoektocht naar de moordenaar van Holberg; hij suggereerde dat het goed denkbaar was dat Grétar nog in leven was en de vermoedelijke moordenaar van Holberg was. De politie had veel belang bij de opgraving: als het vermoeden van Marion Briem juist zou blijken, sloot dat Grétar als moordenaar uit en zou het raadsel van een 25 jaar oude verdwijning zijn opgelost.

Ze hadden de grootste maat bestelauto laten aanrukken en alle meubels van Holberg, behalve de kasten die aan de muur vastzaten, en wat daarin stond, werden erin gezet. Het was al donker toen de bestelwagen in zijn achteruit op het huis toereed en korte tijd later arriveerde er een tractor met een pneumatische boor erop bevestigd die op de motor werkte. Een groep mensen van de Technische Dienst had zich bij het huis verzameld en er kwamen nog meer rechercheurs bij. De bewoners van het huis waren in geen velden of wegen te zien.

Het had de hele dag geregend net als de dagen ervoor. Maar nu viel er alleen een fijne motregen die op de koude herfstwind meegolfde en op het gezicht van Erlendur neerkwam die schuin naast het huis stond met een sigaret tussen zijn vingers. Sigurður Óli en Elínborg stonden bij hem. Er waren wat mensen voor het huis te hoop gelopen maar die waagden zich niet dichterbij. Onder het publiek bevonden zich journalisten en nieuwsgaarders, filmers van de televisiestations en fotografen van de kranten. Overal in de wijk stonden grote en kleine auto's geparkeerd met het logo van de media erop en Erlendur, die elk contact met de media verboden had, vroeg zich af of hij ze zou laten verwijderen.

Al spoedig was de woning van Holberg helemaal leeg. De grote bestelwagen stond op de parkeerplaats klaar terwijl ze erover delibereerden wat er met de inboedel moest gebeuren. Ten slotte gaf

Erlendur de opdracht alles naar de opslagruimte van de politie over te brengen. Hij keek toe toen zeil en tapijt de woning uit werden gedragen en in de auto werden gelegd, en toen reed de auto met veel lawaai de straat uit.

De chef van de Technische Dienst gaf Erlendur een hand. Hij was rond de vijftig, heette Ragnar, was nogal dik, met een zwarte bos haar dat alle kanten uit piekte. Hij had zijn opleiding in Engeland gevolgd, las nooit iets anders dan Engelse detectives en was helemaal verknocht aan Engelse politieseries op televisie.

"Met wat voor verdomd idiote klus zadel je ons nou weer op?" vroeg hij, kijkend naar het mediacircus. In zijn stem klonk geamuseerdheid door. Hij vond het prima dat ze vloeren gingen openbreken om naar een lijk te zoeken.

"Hoe ziet het eruit?" vroeg Erlendur.

"Alle vloeren zijn dik beschilderd met een soort scheepsverf", zei Ragnar. "Het is onmogelijk om te zien of er aan de vloeren geknoeid is. We zien nergens nieuw beton of iets wat op een reparatie aan het beton wijst. Momenteel bekloppen we de vloeren met hamers en het klinkt eigenlijk overal hol. Of dat op verzakking wijst of op iets anders weet ik niet. Het huis zelf is van dik en goed beton. Geen sprake van betonrot. Maar wel zijn er op veel plaatsen vochtplekken in de vloer. Kan die loodgieter met wie jullie contact hebben gehad ons niet helpen?"

"Hij zit in een bejaardenhuis in Akureyri en hij zei dat hij in dit leven niet meer naar het zuiden kwam. Hij gaf ons een tamelijk nauwkeurige beschrijving van de plaats waar hij de vloer had opengemaakt."

"We zijn ook bezig om met een camera in het riool te kijken. Kijken hoe de buis ligt, of hij in orde is, kijken of we de oude reparatie kunnen vinden."

"Hebben we die hele boor nodig?", vroeg Erlendur met een knikje naar de tractor.

"Daar heb ik gewoon geen idee van. We hebben kleinere elektrische boren bij ons maar die krijgen geen houvast in natte stront. We hebben ook kleine boormachines bij ons en als we een holle ruimte vinden kunnen we een gat door de fundering boren en daar een kleine camera doorheen laten zakken van het type dat ze voor afvoerleidingen gebruiken."

"Hopelijk is dat voldoende. Het zou vervelend zijn als we met die hele tractor naar binnen zouden moeten."

"Er hangt in elk geval een verdomde klotestank in dat kelderhol", zei de chef van de Technische Dienst. Ze gingen samen op weg naar het souterrain. Drie mannen van de Dienst, gekleed in witte papieren overalls en met plastic handschoenen aan liepen door de woning, sloegen met gewone smidshamers op de stenen vloeren en gaven met blauwe markeerstiften aan waar het naar hun mening hol klonk.

"Volgens het kadaster werd het souterrain in 1959 tot woning verbouwd", zei Erlendur. "Holberg heeft de woning in 1962 gekocht en is er waarschijnlijk meteen ingetrokken. Hij heeft er sindsdien altijd gewoond."

Een van de mannen kwam naar hen toe en groette Erlendur. Hij had tekeningen van het huis, van elke verdieping en van het souterrain.

"De toiletten bevinden zich in het midden van het huis. De wc-buizen lopen van de verdiepingen naar beneden en bereiken de grond op de plaats waar de wc in het souterrain is. Die wc was al op deze plaats vóór er verbouwd werd en de woning is er denkelijk omheen geconstrueerd. De wc is aangesloten op de afvoerbuis in de badkamer, vandaar loopt de buis in oostelijke richting door onder een deel van de woonkamer, onder de slaapkamer van de man door en vandaar naar de straat."

"Het zoeken moet niet tot de wc-buis beperkt blijven", zei de chef van de Technische Dienst.

"Nee, maar we hebben een kleine camera vanaf de straat in de rioolbuis ingebracht. Ze vertelden me dat de buis gebroken is op de plek waar hij de slaapkamer inkomt en we dachten daar eerst maar eens te kijken. Het is voorzover ik begrepen heb op ongeveer dezelfde plaats als waar de vloer al eerder opengebroken is."

Ragnar knikte instemmend en keek Erlendur aan, die zijn schouders ophaalde alsof het hem niet aanging wat de mannen van de Technische Dienst deden.

"Het kan geen heel oude breuk zijn", zei de chef. "Het zal wel stinken. Zei je nou dat die man vijfentwintig jaar geleden in de grond gestopt is?"

"In elk geval is hij toen verdwenen", zei Erlendur.

Hun woorden werden begeleid door het geluid van de hamerslagen dat aanzwol tot een ononderbroken lawaai dat door de lege wanden weerkaatst werd. De technische man pakte een paar oorbeschermers uit een zwarte tas die de afmetingen had van een kleine koffer en zette ze op, haalde er toen een kleine elektrische boor uit en stak de stekker in het stopcontact. Hij bewoog de hendel een paar keer op en neer om hem te proberen, zette de boor toen op de grond en begon met openbreken. Het lawaai was oorverdovend en de andere mannen zetten eveneens oorbeschermers op. De man kwam niet erg ver. Het harde beton verpulverde nauwelijks. Hij staakte zijn moeizame pogingen en schudde het hoofd.

"We moeten de tractor starten", zei hij. Het fijne stof zat op zijn gezicht. "En de pneumatische boor hier naar binnen halen. En we hebben maskers nodig. Welke verdomde gek heeft dit fantastische idee gekregen?" zei hij toen, op de grond spugend.

"Holberg zal onder dekking van de nacht wel geen pneumatische boor gebruikt hebben", zei de chef.

"Hij heeft helemaal niets onder dekking van de nacht hoeven te doen", zei Erlendur. "De loodgieter heeft het gat in de grond voor hem gemaakt."

"Denk je dat hij de man op de schijtbuis heeft gelegd?"

"We zullen zien. Misschien heeft hij een en ander op de grond moeten aanpassen. Misschien is het allemaal één groot misverstand."

Erlendur ging naar buiten in de avondschemer. Sigurður Óli en Elínborg hadden zich in zijn auto genesteld en zaten zich te goed te doen aan hotdogs die Sigurður Óli even in de dichtstbijzijnde snackbar was gaan halen. Op het dashboard lag er een voor Erlendur. Hij schrokte hem naar binnen.

"Als we het lijk van Grétar hier vinden, wat zegt ons dat dan?" vroeg Elínborg, haar mond afvegend.

"Wist ik dat maar", zei Erlendur nadenkend. "Wist ik dat maar."

Op dat moment kwam hun directe superieur, de inspecteur, aanlopen, hij tikte op de autoruit, opende het portier en vroeg Erlendur even mee te komen. Sigurður Óli en Elínborg stapten ook uit de auto. De chef heette Hrólfur en had zich die dag ziek gemeld maar leek nu weer kerngezond. Hij was zeer gezet en het lukte hem niet erg dat te verbergen door zich goed te kleden, was van nature lui en droeg hoogst zelden iets wezenlijks bij aan het misdaadonderzoek. De dagen waarop hij wegens ziekte verzuimde waren er elk jaar opnieuw heel veel.

"Waarom is er voor deze onderneming geen contact met mij opgenomen?" vroeg hij en het was duidelijk dat hij woedend was.

"Je bent ziek", zei Erlendur.

"Gelul!" zei Hrólfur. "Je moet niet denken dat je de afdeling naar jouw pijpen kunt laten dansen. Ik ben jouw superieur. Je bespreekt ondernemingen van deze aard met mij voor je nog meer klappen van de molen krijgt!"

"Hoor eens, ik dacht dat je ziek was", herhaalde Erlendur op een gemaakt verbaasde toon.

"En hoe krijg je het in je kop om de commissaris zo voor gek te zetten?" siste Hrólfur. "Hoe krijg je het in je kop dat hier iemand onder de vloer zou liggen? Je hebt daar geen enkele aanwijzing voor. Gewoon helemaal niets dan wat flauwekul over funderingen en stank. Ben je stapelgek geworden?"

Sigurður Óli kwam aarzelend naar hen toe.

"Erlendur, ik heb hier een vrouw met wie je zou moeten praten, denk ik", zei hij en hij hield de mobiele telefoon die Erlendur in de auto had laten liggen, omhoog. "Het is persoonlijk. Ze is vreselijk opgewonden."

Hrólfur draaide zich om naar Sigurður Óli en zei dat hij moest opkrassen en hen met rust moest laten.

Sigurður Óli liet zich niet van zijn apropos brengen.

"Je zou nu meteen met haar moeten praten, Erlendur", zei hij.

"Wat heeft dit eigenlijk te betekenen? Jullie doen net of ik er niet ben!" schreeuwde Hrólfur stampvoetend. "Is dit verdomme een samenzwering? Erlendur, als we vloeren gaan openbreken omdat er een smerige lucht in de huizen van de mensen hangt, dan is het einde niet in zicht. Dit is echt van de gekke! Het is belachelijk!"

"Marion Briem had dit uitstekende idee", zei Erlendur even rustig als daarvoor, "en ik vond dat het de moeite waard was om het na te gaan. Dat vond de commissaris ook. Neem me niet kwalijk dat ik geen contact met je heb opgenomen, maar het verheugt me te zien dat je weer op de been bent. En om je de waarheid te zeggen, Hrólfur, ben je ongekend fit. En nu moet je me verontschuldigen."

Erlendur liep langs Hrólfur heen die naar Sigurður Óli keek met de bedoeling om iets te gaan zeggen, hij wist alleen niet wat.

"Ik moest opeens ergens aan denken", zei Erlendur. "Iets dat ik allang had moeten doen."

"Wat?" zei Sigurður Óli.

"Neem contact op met de lui van het Havenbedrijf en kijk eens of ze je kunnen vertellen of Holberg in de jaren rond 1960 in Húsavík of daar in de buurt geweest is."

"In orde. Hier, praat met die vrouw."

"Wat is het voor een vrouw?" zei Erlendur, de telefoon aannemend. "Ik ken helemaal geen vrouw."

"Ze kreeg het nummer van je mobiele telefoon. Ze had op het bureau naar je gevraagd. Daar werd haar gezegd dat je bezig was, maar ze gaf niet op."

Op dat moment begon de pneumatische boor op de tractor zijn werk. Uit het souterrain kwam een oorverdovend lawaai en ze zagen dikke stofwolken door de deur naar buiten komen. De politie had alle ramen met gordijnen afgeschermd zodat je nergens naar binnen kon kijken. Iedereen, behalve de man met de boor, was naar buiten gekomen en stond nu op een afstandje te wachten. Ze keken op hun horloge en leken het er met elkaar over te hebben dat het al behoorlijk laat was. Ze wisten dat ze zo midden in een woonwijk niet tot laat op de avond met deze herrie konden doorgaan. Ze zouden spoedig op moeten houden en de volgende ochtend door moeten gaan of er iets anders op moeten verzinnen.

Erlendur ging met de telefoon in zijn auto zitten en sloot het lawaai buiten. Hij herkende de stem meteen.

"Hij is hier", zei Elín zodra ze hoorde dat Erlendur aan de lijn was. Ze klonk heel erg opgewonden.

"Rustig maar, Elín", zei Erlendur. "Over wie heb je het?"

"Hij staat hier voor het huis in de regen naar binnen te staren." Haar stem zakte af tot een gefluister.

"Wie, Elín? Ben je thuis? Thuis in Keflavík?"

"Ik weet niet wanneer hij gekomen is, weet niet hoelang hij hier al heeft gestaan. Ik heb hem zo-even pas opgemerkt. Ze wilden me jou niet geven."

"Ik kan je nog niet helemaal volgen. Over wie heb je het, Elín?"

"Nou, over die man. Voorzover ik het zie, is het die verdomde rotzak."

"Wie?"

"Nou, de schoft die Kolbrún heeft aangerand."

"Kolbrún? Waar heb je het over?"

"Ik weet het. Het kán niet, maar toch staat hij hier."

"Gooi je nu de dingen niet een beetje door elkaar?"

"Zeg niet dat ik de dingen door elkaar gooi. Zeg dat niet! Ik weet precies wat ik zeg."

"Welke man die Kolbrún heeft aangerand?"

"Welke man? Wat bedoel je?"

"Over wie heb je het?"

"Nou, over HOLBERG!" Elín ging niet harder praten, maar siste in de telefoon: "hij staat hier buiten voor mijn huis!"

Erlendur zei niets.

"Ben je er nog?" fluisterde Elín. "Wat ga je nu doen?"

"Elín", zei Erlendur en hij legde zwaar de nadruk op elk woord, "het kan Holberg niet zijn. Holberg is dood. Het moet iemand anders zijn."

"Praat niet tegen me of ik een kind ben. Hij staat hier buiten in de regen en staart bij me naar binnen. Dat beest!"

28

De verbinding werd verbroken en Erlendur startte de auto. Sigurður Óli en Elínborg zagen hoe hij zich achteruit door de menigte op straat manoeuvreerde en toen de straat uit reed. Ze keken elkaar aan en haalden hun schouders op alsof ze het allang hadden opgegeven de man te begrijpen.

Hij was de straat nog niet uit toen hij de politie in Keflavík al te pakken had. Hij stuurde hen naar Elín om een man in de buurt van haar huis op te pakken, gekleed in blauw jack en spijkerbroek, met aan zijn voeten witte tennisschoenen. Elín had hem de man beschreven. Hij zei tegen de wachtmeester dat ze geen sirenes of zwaailichten moesten gebruiken en om de man niet te verjagen zo min mogelijk lawaai moesten maken.

"Het mens is stapelgek", zei Erlendur bij zichzelf terwijl hij zijn mobiele telefoon uitzette.

Hij reed zo hard hij kon Reykjavík uit, door Hafnarfjörður en de weg naar Keflavík op. Er was veel en zwaar verkeer en het zicht was slecht, maar hij schoot tussen de auto's door en reed zelfs ergens dwars over een rotonde om maar op te schieten. Hij lapte alle rode verkeerslichten aan zijn laars en bereikte Keflavík in een halfuur. Het was handig dat rechercheurs onlangs in hun ongemarkeerde auto's een blauw zwaailicht hadden gekregen dat ze in noodgevallen op het dak konden zetten. Indertijd had hij erom gelachen. Hij herinnerde zich dat hij zulke apparaten in politieseries op de televisie had gezien en vond het nonsens om zo'n stressding in Reykjavík te gebruiken.

Toen hij eraan kwam stonden er twee politieauto's voor Elíns huis. Elín wachtte binnen op hem in het gezelschap van drie agenten. Ze zei dat de man vlak voor de politieauto's naar het huis kwamen in het donker verdwenen was. Ze liet de agenten zien waar hij had gestaan en in welke richting hij was weggerend, maar ze konden hem niet vinden en zagen ook nergens iemand lopen. De agenten stonden radeloos voor Elín, die hun niet wilde zeggen wat het voor een man was en waarom hij gevaarlijk was; hij leek niets anders gedaan te hebben dan daarbuiten in de regen staan. Toen ze zich met hun vragen tot Erlendur wendden zei hij hun dat de man bij een moordonderzoek in Reykjavík betrokken was. Hij vroeg hen of ze hem wilden laten weten als ze een man vonden die aan Elíns beschrijving beantwoordde.

Elín was vreselijk opgewonden en het leek hem het beste haar maar zo snel mogelijk van de agenten in haar huis te verlossen. Dat lukte hem zonder al te veel moeite. Ze zeiden dat ze wel wat beters te doen hadden dan achter hersenspinsels van oude wijven aan te gaan, maar zorgden er wel voor dat Elín dit niet hoorde.

"Ik zweer je dat hij het was hierbuiten", zei ze tegen Erlendur toen ze met zijn tweeën in het huis waren achtergebleven. "Ik weet niet hoe het kan, maar hij was het!"

Erlendur keek haar aan en hoorde wat ze zei en zag dat ze het in volle ernst meende. Hij wist dat ze de laatste tijd onder grote spanning geleefd had.

"Maar het kan niet kloppen, Elín. Holberg is dood. Ik heb hem in het lijkenhuis gezien." Hij dacht even na en voegde er toen aan toe: "Ik heb zijn hart gezien."

Elín keek hem aan.

"Was het zwart?" vroeg ze en Erlendur moest denken aan de woorden van de patholoog-anatoom, die gezegd had dat hij niet kon zien of het van een slecht of een goed mens was.

"De arts zei dat hij wel honderd jaar had kunnen worden", zei Erlendur.

"Je denkt dat ik in de war ben", zei Elín. "Je denkt dat ik mè dit inbeeld. Dat dit de een of andere poging is om aandacht te krijgen vanwege ..."

"Holberg is dood", viel Erlendur haar in de rede. "Wat moet ik dan denken?"

"Dan was het iemand die sprekend op hem leek", zei Elín.

"Hoe zag die man eruit?"

Elín stond op, liep naar het raam van de woonkamer en wees naar buiten de regen in.

"Hij stond hier bij het voetpad tussen de huizen dat naar de straat voert. Stond doodstil naar binnen te kijken. Ik weet niet of hij me heeft gezien. Ik probeerde me voor hem te verstoppen. Ik zat te lezen en toen het donker werd in de kamer stond ik op om het licht aan te doen en toen keek ik toevallig uit het raam. Hij was blootshoofds en het leek wel of het hem niets uitmaakte dat de regen op hem neergutste. En hoewel hij daarbuiten stond, was het toch net of hij op de een of andere manier heel ver weg was."

Elín dacht even na.

"Hij had zwart haar en was een jaar of veertig, dacht ik zo. Van gemiddelde lengte."

"Elín", zei Erlendur, "het is donker buiten. Het giet van de regen. Je kunt nauwelijks door het venster kijken. Het voetpad is niet verlicht. Je draagt een bril. Wil je me vertellen dat ..."

"Het begon donker te worden en ik ben niet meteen naar de telefoon gerend. Ik heb de man heel goed bekeken zowel door dit raam als door het keukenraam. Het duurde een hele tijd voor ik me realiseerde dat het Holberg was of iemand die op hem leek. Het pad is niet verlicht maar er komt heel wat verkeer door de straat en elke keer dat er een auto voorbij kwam schenen de lichten op de man, zodat ik zijn gezicht duidelijk kon zien."

"Hoe kun je zo zeker zijn?"

"Hij zag eruit als Holberg in zijn jonge jaren", zei Elín. "Niet die oude man van wie een foto in de kranten heeft gestaan."

"Heb je Holberg dan gezien toen hij jonger was?"

"Ja, ik heb hem gezien. Kolbrún werd een keer plotseling opgeroepen om naar de recherche te komen. Haar werd gezegd dat ze nog wat nadere informatie over een bepaald detail wilden krijgen. Eén grote rotleugen. Een zekere Marion Briem behandelde de zaak. Wat voor naam is dat nou? Marion Briem! Kolbrún werd gezegd dat ze naar Reykjavík moest komen. Ze vroeg me of ik met haar mee wilde gaan en dat deed ik. Ze moest op een bepaalde tijd verschijnen, ik geloof in de ochtend. We kwamen daar binnen en die Marion ontving ons en bracht ons naar een kamer. Toen we daar een tijdje hadden gezeten, ging de deur plotseling open en kwam Holberg binnen. Marion stond achter hem in de deuropening."

Elín viel even stil.

"En wat gebeurde er toen?" vroeg Erlendur.

"Mijn zus kreeg een zenuwtoeval. Holberg stond te glimlachen en deed iets met zijn tong en Kolbrún pakte me beet alsof ze op het punt stond om te verdrinken. Ze kon geen adem krijgen. Holberg begon te lachen en Kolbrún kreeg een aanval. Haar ogen rolden weg, ze begon te schuimbekken en viel toen op de grond. Marion nam Holberg weer mee naar buiten en dat was de eerste en enige keer dat ik dat beest heb gezien en die tronie vergeet ik niet."

"En dat gezicht heb je vanavond hierbuiten voor je raam gezien?"

Elín knikte.

"Ik schrok verschrikkelijk, dat moet ik toegeven, en natuurlijk was het niet Holberg zelf, maar deze man leek sprekend op hem."

Erlendur zat erover te denken of hij Elín zou vertellen wat hij de laatste tijd was gaan vermoeden. Hij vroeg zich af hoeveel hij haar kon zeggen en of wat hij zou zeggen wel hout sneed. Ze zaten stil bij elkaar terwijl hij zat na te denken. De avond was gevallen en Erlendur moest

aan Eva Lind denken. Hij voelde de pijn in zijn borst weer en mas-
seerde zich daar alsof hij de pijn op die manier kon laten verdwijnen.

"Ben je niet helemaal in orde?" vroeg Elín.

"Er is iets waar we de laatste tijd mee bezig geweest zijn, maar ik heb
er geen idee van of daar wat uit komt", zei Erlendur. "Wat hier nu
gebeurde lijkt onze theorie te steunen. Als er nog een slachtoffer van
Holberg is, als Holberg een andere vrouw verkracht heeft, dan is het
niet uitgesloten dat die vrouw net als Kolbrún een kind van hem heeft
gekregen. Ik heb die mogelijkheid overwogen door de boodschap die
we bij het lijk hebben gevonden. Het is denkbaar dat ze een zoon heeft
gekregen. Als de verkrachting vóór 1964 heeft plaatsgevonden, zou hij
nu ongeveer veertig jaar zijn. En het is mogelijk dat hij hier vanavond
voor je huis heeft gestaan."

Elín keek Erlendur als door de bliksem getroffen aan.

"Een zoon van Holberg? Is dat mogelijk?"

"Je zegt dat hij sprekend op hem leek."

"Ja, maar ..."

"Daar zit ik nu aan te denken. Ergens in deze hele zaak is een ont-
brekende schakel en ik denk dat deze man die schakel wel eens zou
kunnen zijn."

"Maar waarom? Wat doet hij dan hier?"

"Is je dat dan niet duidelijk?"

"Wat is duidelijk?"

"Je bent de tante van zijn zusje", zei Erlendur. Hij zag een uitdrukking van verbazing op Elíns gezicht verschijnen toen het heel langzaam tot haar doordrong waar Erlendur op doelde.

"Auður was zijn zusje", zei ze met een zucht. "Maar hoe weet hij
van mijn bestaan? Hoe weet hij waar ik woon? Hoe kan hij Holberg
met mij in verband brengen? Er heeft niets over zijn verleden in de
kranten gestaan, niets over zijn verkrachtingen of over het feit dat hij
een dochter had. Niemand wist iets van Auður. Hoe weet deze man
wie ik ben?"

"Als we hem vinden geeft hij misschien een antwoord op die
vragen."

"Denk je dat hij de moordenaar van Holberg is?"

"Nu vraag je me of hij zijn vader vermoord heeft", zei Erlendur.

Elín zat er even over te denken.

"God allemachtig!" zei ze toen.

"Ik weet het niet", zei Erlendur. "Als je hem weer hierbuiten ziet
staan, bel me dan op."

Elín was opgestaan en liep naar het raam dat op het voetpad uitzag en keek naar buiten alsof ze verwachtte de man daar weer te zien staan.

"Ik weet dat ik wat hysterisch was toen ik je belde en het over Holberg had, want ik dacht echt even dat hij het was. Het was zo'n enorme schok hem te zien. Maar ik voelde geen angst, ik was veeleer boos. Maar er was iets met die man, hoe hij daar stond, hoe hij zijn hoofd liet hangen; er hing een zekere droefheid over hem, over zijn gezicht, een zeker verdriet. Ik dacht bij mezelf dat die man zich vast niet goed voelde. Hij kan zich niet goed voelen. Had hij contact met zijn vader? Weet je dat?"

"Ik weet eigenlijk helemaal niet of deze man wel bestaat", zei Erlendur. "Wat jij gezien hebt, ondersteunt een bepaalde theorie. We hebben geen aanwijzingen over deze man. Er zijn geen foto's van zijn confirmatie bij Holberg thuis gevonden als je dat soms bedoelt. Aan de andere kant werd Holberg kort voor hij vermoord werd een paar maal thuis opgebeld en dat bracht hem van zijn stuk. Meer weten we niet."

Erlendur had zijn mobiele telefoon uit zijn zak gehaald en vroeg Elín of ze hem even wilde verontschuldigen.

"Nog nieuws?" vroeg hij toen Sigurður Óli antwoordde.

"Waar heb je ons goddomme op gezet!" schreeuwde Sigurður Óli en het was duidelijk dat hij woedend was. "Ze stuitten op de rioolbuis en daar krioelde het van het meest smerige ongedierte, miljoenen kleine, weerzinwekkende insecten onder die verdomde vloer. Het is weerzinwekkend. Waar voor de donder ben je?"

"In Keflavík. Al een spoor van Grétar?"

"Nee, verdomme geen enkel spoor van die klootzak van een Grétar", zei Sigurður Óli en hij verbrak de verbinding.

"Er is nog iets, Erlendur", zei Elín, "iets waaraan ik nu pas denk, nu je het over de verwantschap met Auður hebt. Ik begrijp nu dat ik het goed heb gezien. Ik kon het daarnet niet begrijpen, maar er was nog iets in het voorkomen van die man waarvan ik gedacht had dat ik het nooit meer zou zien. Het was een beeld uit het verleden dat ik nooit vergeten ben."

"Wat was dat?" vroeg Erlendur.

"Dat was de reden waarom ik niet bang van de man was."

"Wat was er dan met die man?"

"Ik realiseerde het me niet. Hij deed me ook aan Auður denken. Er was iets aan hem dat me aan haar deed denken."

29

Sigurður Óli stopte zijn mobiele telefoon in het etui aan zijn riem en liep weer naar het huis. Hij was met enkele andere politiemannen binnen geweest toen de boor door de vloer heen drong en er zo'n vreselijke stank uit het gat opsteeg dat hij begon te kokhalzen. Net als de anderen daarbinnen vloog hij naar de deur, denkend dat hij zou moeten overgeven nog voor hij in de frisse lucht was. Toen ze weer naar beneden gingen hadden ze stofbrillen op en maskers voor hun gezicht maar de stank drong erdoorheen en was werkelijk afschuwelijk.

De man met de boor maakte het gat boven de gebroken rioolbuis groter. Toen hij eenmaal door de vloer heen was ging dat gemakkelijk. Sigurður Óli kon er zich geen voorstelling van maken hoeveel tijd er verlopen was sinds de buis was gebroken. Het leek hem dat de drek zich op een groot oppervlak onder de vloer had opgehoopt. Uit het gat steeg wat damp op. Hij liet het licht van zijn zaklantaarn over de smurrie spelen en voorzover hij het kon bekijken was de bodem onder de fundering minstens een halve meter verzakt.

De smurrie leek wel een levende massa, geheel overdekt met kleine zwarte insecten. Hij schoot naar achteren toen hij een of ander beest voor zijn lichtbundel zag wegschieten.

"Opgepast!" riep hij en hij ging er als een haas vandoor. "Er zitten ratten onder die rotzooi. Maak het gat dicht en roep de Ongediertebestrijding. We houden hier op. We houden onmiddellijk op!"

Niemand sprak hem tegen. Iemand legde een zeil over het gat in de grond en het souterrain was in een mum van tijd leeg. Sigurður Óli trok zijn masker af zodra hij boven was en zoog de frisse lucht gulzig in. De anderen deden hetzelfde.

Erlendur hoorde op de weg terug uit Keflavík over het verloop van het onderzoek. Er was iemand van de dienst Ongediertebestrijding bij geroepen en verder zou er niets meer in het huis gedaan worden voor de volgende ochtend, als alles wat er op de grond onder de vloer leefde vernietigd was. Sigurður Óli was naar huis gegaan en kwam net uit de douche toen Erlendur hem belde en het nieuws te horen kreeg. Ook Elínborg was naar huis gegaan. Het huis van Holberg werd bewaakt terwijl de man van de bestrijdingsdienst er zijn werk deed. Twee politieauto's stonden de hele nacht voor het huis.

Eva Lind liep haar vader tegemoet toen hij thuiskwam. Het was al over negenen. De bruid was verdwenen. Ze had voor ze vertrok tegen Eva Lind gezegd dat ze met haar echtgenoot wilde praten om te horen wat hij zou zeggen. Ze wist niet zeker of ze hem zou vertellen waarom ze echt van haar bruiloft was weggelopen. Eva Lind had haar dat met klem aangeraden, haar gezegd dat ze die schoft van een vader van haar niet moest sparen, dat was wel het laatste wat ze moest doen, hem sparen.

Ze gingen in de kamer zitten. Erlendur vertelde Eva Lind in grote lijnen over het moordonderzoek, waarheen het hem had gevoerd en wat er nu zoal door zijn hoofd speelde. Hij deed dat niet in de laatste plaats om zelf beter zicht op de zaak te krijgen, een helderder beeld van wat er de laatste dagen gebeurd was. Hij vertelde haar bijna alles vanaf het moment dat ze het lijk van Holberg in het souterrain hadden aangetroffen, over de vieze lucht in zijn woning, over de boodschap, de oude foto in het bureau, de porno in de computer, de tekst op de grafsteen, over Kolbrún en haar zus Elín, Auður en haar onverklaarde dood, over de droom die hij telkens weer had, over Elliði in de gevangenis en de verdwijning van Grétar, over Marion Briem, de zoektocht naar Holbergs andere slachtoffer en de man voor het huis van Elín, misschien wel een zoon van Holberg. Hij probeerde zijn verhaal goed te ordenen en bediscussieerde met zichzelf de verschillende theorieën en dingen die niet helemaal klopten tot hij niet verder kwam en zijn mond hield.

Hij vertelde Eva Lind niet dat de hersenen van het kind ontbraken. Hij had er nog geen notie van hoe het daarmee zat.

Eva Lind luisterde naar hem zonder hem in de rede te vallen en het viel haar op dat hij tijdens zijn verhaal met zijn hand over zijn borst zat te wrijven. Ze voelde hoeveel invloed de zaak-Holberg op hem had. Ze voelde een soort moedeloosheid in hem die ze nooit eerder had opgemerkt. Ze voelde de vermoeidheid in hem toen hij over het kleine meisje vertelde. Het was net of hij daarbij in zichzelf keerde, zijn stem zakte weg en hij leek mijlenver weg.

"Is Auður het meisje over wie je me vertelde toen je vanochtend tegen me stond te schreeuwen?" vroeg Eva Lind.

"Ze was, hoe zal ik het zeggen, misschien een soort godsgeschenk voor haar moeder. Bemind tot in de eeuwigheid. Vergeef me dat ik lelijk tegen je gedaan heb. Dat wilde ik niet, maar als ik zie hoe jij leeft, als ik zie hoe slecht je voor jezelf zorgt en hoe weinig gevoel van eigenwaarde je hebt, als ik die destructiviteit zie, alles wat jij jezelf aandoet, en als ik dan kijk naar zo'n kleine kist die uit de grond omhoog komt, dan begrijp ik nergens meer iets van. Dan begrijp ik niet wat er gebeurt en dan heb ik zin om ...”

Erlendur zweeg.

“... me verrot te slaan”, maakte Eva Lind de zin af.

Erlendur haalde zijn schouders op.

“Ik weet niet wat ik wil doen. Misschien is het maar het beste om helemaal niets te doen. Het leven zijn gang te laten gaan. Dit allemaal te vergeten. Iets verstandigs te gaan doen. Waarom zou een mens zich met zoiets willen bezighouden. Met al die rottigheid. Praten met mensen als Elliði. Overeenkomsten sluiten met uitschot als Eddi. Zien waar mensen als Holberg zich mee amuseren. Rapporten over verkrachtingen lezen. Onder huizen graven in de drek en het ongedierte. Kleine kistjes opgraven.”

Erlendur wreef steeds sneller over zijn borst.

“Je denkt dat het geen invloed op je heeft. Je denkt dat je sterk genoeg bent om zulke dingen te verdragen. Je denkt dat je jezelf er in de loop van de jaren tegen pantsert en vanuit de verte naar al die smerigheid kunt kijken alsof je er niets mee te maken hebt en op die manier kunt proberen om niet gek te worden. Maar er is geen afstand. En er is geen pantser. Niemand is sterk genoeg. De walging bezoekt je als een boze geest die zich in je gedachten vestigt en je niet met rust laat totdat je het gevoel hebt dat de smerigheid het leven zelf is, omdat je vergeten bent hoe gewone mensen leven. Zo is deze zaak. Als een boze geest die losgelaten is om in je hoofd tekeer te gaan en je uiteindelijk kapot te maken.”

Erlendur zuchtte zwaar.

“Het is verdomme één groot stinkend moeras.”

Hij zweeg en Eva Lind zat stilletjes bij hem.

Zo verliep er een tijdje en toen stond ze op, kwam naast haar vader zitten, sloeg haar armen om hem heen en kroop dicht tegen hem aan. Ze hoorde zijn hart regelmatig kloppen als een rustgevende klok en sliep ten slotte in met een lachje op haar gezicht.

30

Rond negen uur de volgende ochtend kwamen de mensen van de Technische Dienst en de rechercheurs weer bij het huis van Holberg bijeen. Hoewel het al tegen de middag liep, was het daglicht al op zijn retour, de hemel was zwaarbewolkt en het regende nog steeds. Op de radio werd erover gesproken dat de neerslag in Reykjavík in oktober in de buurt kwam van die in het recordjaar 1926.

De rioolbuis was schoongemaakt en op de grond kroop niets levends meer rond. Het gat in de vloer was groter gemaakt zodat er nu twee man tegelijk door naar beneden konden. De huiseigenaren stonden op een kluitje buiten voor de deur van het souterrain. Ze hadden een loodgieter besteld om de buis te repareren en konden hem roepen zodra de politie daar toestemming voor gaf.

Algauw kwam aan het licht dat de holle ruimte bij de wc-buis betrekkelijk klein was. Hij was ongeveer drie vierkante meter en afgesloten, omdat de grond onder de vloer niet overal verzakt was. De buis was op dezelfde plaats als vroeger gebroken. De oude reparatie was nog te zien en onder de buis lag een ander soort grond dan eromheen. De technische mensen overlegden of ze het gat nog wat groter zouden maken, dan de losse kiezelgrond onder de fundering weg zouden graven en alles leegmaken tot de hele ruimte onder de funderingsplaat goed te zien was. Na enig heen en weer gepraat kwamen ze tot de conclusie dat de funderingsplaat zou kunnen breken als de ondergrond in zijn geheel werd weggehaald en ze besloten een veiliger en technischer methode toe te passen, hier en daar een gaatje in de vloer te boren en een kleine camera door die gaten naar beneden te laten zakken.

Ze heten niet voor niets Technische Dienst, dacht Sigurður Óli bij zichzelf.

Hij bleef staan kijken toen ze begonnen gaten in de vloer te boren en daarna twee kleine televisieschermen opstelden die verbonden waren met de twee camera's waarover de Technische Dienst beschikte. De camera's waren niet veel meer dan een buis met een lamp erop die door de gaten gestoken kon worden en op afstand bediend werd. Ze boorden op de plekken waarvan men aannam dat er een holle ruimte onder zat, duwden dan de camera's door het gat en zetten de twee tv-schermen aan. Het beeld dat verscheen was zwart-wit en naar het oordeel van Sigurður Óli heel erg onduidelijk. Zelf bezat hij een televisietoestel van Duitse makelij van een half miljoen kronen.

Erlendur kwam het souterrain binnen ongeveer op het moment dat ze begonnen waren met behulp van de camera's te zoeken en korte tijd later verscheen Elínborg ter plekke. Het viel Sigurður Óli op dat Erlendur zich geschoren had en andere, schone kleren had aangetrokken, die er volgens hem bijna gestreken uitzagen.

"Al iets te melden?" vroeg Erlendur. Tot grote ergernis van Sigurður Óli stak hij een sigaret op.

"Ze gaan met camera's zoeken", zei Sigurður Óli. "We kunnen meekijken op het televisiescherm."

"Niets bij het riool?" zei Erlendur, de rook inhalerend.

"Insecten en ratten, verder niets."

"Wat een smerige stank hierbinnen!", zei Elínborg. Ze had een geparfumeerd zakdoekje uit haar tas gepakt. Erlendur bood haar een sigaret aan maar ze bedankte.

"Holberg kan het gat dat de loodgieter gemaakt had gebruikt hebben om Grétar in de grond te stoppen", zei Erlendur. "Hij heeft de holle ruimte die onder de vloer ontstaan was, gezien en toen de kiezelgrond zo goed en zo kwaad als het ging verplaatst tot hij Grétar daar onder de grond had waar hij hem hebben wilde."

Ze gingen met zijn allen voor het scherm staan maar begrepen niet veel van wat ze zagen. Een kleine lichtbundel gleed van voren naar achteren, van boven naar beneden en naar opzij. Soms dachten ze dat ze iets van de fundering zagen en soms leek het of ze naar de kiezelgrond keken. Er was veel verschil in de mate waarin de bodem was verzakt. Op sommige plaatsen lag hij vrijwel helemaal tegen de fundering aan en op andere plaatsen was er tot tachtig centimeter afstand tussen huisvloer en bodem.

Ze stonden een tijdje met de camera's mee te kijken. Er was veel lawaai in de kelder want er werden telkens nieuwe gaten geboord en algauw verloor Erlendur zijn geduld en ging naar buiten. Elínborg volgde al spoedig en ten slotte kwam ook Sigurður Óli. Ze gingen met zijn drieën in de auto van Erlendur zitten. Hij had hun de vorige avond verteld waarom hij zo plotseling van het toneel verdwenen was en naar Keflavík was gegaan, maar ze hadden nog geen tijd gehad om daar verder met elkaar over te praten.

"Het klopt natuurlijk aardig met de boodschap die in Noorderveen werd achtergelaten. En als de man die Elín in Keflavík gezien heeft zoveel op Holberg lijkt, dan past dat aardig bij de theorie dat er nog een kind van hem is."

"Het hoeft niet per se zo te zijn dat Holberg na een verkrachting een zoon gekregen heeft", zei Sigurður Óli. "We beschikken in feite over niets dat die theorie ondersteunt behalve dat Elliði iets over een andere vrouw wist. Dat is alles. En Elliði is natuurlijk een idioot."

"Geen van de mensen met wie we hebben gepraat, die Holberg kende, heeft gezegd dat hij een zoon had", zei Elínborg.

"Geen van de mensen met wie we hebben gepraat, kende Holberg", zei Sigurður Óli. "Zo zit dat. Hij was een eenling, ging met een paar collega's om, verzamelde porno op het net, trok op met idioten als Elliði en Grétar. Niemand weet iets over deze man."

"Zullen we de onzichtbare man laten omroepen?" vroeg Elínborg en er verscheen een plagerig lichtje in haar ogen. "Een jeugdfoto van Holberg gebruiken, een beeldje van hem maken en dat aan de media toesturen?"

"Waar ik aan zit te denken", zei Erlendur die niet naar de grapjes van Elínborg luisterde, "is het volgende. Als er een zoon van Holberg bestaat, hoe weet hij dan van het bestaan van Elín, de tante van Auður? Weet hij dan ook niet van Auður, die zijn zusje was? En als hij weet van Elín, dan neem ik aan dat hij ook weet van Kolbrún en de verkrachting en ik snap absoluut niet hoe. In de media zijn geen details van het onderzoek bekendgemaakt. Waar heeft hij zijn inlichtingen van-daan?"

"Heeft hij die niet uit Holberg gekregen voor hij hem koud maakte?" zei Sigurður Óli. "Is dat niet waarschijnlijk?"

"Misschien heeft hij het door marteling uit hem gekregen", zei Elínborg.

"Om te beginnen weten we niet of de man bestaat", zei Erlendur. "Elín was erg opgewonden. We weten helemaal niet of hij Holberg heeft koud gemaakt. Ook niet of hij überhaupt van het bestaan van zijn vader heeft afgeweten als hij onder deze omstandigheden, door verkrachting, verwekt is. Elliði zegt dat er vóór Kolbrún een vrouw geweest is die dezelfde behandeling kreeg als zij, misschien zelfs een ergere. Als daar een kind van gekomen is, dan betwijfel ik of de moe-der er veel zin in heeft gehad om over de vader te vertellen. Ze heeft de politie niet gemeld wat er gebeurd was. We hebben niets over andere verkrachtingen van Holberg in onze archieven. We moeten die vrouw nog vinden, als ze tenminste bestaat ..."

"En wij zijn vloeren aan het openbreken op zoek naar een man die waarschijnlijk niets met de zaak te maken heeft", zei Sigurður Óli.

"Wat voor vervloekte grappenmakerij is dit eigenlijk zo ineens?" zei Erlendur en zijn stem schoot omhoog. "Is het verdomme misschien mogelijk om één zin uit jullie te krijgen die niet vreselijk leuk is?"

"Misschien ligt Grétar wel niet hier onder de vloer", zei Elínborg.

"Hoezo?" vroeg Erlendur.

"Hij leeft misschien nog, bedoel je dat?" zei Sigurður Óli.

"Hij wist alles van Holberg, stel ik me zo voor", zei Elínborg. "Hij wist van de dochter, anders had hij geen foto van haar graf gemaakt. Hij wist ongetwijfeld hoe ze verwekt was. Als Holberg nog een kind gekregen heeft, een zoon, dan heeft hij ook van diens bestaan geweten."

Erlendur en Sigurður Óli keken met toenemende belangstelling naar haar.

"Misschien is Grétar nog onder ons", ging ze verder, "en staat hij met de zoon in verbinding. Dat kan misschien verklaren hoe de man van Elín en Auður weet."

"Maar Grétar verdween een kwart eeuw geleden en sindsdien is er niets meer van hem vernomen", zei Sigurður Óli.

"Ook al is hij verdwenen, dan betekent dat niet zonder meer dat hij dood is", zei Elínborg.

"Zodat ..." begon Erlendur, maar Elínborg viel hem in de rede.

"Ik vind niet dat we Grétar moeten uitsluiten. Waarom zouden we geen rekening houden met de mogelijkheid dat hij nog leeft? Zijn lijk is nooit gevonden. Hij zou het land verlaten kunnen hebben. Misschien is hij gewoon ergens anders in het land gaan wonen, dat was genoeg voor hem. Niemand bemoeide zich met hem. Niemand miste hem."

"Ik kan me iets dergelijks niet herinneren", zei Erlendur.

"Wat?" vroeg Sigurður Óli.

"Dat iemand die verdwenen is een mensenleven later weer terugkomt. Verdwijningen hier te lande zijn in alle gevallen definitief. Er komt nooit iemand decennia later boven water."

Nooit.

31

Erlendur liet hen in Noorderveen achter en ging naar de Barónsstígur om de patholoog-anatoom te ontmoeten. Toen Erlendur naar hem toe kwam was hij net met het onderzoek van Holberg klaar en dekte het lijk toe. De aardse resten van Auður waren nergens te zien.

"Heb je de hersens van het meisje al gevonden?" viel de arts met de deur in huis toen Erlendur bij hem binnenkwam.

"Nee", zei Erlendur.

"Ik heb met een hoogleraar gesproken, een oude vriendin van mij aan de universiteit, en haar dit geval uitgelegd, ik hoop dat dat in orde was, en zij was in het geheel niet verbaasd over dat ontdekkinkje van ons. Heb je dat verhaal van Halldór Laxness gelezen?"

"Over Nebucadnezar? Dat verhaal is me de laatste dagen wel eens voor de geest gekomen", zei Erlendur.

"Heet het niet *Lilja*? Het is lang geleden dat ik het las, maar het gaat over medicijnenstudenten die een lijk stalen en stenen in de kist stopten en dat is in grote lijnen ook wat er hier aan de hand is. Vroeger werd er in feite helemaal niet op gelet, precies zoals het verhaal vertelt. Op mensen die in het ziekenhuis stierven werd sectie verricht, tenzij het verboden werd, en de sectie werd gebruikt, vanzelfsprekend voor onderwijsdoeleinden. Soms werden delen van het lijk weggenomen en dat kon eigenlijk van alles zijn, van hele organen tot kleine stukjes weefsel. Daarna werd alles bij elkaar gepakt en dan werd de betreffende persoon passend begraven. Tegenwoordig gaat dit allemaal wat anders. Er wordt niet langer sectie verricht tenzij met toestemming van de nabestaanden en er worden geen organen ten behoeve van het onderwijs of onderzoek weggenomen tenzij aan bepaalde voorwaarden is voldaan. Ik denk niet dat er ooit nog iets gestolen wordt."

"Je denkt van niet?"

De arts haalde zijn schouders op.

"We hebben het toch niet over orgaandonatie, of wel?" zei Erlendur.

"Dat is een heel andere zaak. Mensen zijn over het algemeen bereid om anderen te helpen als het leven ervan afhangt."

"En waar is de organencollectie?"

"Er zijn duizenden specimina hier in huis", zei de patholoog-anatoom. "Hier op de Barónsstígur. Het grootste gedeelte van de collectie is de zogenaamde Dungals-collectie. Dat is de grootste collectie organen en dergelijke hier te lande."

"Kun je me die laten zien?" vroeg Erlendur. "Heb je een lijst over de herkomst van de specimina?"

"Het is allemaal zorgvuldig beschreven. Ik ben zo vrij geweest om na te gaan of ons specimen erbij was maar kon het niet vinden."

"Waar is het dan?"

"Je moet maar eens met de hoogleraar gaan praten en horen wat zij te zeggen heeft. Ik denk dat er ook wat lijsten in de universiteit zijn."

"Waarom heb je me dit niet meteen gezegd?" vroeg Erlendur. "Toen je ontdekte dat ze de hersens hadden weggenomen? Je wist dit toch?"

"Praat eerst maar eens met haar en kom dan terug. Ik heb waarschijnlijk toch al te veel gezegd."

"Zijn de lijsten over de collectie in de universiteit?" vroeg Erlendur.

"Voorzover ik weet wel", zei de patholoog-anatoom, en hij gaf Erlendur de naam van de hoogleraar en zei dat hij hem met rust moest laten.

"Je kent het Glaspaleis dus", zei Erlendur.

"Ze noemden een van de vertrekken hier het Glaspaleis", zei de arts. "Het is nu gesloten. Vraag me niet wat er met de glazen flessen gebeurd is, daar heb ik geen idee van."

"Vind je het vervelend om hierover te praten?"

"Hou alsjeblieft op."

"Wat?"

"Hou op!"

De hoogleraar, decaan van de Medische Faculteit van de universiteit van IJsland, heette Hanna en staarde over haar bureau naar Erlendur of hij een kwaadaardig gezwel was dat ze zo snel mogelijk uit haar kamer moest verwijderen. Ze was iets jonger dan Erlendur, zeer vitaal, sprak snel en antwoordde snel, leek geen kletspraatjes of onnodige omwegen te dulden. Ze vroeg hem nogal onbehouwen om tot de zaak te komen toen Erlendur aan een lang verhaal begonnen was om uit te leggen waarom hij nu in haar kamer zat. Erlendur glimlachte bij zichzelf. Hij mocht haar meteen en wist dat ze nog voor ze uit elkaar gingen als hond en kat met elkaar zouden vechten. Ze had een donker mantelpak aan, was gezet, niet opgemaakt, met kortgeknipt blond haar, een paar stevige handen, een ernstig en zelfbewust gezicht.

Erlendur had haar wel eens willen zien glimlachen. Zijn wens ging niet in vervulling.

Hij stoorde haar bij haar college, klopte naïef op de deur van de collegezaal om naar haar te vragen. Ze kwam naar de deur en vroeg hem of hij zo vriendelijk wilde zijn om te wachten tot het college was afgelopen. Erlendur stond een kwartier lang als een stout jochie op de gang voor de deur openvloog. Hanna beende langs hem de gang in en zei dat hij mee moest komen. Hij had er zijn handen vol aan. Het leek wel of zij twee stappen deed tegen hij één.

"Ik snap niet wat de recherche van me wil", zei ze voortjakkerend en ze draaide haar hoofd naar Erlendur om, als om zich ervan te vergewissen dat hij haar bijhield.

"Dat komt aan het licht", zei Erlendur hijgend.

"Dat zullen we tenminste hopen", zei Hanna en liet hem haar kamer binnen. .

Toen Erlendur haar vertelde waar hij voor kwam, zat ze lange tijd na te denken. Het was hem gelukt haar af te remmen door het verhaal over Auður en haar moeder, de sectie, de vaststelling van de ziekte en de verwijderde hersens.

"Waar zeg je dat het meisje was opgenomen?" vroeg ze eindelijk.

"In het ziekenhuis van Keflavík. Hoe verschaffen jullie je organen voor het onderwijs?"

Hanna staarde Erlendur aan.

"Ik begrijp niet waar je naartoe wilt."

"Jullie gebruiken menselijke organen bij het onderwijs", zei Erlendur. "Jullie noemen ze waarschijnlijk 'specimina', ik ben geen specialist op dat gebied, maar de vraag is heel eenvoudig: waar halen jullie ze vandaan?"

"Ik denk niet dat ik je daar iets over hoef te vertellen", zei ze en begon papieren op haar bureau te schikken alsof ze het te druk had om zich behoorlijk met Erlendur bezig te houden.

"Het is heel belangrijk voor ons", zei Erlendur, "voor ons bij de politie, om erachter te komen of de hersenen van het meisje er nog zijn. Dat zou bij jullie op een lijst aangetekend kunnen staan. Ze werden indertijd onderzocht maar niet op hun plaats teruggezet. Misschien is er een heel natuurlijke verklaring voor. Er is tijd nodig geweest om de tumor te onderzoeken en ook heeft men de dode willen begraven. De universiteit en de ziekenhuizen komen als eerste in aanmerking als bewaarplaats van organen. Je kunt je nu wel in stilzwijgen hullen, maar ik kan zo het een en ander doen om het jou, de universiteit en de ziekenhuizen moeilijk te maken. Het is echt verbazingwekkend hoe loslippig iemand soms tegenover de media kan zijn als je bedenkt hoe vervelend die kunnen zijn."

Hanna wierp een lange blik op Erlendur die onbewogen terug-staarde.

"Een vliegende kraai", zei ze ten slotte.

"Vangt altijd wat", maakte Erlendur de zin af.

"Dat was in feite de enige regel in deze zaken maar daar kan ik tegen jou niets over zeggen, zoals je je misschien zult kunnen voorstellen. Deze zaken liggen heel erg gevoelig."

"Ik ben dit niet aan het onderzoeken als een misdaad", zei Erlendur. "Ik weet niet eens of er wel sprake is geweest van diefstal van organen. Wat jullie met dode mensen doen gaat mij niet aan zolang het binnen bepaalde grenzen blijft."

Hanna's gelaatsuitdrukking werd nog onverzettelijker.

"Als dit iets is dat noodzakelijk is voor de geneeskunde, dan kan het ongetwijfeld tegenover de een of ander verantwoord worden. Ik moet een bepaald orgaan uit een bepaald individu vinden om het opnieuw te laten onderzoeken, en als het mogelijk is om na te gaan waar het gebleven is vanaf het moment dat het weggenomen werd tot op de dag van vandaag, dan zou ik bijzonder dankbaar zijn. Het zijn privé-inlichtingen voor mezelf."

"Hoe bedoel je, privé-inlichtingen?"

"Ik heb er geen behoefte aan om dit allemaal verder te vertellen. Als het mogelijk is willen we het orgaan terug. Waar ik over zat te denken was of het niet voldoende was geweest om een stukje weefsel weg te nemen, of het noodzakelijk was om het hele orgaan te verwijderen."

"Ik ken natuurlijk het speciale geval waar jij het over hebt niet, maar er gelden tegenwoordig strengere regels voor sectie dan in vroeger tijd", zei Hanna na enig nadenken. "Als het een geval uit de jaren zestig is, dan kan zoiets gebeurd zijn, dat valt niet te ontkennen. Je zegt dat er tegen de wil van de moeder sectie op het meisje is verricht. Dat is helaas geen uitzondering. Heden ten dage vraagt men de nabestaanden onmiddellijk na een sterfgeval of er sectie verricht mag worden. Ik denk dat ik zonder meer kan zeggen dat hun wensen in geval van weigering worden gerespecteerd, tenzij bij zeer hoge uitzondering. Dat is hier het geval geweest. De dood van een kind is het vreselijkste dat een mens kan overkomen. Het is ondoenlijk om het verdriet te beschrijven waardoor mensen die een kind verliezen overmand worden, en in zulke gevallen kan een verzoek om sectie te mogen verrichten heel pijnlijk zijn."

Hanna zweeg.

"Sommige gegevens hebben we in onze computers opgeslagen", zei ze toen, "en andere gegevens zitten in een archief dat we hier in het

gebouw hebben. Hierover worden tamelijk nauwkeurige gegevens-
bestanden bijgehouden. De grootste collectie organen die de ziekenhuizen bezitten, bevindt zich op de Barónsstígur. Je moet je realiseren
dat maar een zeer klein deel van het onderwijs in de medicijnen hier
op het terrein van de universiteit wordt gegeven. De studie vindt
plaats in de ziekenhuizen. Daar wordt de kennis vandaan gehaald."

"De patholoog-anatoom wilde me de organencollectie niet laten
zien", zei Erlendur. "Wilde dat ik eerst met jou sprak. Heeft de
universiteit hier iets over te zeggen?"

"Kom mee", zei Hanna zonder zijn vraag te beantwoorden. "We
zullen zien wat er in de computers te vinden is."

Ze stond op en Erlendur ging achter haar aan. Met haar sleutels
opende ze een ruim vertrek en tikte een code in op het paneel van een
alarminstallatie die naast de deur aan de muur hing. Ze ging naar een
bureau en zette een computer aan. Erlendur keek ondertussen rond.
De kamer had geen ramen en archiefkasten stonden in rijen haaks op
de muren. Hanna vroeg naar de naam en de sterfdag van Auður en
tikte ze in.

"Hier is het niet", zei ze nadenkend, op het scherm turend. "De
computerregistratie gaat niet verder terug dan tot 1984. We zijn ermee
bezig om alle inlichtingen vanaf de oprichting van de medische faculteit in de computer in te voeren, maar de registratie is nog niet verder
gekomen."

"De kasten zijn er ook nog", zei Erlendur.

"Ik heb hier eigenlijk geen tijd voor", zei Hanna, op de klok
kijkend. "Ik hoor alweer in de collegezaal terug te zijn."

Ze liep naar Erlendur toe en keek snel rond, liep tussen de archiefkasten door en las wat erop stond. Hier en daar trok ze een lade open
en bladerde door de mappen, dan duwde ze de lade weer snel dicht.
Voorzover Erlendur kon zien was alles op alfabet in de laden ondergebracht, maar hij had er geen idee van wat er precies in zat.

"Hebben jullie ook ziektedossiers hierbinnen?" vroeg hij.

Hanna zuchtte diep.

"Vertel me niet dat je van de Computercommissie bent", zei ze
stroef terwijl ze weer een lade dichtgooide.

"Het was maar een vraag", zei Erlendur.

Hanna pakte een rapport op en wierp er een blik op.

"Hier staat iets over het nemen van weefselproeven", zei ze.
"1968. Hier staan een paar namen. Niets waar jij belangstelling voor
hebt." Ze zette het rapport weer in de kast, gooide de lade dicht en
trok een andere uit. "Hier zijn er nog meer", zei ze. "Wacht eens

even. Hier is de meisjesnaam Auður en die van haar moeder. Hier is het."

Hanna las het rapport snel door.

"Eén orgaan verwijderd", zei ze als bij zichzelf. "Weggenomen in Keflavík. Toestemming van de nabestaanden ... is er niet. Er staat niets over vernietiging van het orgaan."

Hanna sloot de map.

"Ze zijn er niet meer."

"Mag ik het zien?" vroeg Erlendur. Hij deed geen moeite zijn opwinding te verbergen.

"Je wordt hier niets wijzer van", zei Hanna, stopte de map weer in de la en deed de lade dicht. "Ik heb je verteld wat je weten moet."

"Wat staat er? Wat verberg je voor me?"

"Niets", zei Hanna, "en nu moet ik weer college gaan geven."

"Dan haal ik nu een gerechtelijk bevel en kom later op de dag terug en dan is het maar beter als dit rapport nog op zijn plaats is", zei Erlendur en hij liep naar de deur toe. Hanna keek hem na.

"Beloof je me dat de inlichtingen die je hier krijgt niet verder komen?" vroeg ze toen Erlendur de deur had geopend en de kamer uit liep.

"Dat had ik je al gezegd. Dit zijn inlichtingen voor mijzelf", zei Erlendur.

"Bekijk het dan maar", zei Hanna. Ze deed de kast weer open en reikte hem de map aan.

Erlendur deed de deur dicht, pakte de map aan en verzonk in de lectuur ervan. Hanna pakte een pakje sigaretten en stak er een op terwijl ze wachtte tot Erlendur was uitgelezen. Ze sloeg geen acht op het bordje waarop stond dat roken in dit vertrek verboden was en algauw stond het vol rook.

"Wie is Eydal?"

"Een van onze beste wetenschappers op het gebied van de medicijnen."

"Wat was het in deze map dat je me niet wilde laten zien? Mag ik niet met die man praten?"

Hanna gaf geen antwoord.

"Wat speelt hier eigenlijk?" vroeg Erlendur.

Hanna kreunde.

"Voorzover ik weet heeft hijzelf een kleine collectie organen", zei ze ten slotte.

"Verzamelt die man organen?" vroeg Erlendur.

"Hij heeft er een paar, een kleine collectie."

"Een organenverzamelaar?"

"Dit is het enige dat ik weet", zei Hanna.

"Dan is het dus denkbaar dat hij de hersenen in zijn bezit heeft", zei Erlendur. "Hier staat dat hij iets van haar voor nader onderzoek heeft meegekregen. Is dit problematisch voor jullie?"

"Hij is een van onze meest vooraanstaande wetenschappers", zei ze nogmaals, met een verbeten gezicht.

"Hij bewaart de hersenen van een vier jaar oud meisje thuis bij zich op de schoorsteen", schreeuwde Erlendur.

"Ik verwacht niet dat je wetenschappelijk werk begrijpt", zei ze.

"Wat valt hieraan te begrijpen?"

"Ik had je hier nooit binnen moeten laten", siste Hanna.

"Dat heb ik al eens eerder gehoord", zei Erlendur.

32

Elínborg vond de vrouw uit Húsavík.

Ze moest nog twee namen op haar lijst afwerken en liet Sigurður Óli in Noorderveen achter bij de mensen van de Technische Dienst. De eerste vrouw toonde de reacties die ze al zo vaak gekregen had, grote maar op de een of andere manier bestudeerde verbazing, had het verhaal al ergens anders gehoord, waarschijnlijk zelfs meerdere malen. Zei dat ze om de waarheid te zeggen de politie al verwacht had. De tweede vrouw, de laatste op Elínborgs lijst, wilde niet met haar praten. Weigerde haar binnen te laten. Zei dat ze niet wist waar ze het over had en dat ze haar niet kon helpen.

Maar de vrouw leek op de een of andere manier te aarzelen. Het was net of ze al haar krachten moest inspannen om te zeggen wat ze wilde zeggen en Elínborg vond dat het leek of ze een rol had ingestudeerd. Ze gedroeg zich alsof ze haar verwacht had, maar in tegenstelling tot de anderen wilde ze niets weten, wilde haar meteen kwijt zien te raken.

Elínborg was ervan overtuigd dat ze de vrouw gevonden had naar wie ze op zoek waren. Ze keek weer in haar papieren. De vrouw heette Katrín en was afdelingshoofd bij de Bibliotheek van Reykjavík. Getrouwd. Haar man was manager bij een groot reclamebureau. Ze was zestig jaar oud, drie kinderen, zonen, geboren tussen 1958 en 1962. Ze was in dat jaar uit Húsavík weggegaan en had sindsdien altijd in Reykjavík gewoond.

Elínborg belde opnieuw aan.

"Ik denk dat je met me zou moeten praten", zei ze toen Katrín de deur weer opendeed.

De vrouw keek haar aan.

"Ik kan jullie nergens mee helpen", zei ze meteen op buitengewoon scherpe toon. "Ik weet waar het over gaat. Ik heb van die vreselijke telefoontjes gehad. Maar van een verkrachting weet ik niets af. Hopelijk ben je hier tevreden mee. Val me niet nog eens lastig."

Ze wilde de deur weer dichtdoen.

"Ik zou hier misschien wel tevreden mee zijn, maar een man die Erlendur heet, die de moord op Holberg onderzoekt, misschien heb je er iets over gehoord, die zal hier niet tevreden mee zijn. De volgende keer dat je de deur opendoet staat hij hier en hij gaat niet weg. Hij laat de deur niet voor zijn neus dichtdoen. Hij kan je als dat noodzakelijk is naar het bureau laten komen."

"Wil je me alsjeblieft met rust laten", zei Katrín, en de deur viel dicht.

Kon ik dat maar, dacht Elínborg oprecht. Ze pakte haar mobiele telefoon en belde Erlendur die net uit de universiteit kwam. Elínborg legde hem de situatie uit en hij zei dat hij over tien minuten bij haar zou zijn.

Toen hij bij het huis van Katrín aankwam zag hij Elínborg nergens buiten staan, maar hij herkende haar auto op de parkeerplaats. Het huis was een grote eengezinswoning in de wijk Vogar, met twee verdiepingen en een dubbele garage. Hij drukte op de bel en tot zijn verbazing kwam Elínborg naar de deur.

"Ik denk dat ik de vrouw gevonden heb", zei ze zachtjes terwijl ze Erlendur binnenliet. "Ze kwam daarnet naar buiten en vroeg me binnen te komen, excuseerde zich voor haar gedrag. Ze wilde liever hier met ons praten dan op het bureau. Had de verhalen over de verkrachting gehoord en verwachtte ons al."

Elínborg ging Erlendur voor naar binnen, de kamer in waar Katrín stond. Ze gaf hem een hand en probeerde te glimlachen maar dat lukte niet al te goed. Ze was smaakvol gekleed, in een grijze rok en een witte blouse, had glad, donker haar dat tot op haar schouders viel, met een scheiding opzij. Ze was groot, had slanke benen en smalle schouders, en een mooi gezicht waarop een zachte en bezorgde uitdrukking lag.

Erlendur keek de kamer rond. Opvallend waren de boeken in gesloten kasten met glazen deuren. Bij een van de boekenkasten stond een mooie lessenaar, in het midden van de kamer stond een oud maar goed onderhouden leren bankstel, in een van de hoeken een rooktafel. Schilderijen aan de muren. Kleine aquarellen in mooie lijsten, foto's van haar gezin. Hij keek er wat beter naar. Het waren allemaal oude foto's. De drie jongens met hun ouders. De meest recente waren uit de tijd van hun confirmatie. Ze leken geen eindexamen gedaan te hebben, afgestudeerd te zijn of getrouwd.

"We zijn van plan om kleiner te gaan wonen", zei Katrín enigszins verontschuldigend toen ze Erlendur rond zag kijken. "Het is veel en veel te groot voor ons geworden, dit huis."

Erlendur knikte.

"Is je man ook thuis?"

"Albert komt pas vanavond laat thuis. Hij is in het buitenland. Ik hoopte dat we hierover konden praten voor hij thuiskomt."

"Zullen we niet gaan zitten?" zei Elínborg. Katrín verontschuldigde zich voor haar onbeleefdheid en vroeg hen om te gaan zitten. Ze ging alleen op de bank zitten en Elínborg en Erlendur zaten in de leren fauteuils tegenover haar.

"Wat willen jullie precies van mij?" vroeg Katrín, hen om beurten aankijkend. "Ik begrijp niet helemaal wat mijn rol in deze zaak is. De man is dood. Dat gaat mij niets aan."

"Holberg was een verkrachter", zei Erlendur. "Hij kreeg een dochter bij een vrouw uit Keflavík nadat hij haar verkracht had. Toen we hem gingen natrekken, werd ons verteld dat hij dit al eens eerder gedaan had en dat die andere vrouw uit Húsavík kwam en van ongeveer dezelfde leeftijd als zijn latere slachtoffer was. Het is mogelijk dat Holberg ook later nog vrouwen verkracht heeft, dat weten we niet, maar we moeten zijn slachtoffer uit Húsavík vinden. Holberg werd thuis vermoord en we hebben redenen om aan te nemen dat de verklaring voor de moord gezocht moet worden in het verleden van de man, hoe onaantrekkelijk dat ook is."

Erlendur en Elínborg merkten allebei dat het verhaal geen enkele indruk op Katrín leek te maken. Ze schrok niet bij het horen over de verkrachtingen van Holberg of over de dochter die hij kreeg en ze stelde ook geen vragen over de vrouw uit Keflavík of haar dochter. Erlendur nam het woord.

"Je schrikt helemaal niet van dit nieuws", zei hij.

"Nee", zei Katrín, "waarom zou ik ervan moeten schrikken?"

"Wat kan je ons over Holberg vertellen?" vroeg Erlendur na een korte stilte.

"Ik herkende hem onmiddellijk op de foto's in de kranten", zei Katrín en het laatste restje weerstand leek uit haar stem te verdwijnen. Haar woorden werden tot een fluistering. "Hij was wel heel erg veranderd", zei ze.

"We hadden die foto bij ons in het archief", zei Elínborg ter verklaring. "Hij kwam van een rijbewijs dat hij kort geleden vernieuwd had. Vrachtwagenchauffeur. Reed het hele land door."

"Tegen mij zei hij indertijd dat hij jurist in Reykjavík was."

"In die tijd werkte hij waarschijnlijk bij het Havenbedrijf", zei Erlendur.

"Ik was pas voor in de twintig. Albert en ik hadden twee kinderen toen dit gebeurde. We waren heel jong toen we gingen samenwonen. Albert was op zee. Dat gebeurde niet vaak. Hij had een kleine winkel en was verzekeringsagent."

"Weet hij wat er gebeurd is?" vroeg Erlendur.

Katrín aarzelde even.

"Nee, ik heb het hem nooit verteld. En ik zou het erg op prijs stellen als jullie dit tussen ons konden houden."

Ze zeiden niets.

"Heb je niemand verteld wat er gebeurd is?" vroeg Erlendur.

"Ik heb het aan niemand verteld." Ze zweeg.

Erlendur en Elínborg wachtten af.

"Ik geef mezelf er nog steeds de schuld van. Goeie god!" verzuchtte ze. "Ik weet dat dat niet juist is. Ik weet dat ik er niets aan kon doen. Er zijn veertig jaar verstreken en ik zit het mezelf nog te verwijten, hoewel ik weet dat ik dat niet moet doen. Veertig jaar!"

Ze wachtten af.

"Ik weet niet of jullie het tot in de kleinste details willen weten. Wat van het verhaal voor jullie van belang is. Zoals ik al zei was Albert op zee. Ik was een gezellig avondje uit met vrienden en we kwamen deze kerels bij het dansen tegen."

"Deze kerels?" onderbrak Erlendur haar.

"Holberg en de man die bij hem was. Ik heb nooit geweten hoe hij heette. Hij liet me een fototoestelletje zien dat hij bij zich had. Ik praatte wat over foto's met hem. Ze gingen met ons mee naar mijn vriendin en daar zetten we het feest voort. We waren met zijn vieren uitgegaan, vier vriendinnen. Twee van ons waren getrouwd. Na een tijdje zei ik dat ik naar huis wilde en toen bood hij aan om me naar huis te brengen."

"Holberg?" vroeg Elínborg.

"Ja, Holberg. Ik sloeg het aanbod af, nam afscheid van mijn vriendinnen en liep toen alleen naar huis. Het was niet ver. Maar toen ik de deur opendeed, we woonden in een kleine eengezinswoning in een nieuwe straat in aanbouw in Húsavík, toen stond hij opeens achter me. Hij zei iets dat ik niet verstond, duwde me naar binnen en deed de deur dicht. Ik wist niet wat me overkwam. Wist niet of ik bang moest zijn of verbaasd. De alcohol maakte me ook duf. Natuurlijk kende ik die man helemaal niet, had hem nooit eerder gezien."

"Waarom geef je jezelf dan de schuld?" vroeg Elínborg.

"Ik had een beetje gek gedaan op het bal", zei Katrín na een tijdje. "Ik vroeg hem ten dans. Ik weet niet waarom ik dat deed. Ik had heel weinig gedronken maar ik heb nooit goed tegen drank gekund. We hadden het leuk gehad met ons vieren en op de een of andere manier waren de zorgen aan de kant. Geen verantwoordelijkheid. Dronken."

"Maar je kunt jezelf er niet de schuld van geven ..." begon Elínborg.

"Niets van wat je zegt kan me ook maar in het minst helpen", zei Katrín droevig terwijl ze Elínborg aankeek. "Vertel me daarom niet wat ik kan en wat ik niet kan. Het heeft geen zin."

"Hij bleef daarna om ons heen hangen", ging ze na een tijdje door. "De man maakte helemaal geen slechte indruk. Hij was geestig en hij wist hoe hij ons meisjes aan het lachen moest krijgen. Speelde ons wat voor en speelde een spelletje met ons. Later herinnerde ik me dat hij van alles over Albert had gevraagd en erachter was gekomen dat ik alleen thuis was. Maar hij deed het zo handig dat ik er geen vermoeden van had dat er iets achter stak."

"Het is in vrijwel alle opzichten hetzelfde verhaal als toen Holberg de vrouw in Keflavík aanrandde", zei Erlendur. "Zij het dat zij het goed vond dat hij haar naar huis bracht. Daar vroeg hij of hij de telefoon mocht gebruiken en randde haar toen in de keuken aan, nam haar mee de slaapkamer in en deed daar met haar wat hij wilde."

"De man veranderde op de een of andere manier helemaal. Weerzinwekkend. Wat hij zei. Hij rukte mijn jas van me af, duwde me het huis binnen en schold me uit voor al wat lelijk was. Werd woest. Ik probeerde met hem te praten maar dat was absoluut onmogelijk en toen ik om hulp begon te roepen, wierp hij zich op me en bracht me tot zwijgen. Toen sleepte hij me de slaapkamer in ..."

Ze raapte al haar moed bij elkaar en vertelde hun wat Holberg gedaan had, heel geordend en zonder iets weg te laten. Ze was niets van wat er op die avond gebeurd was vergeten. Integendeel, ze herinnerde het zich tot in de kleinste details. Aan haar verhaal ontbrak elk gevoel. Het leek of ze het verhaal van een stuk papier zat voor te lezen. Ze had nooit eerder over het gebeuren verteld, op deze manier, zo nauwkeurig, maar ze had zo'n afstand tot die gebeurtenis geschapen dat het Erlendur leek of ze iets beschreef dat een andere vrouw was overkomen. Niet haarzelf maar een ander. Ergens anders. In een andere tijd. In een ander leven.

Eenmaal tijdens het verhaal vertrok Erlendurs gezicht en zat Elínborg zacht te vloeken.

Katrín zweeg.

"Waarom heb je die schoft niet aangeklaagd?" vroeg Elínborg.

"Hij was een beest. Hij dreigde ermee dat hij me zou komen vermoorden als ik dit zou vertellen en de politie hem in hechtenis zou nemen. En wat nog erger was, hij zei dat hij zou verklaren dat ik hem gevraagd had om naar mijn huis te komen omdat ik met hem wilde slapen, als ik er een rechtszaak van maakte. Hij gebruikte andere woorden maar ik wist wat hij bedoelde. Hij was ongelofelijk sterk maar je kon bijna niets aan me zien. Daar paste hij wel voor op. Later begon ik daarover na te denken. Hij sloeg me een paar keer in mijn gezicht, maar nooit hard."

"Wanneer is dit gebeurd?" vroeg Erlendur.

"In 1961. Laat. In de herfst.

"En er was geen vervolg? Heb je Holberg daarna nooit meer gezien of ..."

"Nee. Ik heb hem daarna nooit meer gezien. Niet voor ik zijn foto in de kranten zag."

"Je verhuisde uit Húsavík?"

"Dat was iets dat we toch al van plan waren. Albert had dat altijd al in zijn hoofd. Hierna was ik er niet meer zo tegen. De mensen in Húsavík zijn goede mensen en het was fijn om er te wonen maar ik ben er nooit meer terug geweest."

"Je had toen twee kinderen, zonen zo te zien", zei Erlendur met een knikje naar de confirmatiefoto's, "en daarna kreeg je nog een derde zoon ... wanneer?"

"Twee jaar later", zei Katrín.

Erlendur keek haar aan en zag dat ze voor de eerste maal in hun gesprek zat te liegen.

33

"Waarom hield je daarnet opeens op?" vroeg Elínborg fel toen ze van het huis naar de straat liepen.

Het had haar moeite gekost om haar verbazing te verbergen toen Erlendur Katrín opeens voor haar bereidwillige samenwerking bedankte. Hij zei dat hij wist hoe moeilijk het voor haar was om over deze zaak te praten en dat hij erop zou letten dat niets van datgene waarover ze hadden gepraat verder zou komen. Elínborgs mond viel open. Het gesprek begon nog maar net.

"Ze was gaan liegen", zei Erlendur. "Het is een te zware belasting voor haar. We spreken haar later nog wel. We moeten haar telefoon afluisteren en we moeten een wagen hier bij het huis posteren om erop te letten waar ze heen gaat en wie er op bezoek komt. We moeten dit aanpakken alsof we achter een drugshandelaar aanzitten. We moeten erachter zien te komen wat haar zonen doen, als dat kan recente foto's van hen te pakken krijgen, maar zonder dat het opvalt, en we moeten mensen vinden die Katrín in Húsavík hebben gekend en zich misschien zelfs die bewuste avond herinneren, al is dat wellicht heel ver gezocht. Ik had Sigurður Óli al gevraagd of hij contact met het Havenbedrijf wilde opnemen om te zien of ze ons kunnen vertellen wanneer Holberg voor hen in Húsavík heeft gewerkt. Misschien heeft hij dat inmiddels gedaan. Zoek de huwelijksakte van Katrín en Albert op en ga na wanneer ze getrouwd zijn."

Erlendur was in zijn auto gaan zitten.

"En, Elínborg, je mag mee als we de volgende keer met haar gaan praten."

"Is het echt mogelijk dat iemand doet wat zij beschreven heeft?" vroeg Elínborg die met haar gedachten nog bij het verhaal van Katrín was.

"Ik neem aan dat alles mogelijk is als iemand als Holberg erbij betrokken is", zei Erlendur.

Hij reed naar Noorderveen. Sigurður Óli was er nog. Hij had contact met het telefoonbedrijf gehad over de telefoontjes die Holberg had gekregen in het weekeinde dat hij vermoord werd. Twee ervan kwamen van zijn werk en drie andere uit openbare telefooncellen in de stad. Twee uit de telefooncel op de Lækjargata en één uit de munttelefoon op Hlemmur.

"Nog meer?"

"Ja, de porno in zijn computer. De mannen van de Technische Dienst hebben er een aanzienlijk deel van bekeken en het is weerzinwekkend. Werkelijk weerzinwekkend. Het is allemaal zo ongeveer het ergste dat er op internet te vinden is, daarbij inbegrepen dieren en kinderen. De man is werkelijk ongelofelijk pervers geweest. Ik geloof dat ze het bekijken zat zijn."

"Het is misschien niet nodig om hen zo te laten lijden", zei Erlendur.

"Ik weet het niet", zei Sigurður Óli, "het geeft ons wel een beetje een beeld van het smerige, afstotelijke onderkruipsel dat de man was."

"Bedoel je dat hij het verdiend heeft om door een klap op zijn kop vermoord te worden?" zei Erlendur.

"Wat vind jij?"

"Heb je al met het Havenbedrijf over Holberg gesproken?"

"Nee."

"Opschieten dan!"

"Staat hij naar ons te zwaaien?" vroeg Sigurður Óli. Ze stonden voor het huis van Holberg. Een van de mannen van de Technische Dienst was uit het souterrain gekomen, stond daar in zijn witte overall en gebaarde dat ze naar hem toe moesten komen. Hij leek nogal opgewonden. Ze stapten uit de auto, gingen het souterrain in en de man stuurde hen naar een van de twee televisieschermen. Hij had een kleine afstandsbediening in zijn hand en zei hen dat hij daarmee een camera bediende die door een gat in de hoek van de kamer omlaag gelaten was.

Ze zagen niets op het scherm dat hun belangstelling wekte. Het beeld was grofkorrelig, slecht verlicht, onduidelijk en zonder kleur. Ze zagen de kiezelgrond en boven in het beeld de fundering van het huis en verder niets ongewoons. Zo verliep een tijdje tot de technische man het niet langer kon houden.

"Het is dit hier", zei hij en hij wees naar iets in het midden bovenaan op het scherm. Bijna tegen de fundering aan.

"Wat?" vroeg Erlendur. Hij zag niets.

"Zien jullie het dan niet?" vroeg de technische man.

"Wat?" vroeg Sigurður Óli.

"De ring", zei de technische man.

"De ring?" vroeg Erlendur.

"Het is duidelijk een ring die we onder de vloer gevonden hebben. Zien jullie hem niet?"

Ze tuurden naar het scherm totdat ze dachten dat ze vaag iets onderscheidden dat misschien wel een ring was. Hij was heel onduidelijk, net alsof er een schaduw overheen viel. Iets anders zagen ze niet.

"Het is net of er iets voor ligt", zei Sigurður Óli.

"Dat zou plastic van de bouw kunnen zijn", zei de technische man. Er waren meer mensen bij het scherm komen staan om mee te kijken met wat er gebeurde. "Moeten jullie dit hier zien", zei de technische man. "Die lijn hier bij de ring. Dat zou wel eens iemands vinger kunnen zijn. Er ligt daar iets in de hoek waarvan ik denk dat we er maar eens beter naar moeten kijken."

"Breek de boel open", beval Erlendur. "Laten we eens kijken wat het is."

De mannen van de Technische Dienst gingen meteen aan het werk. Ze markeerden de plaats in de kamer en begonnen de vloer met de grote boor open te breken. Fijn steenstof dwarrelde door het souterrain en Erlendur en Sigurður Óli bonden een masker voor hun gezicht. Ze hielden een wakend oog op de mannen en zagen het gat in de vloer groter worden. De funderingsplaat was vijftien tot twintig centimeter dik en de boor had enige tijd nodig om erdoorheen te komen.

Toen dat gelukt was, werd het gat snel groter. De brokken cement werden meteen opzij geveegd en al spoedig werd het plastic zichtbaar dat de camera had laten zien. Erlendur keek naar Sigurður Óli en Sigurður knikte hem toe.

Het plastic werd steeds beter zichtbaar. Het leek Erlendur dik bouwplastic. Het was onmogelijk om erdoorheen te kijken. Hij was het lawaai in de kelder vergeten, de smerige stank en het opdwarrelende stof. Sigurður Óli had zijn masker afgenomen om beter te kunnen kijken. Hij boog zich ver voorover naar de mannen die bezig waren met het openbreken van de vloer.

"Is dit de manier waarop ze de graven in Egypte openen?" vroeg hij en zijn vraag nam de spanning een beetje weg.

"Ik vrees alleen dat hier geen farao ligt", zei Erlendur.

"Is het werkelijk mogelijk dat we Grétar hier bij Holberg onder de vloer zullen vinden?" zei Sigurður Óli in onverholen spanning. "Na een fucking kwart eeuw. Verduiveld geniaal!"

"Zijn moeder had gelijk", zei Erlendur.

"De moeder van Grétar?"

"Het was net of hij gestolen was", zei ze.

"In plastic verpakt en onder de vloer gestopt."

"Marion Briem", zei Erlendur zacht bij zichzelf, hoofdschuddend.

De mannen van de Technische Dienst waren druk in de weer met de elektrische boren, de vloer onder hen begon te barsten en het gat werd groter en groter tot het hele plastic pak tevoorschijn was gekomen. Het had de grootte van een man van gemiddelde lengte. De mannen overlegden met elkaar hoe ze het pak zouden openen. Ze besloten vervolgens dat ze het in zijn geheel onder de vloer vandaan zouden halen en het niet zouden aanraken voor ze het naar het mortuarium aan de Barónsstígur hadden overgebracht, waar men zich ermee bezig kon houden zonder dat eventueel bewijsmateriaal verloren zou gaan.

Ze haalden de brancard die ze de vorige avond al naar het souterrain hadden meegebracht en legden hem naast het gat in de vloer. Twee van hen probeerden het plastic pak op te tillen, maar het bleek te zwaar zodat er nog twee kwamen helpen. Algauw kwam er beweging in het pak en kwam het los uit zijn bergplaats en ze tilden het op en legden het op de brancard.

Erlendur kwam dichterbij, boog zich over het pak en probeerde iets door het plastic heen te zien. Hij dacht dat hij vaag een gezicht zag, verrot en half vergaan, tanden en een stuk neus. Hij kwam weer overeind.

"Ziet er helemaal niet zo slecht uit", zei hij.

"Wat is dat daar?" vroeg Sigurður Óli. Hij wees naar beneden het gat in.

"Wat?" zei Erlendur.

"Zijn dat films?" zei Sigurður Óli.

Erlendur kwam dichterbij, zakte door zijn knieën en zag toen dat er films lagen, half begraven in de kiezelgrond onder het plastic pak. Vele meters film die overal verspreid lagen. Hij hoopte dat er op enkele ervan iets zou staan.

34

Katrín ging de rest van die dag haar huis niet uit. Ze kreeg geen bezoek en ze gebruikte de telefoon niet. 's Avonds reed er een man in een jeep naar het huis en hij ging naar binnen met een middelgrote koffer in zijn hand. Aangenomen werd dat het haar man was, Albert. Hij werd tegen de avond van die dag van een zakenreis naar Duitsland terugverwacht.

Twee mannen in een onopvallende politieauto bewaakten het huis. De telefoon werd afgeluisterd. Men had de twee oudste zonen van het echtpaar kunnen lokaliseren maar niemand wist waar de jongste uithing. Hij was gescheiden en woonde in een kleine woning in de wijk Smaïbudahverfi. De woning leek verlaten. Men had er een man geposteerd. De politie was bezig inlichtingen over hem te verzamelen en een beschrijving van hem was aan alle politiebureaus in het land doorgegeven. Het werd nog niet noodzakelijk geacht om hem via de media op te sporen.

Erlendur reed tot voor de deur van het mortuarium aan de Barónsstígur. Het lijk van de man van wie aangenomen werd dat het Grétar was, was daarheen overgebracht. De patholoog-anatoom, dezelfde die ook Holberg en Auður had bekeken, had het plastic van het lijk verwijderd. Tevoorschijn gekomen was het lichaam van een man met achterover gebogen hoofd, een open mond als in een schreeuw van ellende, zijn armen langs zijn zijden gelegd. De huid was uitgedroogd, grijzig en gerimpeld en hier en daar zaten grote rottingsvlekken op het lichaam, dat naakt was. Het hoofd leek ernstig geschonden, het haar lang en kleurloos langs het gezicht.

"Hij heeft de ingewanden eruit gehaald", zei de arts.

"Hè?"

"Degene die hem bewaard heeft. Verstandig, als je een lijk wilt bewaren. Vanwege de lucht. Hij is in het plastic langzaam verdroogd. Welbeschouwd uitstekend bewaard gebleven."

"Kun je de doodsoorzaak zien?"

"Er zat een plastic zak over zijn hoofd, wat erop wijst dat hij verstikt is, maar ik moet hem nog beter onderzoeken. Je krijgt later wat meer informatie. Het heeft allemaal tijd nodig. Weet je wie het is? Het is maar een mager scharminkel, de arme ziel."

"Ik heb bepaalde vermoedens", zei Erlendur.

"Heb je met de hoogleraar gesproken?"

"Aardige vrouw."
"Ja, hè?"

Toen Erlendur op het bureau kwam zat Sigurður Óli op hem te wachten en die zei hem dat hij op weg was naar de Technische Dienst. Het
was gelukt om een paar fragmenten van de films die ze in het souterrain bij Holberg gevonden hadden te vergroten. Erlendur vertelde
hem in grote lijnen over het gesprek dat Elínborg en hij met Katrín
hadden gevoerd.

Ragnar, de chef van de Technische Dienst, wachtte op hen in zijn
kamer met op zijn bureau een paar films en de foto's die vergroot
waren. Hij overhandigde hun de foto's en zij bogen zich er overheen.

"We konden er niet meer uit krijgen dan deze drie", zei de chef, "en
ik weet in feite niet wat erop te zien is. Het waren zeven Kodakfilms
van 24 opnamen. Drie films waren helemaal zwart en we weten dus
niet of er foto's op stonden, maar op een van de films konden we het
weinige dat we zagen vergroten. Is dit iets dat jullie herkennen?"

Erlendur en Sigurður Óli tuurden op de foto's. Ze waren allemaal
zwart-wit. Twee ervan waren voor de helft zwart alsof de lens niet
helemaal open was gegaan, het object was onscherp en zo onduidelijk
dat ze niet konden uitmaken wat de foto's lieten zien. De derde en
laatste foto was heel en tamelijk scherp en toonde een man die voor
een spiegel een foto van zichzelf nam. De camera was klein en plat,
er zat een flitsblokje met vier lampjes op en het flitslicht verlichtte
de man in de spiegel. Hij had een spijkerbroek aan, een overhemd
en een zomerjasje dat tot aan zijn middel reikte.

"Herinneren jullie je die flitsblokjes nog?" vroeg Erlendur met een
soort heimwee in zijn stem. "Wat een revolutie!"

"Ik herinner ze me nog goed", zei Ragnar die van dezelfde leeftijd
als Erlendur was. Sigurður Óli keek eerst de een en toen de ander aan
en schudde zijn hoofd.

"Zou je dit een zelfportret noemen?" zei Erlendur.

"Door het fototoestel kun je zijn gezicht moeilijk zien", zei
Sigurður Óli, "maar is het niet waarschijnlijk dat dit Grétar zelf is?"

"Herkennen jullie de omgeving, het weinige dat er te zien is?" vroeg
de chef.

Op het beeld in de spiegel kon je achter de fotograaf een deel onderscheiden van iets dat een woonkamer leek te zijn. Erlendur zag de rug
van een stoel en zelfs een tafel, een kleed op de vloer, een deel van iets
dat gordijnen tot op de grond zouden kunnen zijn, maar de rest viel

moeilijk thuis te brengen. Het meeste licht viel op de man in de spiegel, maar ging aan alle kanten langzaam over in totale duisternis.

Ze zaten heel lang op de foto te turen. Na lange inspanning begon Erlendur iets in het donker links van de fotograaf te onderscheiden dat volgens hem een vorm zou kunnen zijn, misschien zelfs een profiel, wenkbrauwen en een neus. Het was niet veel meer dan een gevoel, maar het licht op die plek was niet gelijkmatig, er waren heel zwakke schaduwen die zijn fantasie op gang brachten.

"Kunnen we dit stukje vergroten?" vroeg hij Ragnar die naar hetzelfde gedeelte van de foto zat te turen maar helemaal niets zag. Sigurður Óli pakte de foto op en hield hem voor zijn ogen maar onderscheidde niet wat Erlendur erop meende te zien.

"Dat is zo gebeurd", zei Ragnar. Ze gingen met hem mee zijn kamer uit naar de technische afdeling.

"Zitten er vingerafdrukken op de films?" vroeg Sigurður Óli.

"Ja", zei Ragnar, "twee stel, dezelfde als op de foto van het kerkhof, die van Grétar en die van Holberg."

De foto werd gescand en verscheen op een groot computerscherm en het betreffende gedeelte werd uitvergroot. Dat wat op de foto slechts ongelijkmatigheid van het licht was groeide uit tot ontelbare stippen op het scherm en vulde het helemaal. Ze zagen er helemaal niets in en zelfs Erlendur had het zicht op datgene wat hij gezien meende te hebben totaal verloren. De technicus werkte enige tijd op zijn toetsenbord, tikte opdrachten in waardoor het beeld kleiner en dichter werd. Hij ging ermee door, de stippen kwamen dichter bij elkaar totdat langzamerhand de vage omtrek van het gezicht van een man zichtbaar werd. Het was heel onduidelijk maar Erlendur dacht toch dat hij Holberg op de foto herkende.

"Is dat niet dat zwijn?" zei Sigurður Óli.

"Er is hier nog meer", zei de technicus terwijl hij het beeld scherper bleef maken. Algauw verschenen er golven die Erlendur aan lang vrouwenhaar deden denken en een tweede, nog onduidelijker profiel. Erlendur bleef naar de foto staren tot hij dacht dat hij Holberg met een vrouw zag zitten praten. Zodra dit hem duidelijk werd, werd hij door een wonderlijk gedesoriënteerd gevoel bevangen. Hij wilde de vrouw toeschreeuwen dat ze als de donder uit de woning weg moest gaan maar begreep tegelijkertijd dat het te laat was. Tientallen jaren te laat.

Op dat moment klonk de telefoon in de kamer maar niemand bewoog zich. Erlendur dacht dat het de telefoon op het bureau was.

"Het is de jouwe", zei Sigurður Óli tegen Erlendur.

Het kostte Erlendur wat tijd om zijn mobiele telefoon te vinden, maar ten slotte diepte hij hem toch op uit zijn jaszak.

Het was Elínborg.

"Wat ben jij aan het uitspoken?" zei ze toen hij eindelijk antwoordde.

"Wil je alsjeblieft terzake komen", zei Erlendur.

"Terzake komen? Waarom ben je zo gespannen?"

"Ik wist wel dat je nooit eens direct kunt zeggen wat je te zeggen hebt."

"Het gaat over de jongens van Katrín", zei Elínborg. "Of beter gezegd, over de mannen, het zijn allemaal volwassen mannen."

"Wat is ermee?"

"Alledrie fijne kerels waarschijnlijk, maar één van hen werkt op een nogal interessante plaats. Ik vond dat je dat meteen moest horen, maar als je zo gespannen bent en weinig tijd hebt en je me niet de kans geeft om even een praatje te maken, dan bel ik Sigurður Óli wel."

"Elínborg."

"Wat, m'n jochie?"

"God allemachtig, mens", schreeuwde Erlendur met een blik op Sigurður Óli, "ga je me nou eindelijk eens vertellen wat je vertellen wilt?"

"De zoon werkt bij het IJslands Instituut voor Erfelijkheidsonderzoek", zei Elínborg.

"Wat?"

"Hij werkt bij het IJslands Instituut vóór Erfelijkheidsonderzoek."

"Erfelijkheidsonderzoek ... welke zoon?"

"De jongste. Hij werkt aan hun nieuwe databank. Werkt met genealogieën en ziekten, IJslandse families en ziekten in die families, erfelijke ziekten. De man is een specialist op het gebied van erfelijke ziekten in IJsland."

35

Erlendur kwam laat op de avond thuis. Hij was van plan om de volgende ochtend vroeg naar Katrín toe te gaan om zijn vermoedens met haar te bespreken. Hij hoopte dat haar zoon snel gevonden zou worden. Als het zoeken lang ging duren, bestond het gevaar dat de media er lucht van kregen en dat wilde hij boven alles voorkomen.

Eva Lind was niet thuis. Ze had de troep in de keuken na Erlendurs uitbarsting opgeruimd. Hij zette een van de twee maaltijden die hij in de avondwinkel gekocht had in de magnetron en drukte op start. Hij moest eraan denken hoe Eva Lind een paar avonden geleden naar hem toegekomen was toen hij bij de magnetron stond, en hem verteld had dat ze een kind verwachtte. Hij voelde zich of er een heel jaar verlopen was vanaf het moment dat ze tegenover hem zat, geld probeerde los te krijgen en zijn vragen ontwijkend beantwoordde, maar wist dat het maar een paar avonden waren. Hij had 's nachts nog steeds nachtmerries. Hij had nooit veel gedroomd en herinnerde zich alleen maar wat brokstukken uit zijn droom als hij wakker werd, maar als hij wakker was bleef er een onbehagelijk gevoel hangen dat hij niet kwijtraakte. Ook hielp het niet bepaald dat er voortdurend die pijn in zijn borst was, een brandende pijn die hij niet weg kon masseren.

Hij dacht aan Eva Lind en het kind, aan Kolbrún en Auður, Elín, Katrín en haar zoon, Holberg en Grétar, Ellidi in de gevangenis, het meisje in Garðabær en haar vader, en aan zichzelf en zijn eigen kinderen, zijn zoon Sindri Snær die hij eigenlijk nooit zag, en zijn dochter Eva die hulp bij hem zocht en die hij zat uit te schelden wanneer het hem niet beviel wat ze deed. Ze had gelijk. Met welk recht zat hij iemand uit te schelden?

Hij dacht na over moeders en dochters, vaders en zonen, vaders en dochters en kinderen die geboren werden en die niemand wilde hebben en kinderen die doodgingen in die kleine samenleving die IJsland was, waar iedereen op de een of andere manier aan elkaar verwant of vermaagschapt leek te zijn.

Als Holberg de vader was van de jongste zoon van Katrín, had die dan zijn vader vermoord? Wist hij dat Holberg zijn vader was? Had Katrín hem dat verteld? Wanneer? Waarom? Had hij dit altijd al geweten? Wist hij van de verkrachting af? Had Katrín hem verteld dat Holberg haar had verkracht en dat hij daar de vrucht van was? Wat voor gevoel is dat? Wat voor gevoel is het om erachter te komen dat je niet degene bent die je denkt dat je bent? Niet de man die je bent. Dat je vader niet je vader is, jijzelf niet zijn zoon bent, jijzelf de zoon bent van iemand anders van wie je niet wist dat hij bestond. Van een man die geweld gebruikte en een verkrachter was.

Hoe voelt dat? dacht Erlendur. Hoe komt een mens daarmee in het reine? Gaat zo iemand naar zijn vader toe en vermoordt hem dan? Schrijft daarna: ik ben hem.

En als Katrín hem niet over Holberg verteld had, hoe was hij dan achter de waarheid gekomen? Erlendur bezag deze vraag van alle kanten. En naarmate hij meer over de zaak nadacht en de verschillende mogelijkheden doornam, moest hij vaker denken aan de boodschappenboom in Garðabær. Er was maar één andere weg voor de zoon om de waarheid te achterhalen en Erlendur was van plan die weg de volgende dag nader te gaan bekijken.

En wat had Grétar gezien? Waarom moest hij sterven? Chanteerde hij Holberg? Wist hij van diens verkrachtingen en was hij van plan die bekend te maken? Nam hij foto's van Holberg? Welke vrouw zat daar met Holberg op de foto? Wanneer was die foto genomen? Grétar verdween in de zomer van het feestjaar en de foto moest dus voor die tijd genomen zijn. Erlendur vroeg zich af of er meer slachtoffers van Holberg waren die nooit meer van zich hadden laten horen.

Hij hoorde een sleutel in het slot omdraaien en stond op. Eva Lind kwam thuis.

"Ik ben naar het meisje toe geweest en met haar mee naar Garðabær gegaan", zei ze toen ze Erlendur uit de keuken zag komen, en ze deed de deur achter zich dicht. "Ze zei dat ze die schooier van een vent zou aanklagen vanwege alle jaren dat hij haar misbruikt had. De moeder kreeg een zenuwtoeval. Wij gingen ervandoor."

"Naar haar echtgenoot?"

"Ja, naar hun kleine, mooie flatje", zei Eva Lind en ze schopte haar schoenen in de hal uit. "Hij was eerst een beetje boos maar bedaarde toen hij de verklaring kreeg."

"Hoe vatte hij het op?"

"Het is een fijne kerel. Toen ik vertrok was hij op weg naar Garðabær om met de oude te gaan praten."

"Zo."

"Denk je dat het enige zin heeft om een aanklacht tegen die engerd in te dienen?" vroeg Eva Lind.

"Het zijn moeilijke zaken. Zulke heren ontkennen alles en weten daarmee op de een of andere manier weg te komen. Het is de vraag wat de moeder doet, wat zij zegt. Misschien zou ze eens moeten praten met de Stichting Vrouwen in Nood. En wat is er over jou te melden?"

"Alles goed", zei Eva Lind.

"Heb je al eens gedacht aan een echo of hoe het ook heet?" vroeg Erlendur. "Ik zou met je mee kunnen gaan."

"Gaat gebeuren", zei Eva Lind.

"Heus?"

"Ja."

"Goed", zei Erlendur.

"Wat heb jij allemaal uitgevoerd?" vroeg Eva Lind terwijl ze de andere maaltijd in de magnetron stopte.

"Ik denk dezer dagen alleen nog maar aan kinderen", zei Erlendur. "En aan een boodschappenboom die een soort stamboom is: stambomen bevatten allerlei boodschappen aan ons, als we maar weten waar we naar moeten zoeken. En ik zit na te denken over verzamelwoede. Hoe gaat dat liedje over het heden ook alweer?"

Eva Lind keek haar vader aan. Hij wist dat ze in muziek goed thuis was.

"Bedoel je 'het heden is een oude knol'?" vroeg ze.

"De kop is leeg en dol", zei Erlendur.

"Het hart is hard bevroren."

"En de hersens zijn op hol", maakte Erlendur het af. Hij zette zijn hoed op en zei dat hij niet lang weg zou blijven.

36

Hanna had de arts gewaarschuwd, zodat hij Erlendur die avond verwachtte. Hij woonde in een voornaam huis in het oude gedeelte van Hafnarfjörður en ontving Erlendur aan de deur, een en al vriendelijkheid en beleefdheid, een kleine man, kaal als een biljartbal en goedgevuld onder zijn dikke kamerjas. Een levensgenieter, dacht Erlendur, met altijd enigszins vrouwelijk rode wangen. Zijn leeftijd was moeilijk te schatten, hij zou rond de zestig kunnen zijn. Gaf een hand die als droog papier aanvoelde en nam Erlendur mee naar de woonkamer.

Erlendur ging op de grote, wijnrode leren bank zitten en bedankte toen de arts hem een drankje aanbood. De arts kwam op een stoel tegenover hem zitten en wachtte tot hij het gesprek begon. Erlendur keek om zich heen in de kamer, die groot was en vol met schilderijen en kunstvoorwerpen en hij vroeg zich af of de arts alleen woonde. Hij vroeg ernaar.

"Heb altijd alleen gewoond", zei de arts. "Bevalt me heel goed en zo is het altijd geweest. Men zegt dat mensen die op mijn leeftijd gekomen zijn er spijt van krijgen dat ze geen gezin gevormd hebben en kinderen hebben gekregen. Mijn collega's zwaaien op congressen overal in de wereld met foto's van hun volwassen kleinkinderen, maar ik heb er nooit aan gedacht om een gezin te stichten. Heb nooit zin in kinderen gehad."

Hij was de vriendelijkheid zelf, welbespraakt en kameraadschappelijk alsof Erlendur een goede vriend van hem was en alsof hij hem daarmee een zekere waardering betoonde. Het liet Erlendur volkomen koud.

"Maar je hebt wel zin in organen in een glazen pot", zei hij bot.

De arts liet zich niet van zijn stuk brengen.

"Hanna vertelde me dat je boos was", zei hij. "Ik weet niet waarom je boos zou moeten worden. Ik doe niets onwettigs. Ja, ik heb een kleine collectie organen. De meeste ervan worden in glazen potten met formaline bewaard. Ik bewaar ze hier in huis. Er was sprake van ze te vernietigen maar ik heb ze meegenomen en een tijdje langer bewaard. Ik bewaar ook andere specimina, stukjes weefsel."

De arts zweeg.

"Je wilt nu waarschijnlijk weten waarom?" ging hij door, maar Erlendur schudde zijn hoofd.

"Hoeveel organen heb je gestolen, dat was in feite de vraag die ik je wilde stellen", zei hij, "maar die vraag kunnen we later behandelen."

"Ik heb helemaal geen organen gestolen", zei de arts zich langzaam over het kale hoofd strijkend. "Ik begrijp die vijandigheid van je niet. Maakt het je niet uit als ik een drupje sherry neem?" vroeg hij toen, opstaande. Erlendur wachtte zwijgend terwijl de arts naar een kleine bar ging en een glas inschonk. Hij bood Erlendur ook iets aan, maar die bedankte. Hij nipte met dikke lippen van zijn sherry. Je kon aan zijn ronde gezicht zien hoezeer hij van de smaak genoot.

"Men denkt hier niet elke dag over na", zei hij toen. "Daar is trouwens geen enkele bijzondere reden voor. Alles wat dood is, is in onze wereld van geen nut en dat geldt ook voor een dood mensenlichaam. Daar hoeven we niet gevoelig over te doen. De ziel is verdwenen. Alleen het stoffelijk omhulsel is er nog en dat is niets. Je moet dit vanuit het oogpunt van de geneeskunde bekijken. Het lichaam is niets, snap je?"

"Het heeft duidelijk wel betekenis voor jou. Jij verzamelt lichaamsdelen."

"In het buitenland kopen de universitaire ziekenhuizen lichaamsdelen ten behoeve van het onderwijs", ging de arts door, "maar dat is hier niet gebruikelijk. Hier vraagt men per geval om toestemming voor sectie en soms wordt het verzoek gedaan om bepaalde organen te mogen wegnemen, ook al heeft het niet rechtstreeks betrekking op de doodsoorzaak. En zo'n verzoek wordt afgewezen of ingewilligd, al naar het gaat. Het gaat hierbij doorgaans om oudere mensen. Niemand steelt organen."

"Maar dat is niet altijd zo geweest", zei Erlendur.

"Ik weet niet hoe het vroeger gegaan is. De controle op wat er gebeurde is toen natuurlijk niet zo streng geweest als tegenwoordig. Ik weet het gewoon niet. Ik weet niet waarom je je zo aan mij ergert. Herinner je je dat bericht over de Fransen? Over een autofabriek die mensenlichamen gebruikte bij haar simulaties van ongevallen, ook kinderlichamen. Daar zou je verontwaardigd over moeten zijn. Organen worden over de hele wereld gekocht en verkocht. Mensen worden zelfs om hun organen vermoord. Dat verzamelen van mij kun je nauwelijks een misdaad noemen."

"Maar waarom?" vroeg Erlendur. "Wat doe je ermee?"

"Onderzoeken natuurlijk", zei de arts, aan zijn sherry nippend. "Het onder de microscoop bekijken. Wat doen verzamelaars al niet? Postzegelverzamelaars bekijken poststempels. Boekenverzamelaars kijken naar het jaar van uitgave. Astronomen hebben de hele wereld voor ogen en bekijken ongelofelijk grote ruimten. Ik zit continu mijn microscopische wereld te bezichtigen."

"Jouw vrijetijdsbesteding is dus onderzoek, om het zo maar eens te zeggen. Heb je dan ook de technische voorzieningen om de weefsel-proeven of organen in je bezit te onderzoeken?"

"Ja."

"Hier in huis?"

"Ja. Als de specimina goed bewaard zijn, is het altijd mogelijk om ze te onderzoeken. Als je nieuwe inlichtingen over iets krijgt of iets speciaals wilt uitzoeken, zijn ze volkomen bruikbaar voor onderzoek. Volkomen."

De arts zweeg.

"Je vraagt naar Auður", zei hij toen.

"Ken je haar dan?" zei Erlendur stomverbaasd.

"Je weet toch dat je er misschien nooit achter had kunnen komen waaraan ze gestorven is als er geen sectie op haar verricht was en haar hersenen niet waren weggenomen? Ze heeft te lang in de aarde gele-gen. Na meer dan dertig jaar in de grond zou het niet mogelijk geweest zijn de hersenen op een behoorlijke manier te onderzoeken. Zo heeft datgene wat zo'n grote afschuw in je opwekt je in feite geholpen. Ik hoop dat je je dat realiseert."

De arts zat even na te denken.

"Heb je het verhaal over Lodewijk XVII wel eens gehoord? Hij was de zoon van Lodewijk XVI en Marie Antoinette. Gevangengenomen tijdens de Franse Revolutie, geëxecuteerd op zijn tiende."

"Wie?"

"Lodewijk XVII."

"Lodewijk?"

"Ongeveer een jaar of iets langer geleden werd op het nieuws verteld dat Franse geleerden ontdekt hadden dat hij dood was en niet uit de gevangenis ontsnapt, zoals sommige mensen beweerden. Weet je hoe ze daar achterkwamen?"

"Ik weet niet waar je het over hebt", zei Erlendur.

"Zijn hart werd indertijd verwijderd en in formaline bewaard. Zo konden ze DNA-tests en ook andere proeven doen en op die manier ontdekten ze dat de connectie van vermeende familieleden met het Franse koningsgeslacht op leugens gebaseerd was. Ze waren helemaal niet verwant aan de prins. Weet je wanneer deze Lodewijk stierf, nog een kind?"

"Nee."

"Meer dan tweehonderd jaar geleden. In het jaar 1795. Formaline is een heel bijzondere vloeistof."

Erlendur dacht over de woorden van de arts na.

"Wat weet je over Auður?" vroeg hij.

"Zo het een en ander."

"Hoe kreeg jij de hersenen in je bezit?"

"Via een derde", zei de arts. "Ik denk niet dat ik hier nader op in wil gaan."

"Uit het Glaspaleis?"

"Ja."

"Heb jij het Glaspaleis gekregen?"

"Iets ervan. Je hoeft niet tegen me te praten als tegen een misdadiger."

Erlendur dacht na over zijn woorden.

"Heb je de doodsoorzaak gevonden?"

De arts keek Erlendur aan terwijl hij weer een slokje van zijn sherry nam.

"Ja, inderdaad", zei hij toen. "Ik ben altijd meer voor onderzoek geweest dan voor de geneeskunde. Door mijn verzamelwoede heb ik de twee kanten van mijn vak met elkaar kunnen verenigen, al is het natuurlijk maar op kleine schaal."

"In het gerechtelijk rapport uit Keflavík wordt alleen over een hersentumor gesproken maar verder geen verklaring gegeven."

"Ik heb dat rapport gezien. Het is erg onvolledig, was nooit meer dan een voorlopig rapport. Zoals ik al zei heb ik het nader onderzocht en ik denk dat ik wel een antwoord op enkele van je vragen heb."

Erlendur leunde naar voren.

"En?" zei hij.

"Een erfelijke ziekte. Wordt in enkele families hier in het land aangetroffen. Het geval was nogal ingewikkeld en ondanks uitvoerig onderzoek was ik er heel lang niet zeker van. Ten slotte leek het mij het waarschijnlijkst dat de tumor in verband stond met een erfelijke ziekte, een die gezwellen van het centrale zenuwstelsel veroorzaakt, neurofibromatose. Ik neem niet aan dat je daar al eerder van gehoord hebt. De ziekteverschijnselen hoeven niet opvallend te zijn. In sommige gevallen is het mogelijk dat men sterft zonder dat de ziekte ooit de kop heeft opgestoken. Dat zijn dragers zonder ziekteverschijnselen. Veel vaker komt het voor dat de symptomen van de ziekte zich al vroeg openbaren en dan zijn het hoofdzakelijk over het lichaam verspreide pigmentvlekken en huidtumoren."

De arts nam weer een slokje van zijn sherry.

"De lui in Keflavík hebben niets van dien aard in hun rapport beschreven maar ik denk ook niet dat ze wisten waar ze naar moesten zoeken."

"Tegenover de nabestaanden noemden ze de pigmentvlekken."

"O, ja? Diagnoses van een ziekte zijn niet altijd zeker."

"Wordt de ziekte van vader op dochter overgeërfd?"

"Dat is mogelijk. Maar het overerven blijft niet daartoe beperkt. Beide geslachten kunnen de ziekte dragen en krijgen. Men zegt dat bij de zogenaamde Olifantman sprake was van een van de varianten. Heb je de film gezien?"

"Nee", zei Erlendur.

"Soms is sprake van bovenmatige botgroei waardoor vervormingen ontstaan als in het geval van de Olifantman. Anderen zijn trouwens de mening toegedaan dat de ziekte niets met de Olifantman van doen heeft. Maar dat is een ander verhaal."

"Waarom ben je naar deze ziekte op zoek gegaan?" viel Erlendur de arts in de rede.

"Hersenziekten zijn mijn specialisme", zei hij. "Dit meisje is een van mijn meest opmerkelijke gevallen. Ik heb alle rapporten over haar bestudeerd. Ze zijn niet erg zorgvuldig. De dokter die haar onder behandeling had was een slechte huisarts, voorzover ik heb begrepen was hij in die tijd alcoholist. Ik heb er inlichtingen over ingewonnen, maar hoe het ook zij, ergens schreef hij over acute tuberculose in het hoofd en dat was een omschrijving die men vroeger wel eens gebruikte als deze ziekte zich voordeed. Daar ben ik van uitgegaan. Het gerechtelijk rapport uit Keflavík was ook al niet erg nauwkeurig, daar hadden we het al eerder over. Ze vonden de tumor en lieten het daarbij."

De arts stond op en liep naar een grote boekenkast in de kamer. Hij haalde er een tijdschrift uit dat hij Erlendur overhandigde.

"Ik weet niet of je alles zult begrijpen wat hierin staat, maar ik heb een kort wetenschappelijk artikel over mijn onderzoek gepubliceerd in een vooraanstaand Amerikaans wetenschappelijk tijdschrift."

"Heb je een wetenschappelijk artikel over Auður geschreven?" vroeg Erlendur.

"Auður heeft ons een eind op weg geholpen om de ziekte te begrijpen. Ze is heel belangrijk voor mij en de medische wetenschap geweest. Ik hoop dat dat geen teleurstelling voor je is."

"De vader van het meisje kan drager zijn", zei Erlendur die nog steeds probeerde te verwerken wat de arts had gezegd. "En hij draagt de ziekte op zijn dochter over. Als hij een zoon had gehad, zou die dan de ziekte niet hebben gekregen, of hoe zit dat?"

"De ziekte hoeft zich niet noodzakelijk in hem te openbaren", zei de arts, "maar hij zou net als zijn vader drager kunnen zijn."

"Zodat?"

"Als hij een kind krijgt, zou dat de ziekte kunnen krijgen."

Erlendur dacht over de woorden van de arts na.

"Overigens zou je eigenlijk met de lui van het Instituut voor Erfelijkheidsonderzoek moeten praten", zei de arts. "Die weten alles over erfelijkheid."

"Wat?" zei Erlendur.

"Praat eens met het IJslands Instituut voor Erfelijkheidsonderzoek. Dat is ons nieuwe Glaspaleis. Zij hebben er verstand van. Wat is er aan de hand? Waarom schrik je zo? Ken je daar iemand?"

"Nee", zei Erlendur, "maar dat zal niet lang meer duren."

"Wil je Auður zien?" vroeg de arts.

Erlendur begreep eerst niet wat de arts bedoelde.

"Bedoel je ... ?"

"Ik heb hier beneden een klein onderzoekslaboratorium. Als je wilt mag je het bekijken."

Erlendur aarzelde even.

"Nou, goed", zei hij toen.

Ze stonden op en Erlendur liep achter de arts aan naar beneden, een smalle trap af. De arts deed het licht aan en er verscheen een klein, blinkend wit laboratorium met microscopen, computers, glaswerk voor proeven en instrumenten waarvan Erlendur geen idee had waarvoor ze dienden.

Hij herinnerde zich een opmerking over verzamelaars die hij ergens in een boek had gevonden. Verzamelaars scheppen een eigen wereld. Ze scheppen een kleine wereld om zich heen, kiezen bepaalde elementen uit de werkelijkheid en maken die tot de voornaamste bewoners van de wereld die ze creëren. Holberg was ook een verzamelaar. Zijn verzamelwoede richtte zich op porno. Daarmee had hij zijn eigen privé-wereld geschapen, net zoals de arts het met organen deed.

"Ze is hier", zei de arts.

Hij ging naar een grote, oude houten kast, het enige voorwerp in het vertrek dat uit de toon viel in die steriele omgeving, deed de kast open en pakte er een dikke glazen pot met een deksel uit. Hij zette hem voorzichtig op een tafel en in het sterke neonlicht zag Erlendur de kleine hersenen van een kind drijvend in troebele formaline.

Toen hij de arts verliet had hij een kleine zwartleren tas met de stoffelijke resten van Auður bij zich. Door de verlaten straten naar huis rijdend dacht hij aan het Glaspaleis en in gedachten hoopte hij dat er nooit delen van hem in laboratoria bewaard zouden worden. Het regende nog steeds toen hij de auto voor zijn flat parkeerde. Hij zette de motor af, stak een sigaret op en keek de donkere nacht in.

Hij wierp een blik op de zwarte tas op de voorbank.

Hij ging Auður op haar plaats brengen.

37

De agenten die voor het huis van Katrín geposteerd waren, zagen
Albert die avond rond middernacht het huis verlaten en de deur
achter zich dichtsmijten. Hij sprong in zijn auto en reed weg. Zo
te zien had hij erg veel haast en ze zagen dat hij dezelfde koffer bij
zich had waarmee hij eerder die dag uit het buitenland gekomen
was. Verder gebeurde er die nacht niets en Katrín bleef onzicht-
baar.

Ze riepen een patrouillewagen op die in de buurt was en die volgde
Albert naar Hotel Esja waar hij een kamer voor de nacht nam.

Erlendur stond om acht uur de volgende ochtend bij Katrín voor de
deur. Elínborg was bij hem. Het regende nog steeds. De zon was al
dagen lang niet te zien geweest. Ze belden drie keer aan voor ze binnen
wat gestommel hoorden en de deur opening. Katrín verscheen in de
deuropening. Elínborg zag dat ze nog dezelfde kleren aanhad als de
vorige dag en dat ze gehuild had. Ze zag heel bleek en haar ogen waren
rood en gezwollen.

"Neem me niet kwalijk", zei Katrín alsof ze er niet helemaal bij was,
"ik moet in mijn stoel in slaap gevallen zijn. Hoe laat is het?"

"Mogen we binnen komen?" vroeg Erlendur.

"Ik had Albert nooit verteld wat er gebeurd was", zei ze, naar binnen lopend zonder hen binnen te vragen. Erlendur en Elínborg keken
elkaar aan en gingen haar toen achterna.

"Hij is gisteravond bij me weggegaan", zei Katrín. "Hoe laat is het
eigenlijk? Ik denk dat ik in mijn stoel in slaap ben gevallen. Albert was
zo boos. Ik heb hem nog nooit zo boos gezien."

"Kun je geen contact opnemen met iemand van je familie?"vroeg
Elínborg. "Iemand die hier naartoe kan komen om bij je te zijn? Je
zonen?"

"Nee. Albert komt wel weer terug en dan komt het goed. Ik wil de
jongens niet lastigvallen. Het komt wel goed. Albert komt terug."

"Waarom was hij zo boos?" vroeg Erlendur. Katrín was op de bank
in de kamer gaan zitten, Erlendur en Elínborg gingen net als eerder
tegenover haar zitten.

"Hij was zo ontzettend boos, die man. Die man die over het algemeen zo rustig is. Albert is een goeie man, echt een goeie man, en hij is
altijd echt goed voor me geweest. We hebben een goed huwelijk. We
zijn altijd gelukkig geweest."

"Wil je liever dat we later terugkomen?" vroeg Elínborg. Erlendur wierp haar een boze blik toe.

"Nee", zei Katrín, "het is goed. Het komt allemaal goed. Albert komt weer terug. Hij moet alleen maar even tot rust komen. Lieve god, wat is dit moeilijk. Hij zei dat ik het hem meteen had moeten vertellen. Hij kon niet begrijpen hoe ik er al die tijd over had kunnen zwijgen. Hij schreeuwde tegen me."

Katrín keek hen aan.

"Hij heeft nooit eerder tegen me geschreeuwd."

"Ik ga een dokter voor je halen", zei Elínborg, opstaande. Erlendur kon zijn oren niet geloven.

"Nee, het is heus goed", zei Katrín. "Het is niet nodig. Ik ben alleen nog een beetje slaapdronken. Het komt allemaal goed. Ga zitten, meisje, het komt allemaal in orde."

"Wat heb je tegen Albert gezegd?" vroeg Erlendur. "Heb je hem over de verkrachting verteld?"

"Dat heb ik al die jaren willen doen en ik heb mezelf er nooit toe kunnen brengen. Ik heb nog nooit iemand over deze gebeurtenis verteld. Ik heb geprobeerd het te vergeten, geprobeerd te doen of het nooit was gebeurd. Het is vaak moeilijk geweest maar toch is het op de een of andere manier gelukt. En toen kwamen jullie en ik kon niet anders dan alles tot in de kleinste details vertellen. Op de een of andere manier voelde ik me daarna beter. Net of jullie een zware last van me hadden afgewenteld. Ik wist dat ik het hele verhaal kon vertellen en dat dit het enige juiste was. Zelfs na al die tijd."

Katrín zweeg.

"Werd hij boos op je omdat je hem niet over de verkrachting had verteld?" vroeg Erlendur.

"Ja."

"Kon hij jouw visie op de zaak niet begrijpen?" vroeg Elínborg.

"Hij zei dat ik het hem onmiddellijk had moeten vertellen. Dat is natuurlijk best te begrijpen. Hij zei dat hij tegen mij altijd rechtdoorzee was geweest en dat hij dit niet had verdiend."

"Maar toch kan ik het niet helemaal begrijpen", zei Erlendur. "Als ik jou hoor is Albert een heel wat beter mens dan wat we nu te zien krijgen. Ik had eigenlijk gedacht dat hij zou proberen je een hart onder de riem te steken en naast je te staan in deze moeilijkheden, niet dat hij weg zou rennen."

"Dat dacht ik ook", zei Katrín. "Misschien heb ik het hem niet goed verteld."

"Goed verteld", zei Elínborg op een toon waarin doorklonk hoe gechoqueerd ze was. "Hoe kun je zoiets nou goed vertellen?"

Katrín schudde haar hoofd.

"Dat weet ik niet. Ik zweer je, dat weet ik niet."

"Heb je hem de hele waarheid verteld?" vroeg Erlendur.

"Ik heb hem verteld wat ik jullie verteld heb."

"En verder niets?"

"Nee", zei Katrín.

"Alleen maar over de verkrachting?"

"Alleen maar", herhaalde Katrín. "Alleen maar! Of dat niet genoeg is. Of het niet genoeg is dat hij van mij te horen krijgt dat ik ooit verkracht ben en dat hij dat nooit te horen heeft gekregen. Is dat niet genoeg?"

Ze zeiden niets.

"Heb je hem niet over jullie jongste zoon verteld?" vroeg Erlendur uiteindelijk.

Katrín keek hem aan en plotseling spoten haar ogen vuur.

"Wat is er met onze jongste zoon?" zei ze, elk woord afgebeten.

"Je hebt hem Einar gedoopt", zei Erlendur, die de inlichtingen had doorgenomen die Elínborg de dag tevoren over het gezin had verzameld.

"Wat is er mis met Einar?"

Erlendur keek haar aan.

"Wat is er mis met Einar?" herhaalde ze.

"Hij is een zoon van jou", zei Erlendur, "maar hij is geen zoon van zijn vader."

"Waar heb je het over? Geen zoon van zijn vader? Natuurlijk is hij de zoon van zijn vader! Wie is er niet de zoon van zijn vader?"

"Neem me niet kwalijk, ik druk me niet duidelijk genoeg uit. Hij is niet de zoon van de man die hij als zijn vader beschouwde", zei Erlendur rustig. "Hij is de zoon van de man die je verkracht heeft. De zoon van Holberg. Heb je dat aan je man verteld? Is hij er daarom vandoor gegaan?"

Katrín zweeg.

"Heb je hem de hele waarheid verteld?"

Katrín keek Erlendur aan. Hij had het gevoel dat ze zich nog steeds wilde verzetten. Zo verliep er een tijdje en toen zag hij hoe haar lippen begonnen te trillen. Haar schouders zakten omlaag, ze sloot haar ogen, haar lichaam zakte half in elkaar op de bank en ze barstte in tranen uit. Elínborg wierp een felle blik op Erlendur maar hij keek naar Katrín op de bank en gaf haar de tijd om bij te komen.

"Heb je hem over Einar verteld?" vroeg hij ten slotte toen het hem leek dat ze haar evenwicht had hervonden.

"Hij wilde het niet geloven", zei ze.

"Dat Einar niet van hem was?" zei Erlendur.

"De band tussen Albert en Einar is heel nauw en dat is altijd zo geweest. Van de geboorte van de jongen af. Albert houdt natuurlijk ook van zijn andere twee zonen maar heel in het bijzonder van Einar. Meteen vanaf het begin. Hij is de jongste zoon en Albert heeft hem altijd op handen gedragen."

Ze zweeg.

"Misschien heb ik daarom wel nooit iets verteld", zei ze. "Ik wist dat Albert dat niet aan zou kunnen. De jaren gingen voorbij en ik deed of er niets aan de hand was. Zei nooit een woord. En het ging heel goed. Holberg had me met een wond laten zitten en waarom mocht die niet in alle rust dichtgroeien? Waarom zou hij ook nog onze toe-komst samen mogen vernietigen? Dit was mijn methode om met die gruwel om te gaan."

"Wist je dadelijk dat Einar de zoon van Holberg was?" vroeg Elínborg.

"Hij had best een zoon van Albert kunnen zijn."

"Je zag het aan zijn gezicht", zei Erlendur.

Katrín keek hem aan.

"Hoe komt het dat je alles weet?" zei ze.

"Hij lijkt op Holberg, waar of niet?" zei Erlendur. "Holberg toen hij jong was. Hij is in Keflavík gezien en de vrouw die hem zag dacht dat het Holberg zelf was."

"Er bestaat een bepaalde gelijkenis tussen hen."

"Als jij je zoon nooit iets hebt gezegd en je man het niet wist van Einar, waarom sloeg dan nu zo plotseling het uur van de waarheid voor jou en Albert? Wat was de aanleiding?"

"Wat voor vrouw in Keflavík?" vroeg Katrín. "Welke vrouw die in Keflavík woont kende Holberg? Woonde hij daar samen met een vrouw?"

"Nee", zei Erlendur. Hij vroeg zich af of hij over Kolbrún en Auður zou vertellen. Hij wist dat ze vroeg of laat over hen zou horen en zag niet in waarom Katrín de waarheid niet meteen zou mogen weten. Hij had haar al eerder over de verkrachting in Keflavík verteld en nu gaf hij Holbergs slachtoffer een naam en vertelde haar over Auður die op jonge leeftijd aan een zware en moeilijke ziekte gestorven was. Hij vertelde haar hoe ze de foto van de grafsteen in Holbergs bureau gevonden hadden en hoe die foto hen naar Keflavík en Elín geleid had.

En hoe Kolbrún ontvangen was toen ze haar aanklacht indiende.

Katrín luisterde aandachtig naar zijn verhaal. De tranen sprongen haar in de ogen toen Erlendur haar over de dood van Auður vertelde. Hij vertelde haar ook over Grétar, de man met het fototoestel die ze in het gezelschap van Holberg gezien had, hoe hij spoorloos verdwenen was maar nu ingemetseld in de vloer van Holbergs souterrain was teruggevonden.

"Is dat die toestand in Noorderveen die op het nieuws geweest is?" vroeg Katrín.

Erlendur knikte even.

"Ik wist niet dat Holberg nog andere vrouwen verkracht had", zei Katrín. "Ik dacht dat ik de enige was."

"We weten van jullie tweeën", zei Erlendur. "Het zouden er best meer kunnen zijn. Het is niet zeker of we daar ooit achter komen."

"Auður is dus een halfzusje van Einar geweest", zei Katrín diep in gedachten. "Het arme kind."

"Weet je zeker dat je niets van haar geweten hebt?" vroeg Erlendur.

"Natuurlijk weet ik dat zeker", zei ze. "Ik had er geen idee van."

"Einar weet van haar", zei Erlendur. "Hij heeft Elín in Keflavík gevonden."

Katrín gaf geen antwoord. Hij besloot zijn vraag te herhalen.

"Als je zoon niets wist en jij je man hier nooit over verteld hebt, hoe komt het dan dat je zoon nu plotseling de waarheid heeft achterhaald?"

"Dat weet ik niet", zei Katrín. "Wacht eens even, vertel me eens, waar is het arme meisje aan gestorven?"

"Je weet dat je zoon van de moord op Holberg wordt verdacht", zei Erlendur. Hij beantwoordde haar vraag niet. Hij probeerde dat wat hij zeggen moest zo voorzichtig mogelijk onder woorden te brengen. Hij vond dat Katrín verbazend rustig was, net of het haar niet verbaasde dat haar zoon van moord werd verdacht.

"Mijn zoon is geen moordenaar", zei ze zacht. "Hij zou nooit iemand kunnen doden."

"Het is zeer waarschijnlijk dat hij Holberg op zijn hoofd heeft geslagen. Misschien wilde hij hem niet vermoorden. Waarschijnlijk deed hij het in een aanval van woede. Hij heeft een briefje voor ons achtergelaten. Daar stond op: 'Ik ben hem'. Begrijp je wat ik bedoel?"

Katrín zweeg.

"Wist hij dat Holberg zijn vader was? Wist hij wat Holberg jou had aangedaan? Ging hij zijn vader opzoeken? Wist hij van Auður en Elín? Hoe?"

Katrín sloeg haar ogen neer.

"Waar is je zoon nu?" vroeg Elínborg.

"Dat weet ik niet", zei Katrín zacht. "Ik heb al een paar dagen niets van hem gehoord."

Ze keek Erlendur aan.

"Hij wist plotseling van Holberg. Wist dat er iets niet was zoals het zijn moest. Dat ontdekte hij bij het bedrijf waar hij werkt. Hij zei dat het niet langer mogelijk was een geheim weg te stoppen. Hij zei dat het allemaal in de databank zat."

38

Erlendur keek Katrín aan.

"Is het langs die weg dat hij de inlichtingen over zijn echte vader kreeg?"

"Hij kwam erachter dat hij geen zoon van zijn vader kon zijn", zei Katrín zacht.

"Hoe?" vroeg Erlendur. "Waarnaar was hij op zoek? Waarom trok hij zichzelf na in de databank? Was dat toeval?"

"Nee", zei Katrín. "Dat was helemaal geen toeval."

Elínborg vond dat het welletjes was. Ze wilde het verhoor staken en Katrín de kans geven haar evenwicht te hervinden. Ze stond op, zei dat ze water wilde halen en gaf Erlendur een teken dat hij met haar mee moest komen. Hij ging achter haar aan de keuken in. Daar zei Elínborg dat de vrouw voorlopig wel genoeg had doorgemaakt en dat ze haar met rust moesten laten, haar erop moesten wijzen dat ze een advocaat kon raadplegen voor ze nog meer zei. Ze moesten verdere verhoren uitstellen tot later op de dag, met haar gezin praten en iemand vragen om naar haar toe te komen en haar bij te staan. Erlendur wees haar erop dat Katrín niet in hechtenis was genomen, nergens van verdacht werd, dat het geen formeel verhoor was maar slechts een verzamelen van inlichtingen en dat Katrín nu juist erg bereid was om mee te werken. Daarom moesten ze doorgaan.

Elínborg schudde haar hoofd.

"Het ijzer smeden als het heet is", zei Erlendur.

"Moet je jou nou toch eens horen!" siste Elínborg hem toe.

Katrín verscheen in de keukendeur en vroeg of ze niet door zouden gaan. Ze was bereid om hun de waarheid te vertellen en ditmaal niets achter te houden.

"Ik wil dat hier een eind aan komt", zei ze.

Elínborg vroeg of ze contact met een advocaat wilde opnemen maar Katrín zei dat dat niet nodig was. Ze zei dat ze er geen kende, dat ze nog nooit een advocaat nodig had gehad en niet wist hoe ze dat zou moeten aanpakken.

Elínborg keek Erlendur verwijtend aan. Hij vroeg Katrín of ze dan maar niet verder zouden gaan. Toen ze allemaal weer zaten begon Katrín te vertellen. Handen wrijvend en met een droevig gezicht begon ze aan haar verhaal.

Albert moest 's ochtends vliegen. Ze stonden op voor dag en dauw. Zij zette
koffie voor hen. Ze hadden het er voor de zoveelste keer over dat ze het huis
moesten verkopen en een kleiner huis kopen. Ze hadden er al vaak over
gesproken maar er was nooit iets van gekomen. Misschien vonden ze het
wel een te grote stap, net of ze daarmee beklemtoonden dat ze echt op leef-
tijd waren gekomen. Ze vonden zichzelf niet oud maar toch leek het nood-
zakelijk om wat kleiner te gaan wonen. Albert was van plan om met een
makelaar te gaan praten als hij terugkwam. Toen vertrok hij met de jeep.

Zij ging weer naar bed. Ze had nog twee uur voor ze op haar werk
moest zijn maar ze kon niet slapen. Lag wat te draaien tot het acht uur
was. Toen stond ze op. Ze was in de keuken toen ze Einar binnen hoorde
komen. Hij had sleutels van het huis.

Ze zag meteen dat hij van streek was maar ze wist niet waarom. Hij
zei dat hij de hele nacht had wakker gelegen. Banjerde door de kamer en
de keuken en weigerde om te gaan zitten.

"Ik wist dat er iets was dat niet klopte", zei hij met een boze blik op
zijn moeder. "Dat heb ik al die tijd geweten!"

Ze begreep niet waarom hij zo boos was.

"Ik wist dat er iets in deze hele rotzooi was dat niet klopte", herhaalde
hij bijna schreeuwend.

"Waar heb je het over, mijn jongen", zei ze, en ze realiseerde zich nog
niet waarom hij zo boos was, "Wat klopt er niet?"

"Ik heb de code gekraakt", zei hij. "Ik heb de regels overtreden om de
code te kraken. Ik wilde weten of de ziekte familiair is en dat is hij, dat
kan ik je verzekeren. Hij komt in een paar families voor, maar niet in die
van ons. Niet in papa's familie en niet in de jouwe. Daarom klopt het
niet. Snap je het? Snap je wat ik je zeg?"

De mobiele telefoon van Erlendur ging in zijn jaszak en hij vroeg
Katrín of ze hem even wilde verontschuldigen. Hij liep naar de keuken
en antwoordde daar. Het was Sigurður Óli.

"Het oude mens in Keflavík is naar je op zoek", viel hij met de deur
in huis.

"Het oude mens? Bedoel je Elín?"

"Ja, Elín."

"Heb je met haar gepraat?"

"Ja", zei Sigurður Óli. "Ze zei dat ze jou moest hebben en wel
meteen."

"Weet je wat ze wil?"

"Weigerde in alle toonaarden om me dat te vertellen. Hoe gaat het
bij jullie?"

"Heb je haar het nummer van mijn mobiele telefoon gegeven?"

"Nee."

"Als ze weer belt, geef haar dan mijn nummer", zei Erlendur en hij brak af. Katrín en Elínborg zaten in de kamer op hem te wachten. "Neem me niet kwalijk", zei hij tegen Katrín. Zij ging door met haar verhaal.

Einar ijsbeerde door de kamer. Katrín probeerde hem te kalmeren en te begrijpen waarom haar zoon zo van streek was. Ze ging zitten, en vroeg hem bij haar te komen zitten, maar hij luisterde niet naar haar. Liep voor haar heen en weer. Ze wist dat hij het al heel lang moeilijk had en dat zijn scheiding de zaken er niet beter op had gemaakt. Zijn vrouw had hem verlaten. Ze wilde een nieuw leven beginnen. Ze wilde niet aan haar verdriet ten onder gaan.

"Vertel me wat er aan de hand is", zei ze.

"Dat is zo veel, mama, zo ontzettend veel."

En toen kwam de vraag waarop ze al die jaren had gewacht.

"Wie is mijn vader?" vroeg haar zoon en hij bleef voor haar stilstaan. "Wie is mijn echte vader?"

Ze keek hem aan.

"We hebben geen geheimen meer, mama", zei hij.

"Wat heb je ontdekt?" vroeg ze. "Wat heb je zitten doen?"

"Ik weet wie mijn vader niet is", zei hij, "en dat is papa." Hij begon te lachen. "Heb je het gehoord? Papa is mijn vader niet. En als hij mijn vader niet is, wie ben ik dan? Waar kom ik vandaan? Mijn broers zijn plotseling alleen nog maar halfbroers. Waarom heb je me nooit iets verteld? Waarom heb je al die tijd tegen me gelogen? Waarom?"

Ze staarde hem aan en er verschenen tranen in haar ogen.

"Heb je papa bedrogen?" vroeg hij. "Je kunt het me rustig zeggen. Ik zal het aan niemand vertellen. Heb je hem bedrogen? Niemand dan wij tweeën hoeft het te weten, maar ik moet het van je horen. Je moet me de waarheid zeggen. Hoe ben ik ontstaan? Hoe kwam ik er?"

Hij zweeg.

"Ben ik een pleegkind? Een wees? Wat ben ik? Wie ben ik? Mama?"

Katrín barstte uit in bittere tranen, een snikken dat haar bijna de adem benam. Hij, iets rustiger nu, staarde naar zijn huilende moeder op de bank. Zo verliep er enige tijd tot hij zag wat hij had aangericht. Toen kwam hij eindelijk bij haar zitten en sloeg zijn armen om haar heen. Ze zaten een hele tijd zwijgend bij elkaar tot zij hem over de nacht in Húsavík begon te vertellen toen zijn vader op zee was en zij gezellig uit was met haar vriendinnen en die mannen ontmoette, en een ervan was Holberg die haar huis was binnengevallen.

Hij zat stil naar haar verhaal te luisteren.

Ze vertelde hem dat Holberg haar verkracht had en bedreigd, en dat ze toen bij zichzelf besloten had dat ze het kind zou krijgen en nooit zou vertellen wat er gebeurd was. Niet aan zijn vader en niet aan hem. En alles was goed gegaan. Ze hadden een gelukkig leven gehad. Ze had Holberg niet de kans geboden om haar levensgeluk van haar af te nemen. Het was hem niet gelukt haar gezin kapot te maken.

Ze vertelde Einar dat ze altijd geweten had dat hij de zoon was van de man die haar verkracht had. Maar dat had haar er niet van weerhouden om evenveel van hem te houden als van haar beide andere zoons en ze wist dat Albert een heel bijzonder plekje voor hem in zijn hart had. Zo had Einar nooit geleden voor wat Holberg had gedaan. Nooit.

Er verliepen een paar minuten waarin hij probeerde haar woorden tot zich door te laten dringen.

"Vergeef me", zei hij ten slotte. "Ik wilde helemaal niet boos op je worden. Ik dacht dat je hem bedrogen had en dat ik zo op de wereld gekomen was. Ik wist niets van een verkrachting."

"Natuurlijk niet", zei ze. "Hoe had je dat moeten weten? Dit is de eerste keer dat ik iemand heb verteld wat er gebeurd is."

"Die mogelijkheid had ik ook moeten zien", zei hij. "Het was een andere mogelijkheid, maar daar heb ik niet aan gedacht. Vergeef het me. Je moet je al die jaren vreselijk gevoeld hebben."

"Daar moet jij niet over nadenken", zei ze. "Jij moet niet lijden voor wat Holberg gedaan heeft."

"Daar heb ik al voor geleden, mama", zei hij. "Oneindig veel verdriet. En niet alleen ik. Waarom heb je geen abortus laten plegen? Wat weerhield je?"

"Lieve god, zeg dat niet, Einar. Zeg dat nooit."

Katrín zweeg.

"Heb je nooit een abortus overwogen?" vroeg Elínborg.

"De hele tijd. Voortdurend. Totdat het te laat was. Ik heb er elke dag aan gedacht vanaf het moment dat bleek dat ik een kind verwachtte. Ik ging zelfs zover dat ik er met een arts over heb gesproken. Hij onderzocht me en gaf me de raad het niet te doen. Het was heel goed denkbaar dat het kind van Albert was. Waarschijnlijk heeft dat de doorslag gegeven. Na de geboorte werd ik zwaar depressief. Ik weet niet hoe zoiets heet, maar tegenwoordig bestaat er een naam voor depressiviteit na een geboorte. Ik werd voor behandeling naar psychiatrisch ziekenhuis Klepper gestuurd. Na drie maanden was ik weer zover in orde dat ik zelf voor de jongen kon zorgen en sinds-dien heb ik altijd van hem gehouden."

Erlendur wachtte een ogenblik voor hij zijn verhoor voortzette.

"Waarom ging je zoon op zoek naar een erfelijke ziekte in de data-bank van het Instituut voor Erfelijkheidsonderzoek?" vroeg hij ten slotte.

Katrín keek hem aan.

"Waaraan stierf het meisje in Keflavík?" vroeg ze.

"Aan een hersentumor", zei Erlendur. "De ziekte heet neurofibro-matose."

Katrín kreeg tranen in haar ogen en zuchtte diep.

"Weet je het niet?" vroeg ze.

"Wat weet ik niet?"

"Ons lieve meisje stierf drie jaar geleden", zei Katrín. "Op onbegrij-pelijke manier. Volkomen onbegrijpelijk."

"Jullie lieve meisje?" vroeg Erlendur.

"Ons hartendiefje", zei ze. "De dochter van Einar. Ze ging dood. Dat arme, lieve kind."

39

Er heerste een doodse stilte in het huis.

Katrín zat met gebogen hoofd. Elínborg keek als door de bliksem getroffen naar haar en daarna naar Erlendur. Erlendur keek voor zich uit en dacht aan Eva Lind. Wat was ze nu aan het doen? Was ze bij hem thuis? Hij voelde een sterke behoefte om met zijn dochter te praten. Voelde de behoefte haar aan zijn hart te drukken, zich in haar armen te verschuilen en haar niet los te laten voor hij haar verteld had hoeveel ze voor hem betekende.

"Ongelofelijk!" zei Elínborg.

Erlendur keek haar aan. En daarna Katrín.

"Je zoon is drager, nietwaar?" zei hij.

"Dat was het woord dat hij gebruikte", zei Katrín. "Drager. Ze zijn het allebei. Hij en Holberg. Hij zei dat hij dat van mijn verkrachter geërfd had."

"Maar zij worden niet ziek", zei Erlendur.

"Het zijn kennelijk de meisjes die ziek worden", zei Katrín. "De mannen dragen de ziekte maar kunnen vrij van symptomen zijn. Of hoe het ook zit. Maar met die ziekte is van alles mogelijk, ik begrijp het allemaal niet zo. Mijn zoon begreep het. Hij probeerde het aan me uit te leggen maar ik wist niet precies waar hij naartoe wilde. Hij was heel erg van zijn stuk. En ik natuurlijk ook."

"En hij heeft dit ontdekt via de databank die is opgezet", zei Erlendur.

Katrín knikte.

"Hij kon niet begrijpen waarom het arme kind die ziekte kreeg en was er constant naar op zoek in mijn familie en in die van Albert. Hij praatte met verwanten en was niet te stoppen. We dachten dat dit zijn manier was om de klap te verwerken. Al dat onophoudelijke gezoek naar een oorzaak. Een zoeken naar antwoorden waar wij dachten dat er geen antwoorden te vinden waren. Laura en hij zijn een tijdje geleden gescheiden, konden niet langer samenwonen en besloten tijdelijk uit elkaar te gaan, maar ik zie niet dat dit ooit nog in orde komt."

Katrín zweeg weer.

"En toen vond hij het antwoord", zei Erlendur.

"Hij was er zeker van dat Albert zijn vader niet was. Hij zei dat het onmogelijk was gezien de gegevens die hij uit de databank had verkregen. Daarom kwam hij naar mij toe. Hij dacht dat ik een slippertje had gemaakt en dat hij zo op de wereld was gekomen. Of dat hij geadopteerd was."

"Zag hij Holberg in de databank?"

"Dat denk ik niet. Pas later, nadat ik hem over Holberg had verteld. Het was zo ongelofelijk. Zo ongehoord! Mijn zoon had een lijst van zijn mogelijke vaders gemaakt en daar stond Holberg op. Met behulp van de databank en het genealogisch bestand kon hij de ziekte in bepaalde families traceren en zo kwam hij erachter dat hij geen zoon van zijn vader kon zijn. Hij week af. Een andere soort."

"Hoe oud was zijn dochter?"

"De kleine was zeven jaar."

"En ze stierf aan een hersentumor, nietwaar?" zei Erlendur.

"Ja", zei Katrín.

"Ze is aan dezelfde ziekte als Auður gestorven. Een tumor van het centrale zenuwstelsel."

"Ja, het is dezelfde ziekte. De moeder van Auður moet vreselijk geleden hebben; eerst Holberg en toen de dood van het meisje."

Erlendur aarzelde even.

"Kolbrún, haar moeder, pleegde drie jaar na de dood van haar dochtertje zelfmoord", zei hij toen.

"Lieve god", verzuchtte Katrín.

"Waar is je zoon nu?" vroeg Erlendur.

"Dat weet ik niet", antwoordde Katrín. "Ik ben als de dood dat hij zich iets aandoet. Die jongen van mij voelt zich zo ellendig. Zo vreselijk ellendig."

"Denk je dat hij contact met Holberg heeft gehad?"

"Dat weet ik niet. Maar ik weet wel dat hij geen moordenaar is. Dat weet ik zeker."

"Vond je dat hij op zijn vader leek?" vroeg Erlendur met een blik op de foto's van de confirmatie.

Katrín gaf geen antwoord.

"Zag je een gelijkenis?" vroeg Erlendur.

"Waar ben je nou toch mee bezig, man", stootte Elínborg uit. Ze vond het meer dan welletjes. "Vind je nou echt niet dat het wel genoeg is?"

"Neem me niet kwalijk", zei Erlendur tegen Katrín. "Dit heeft natuurlijk niets met het onderzoek te maken. Het is die verdomde drang in mij om alles te willen weten. Je hebt ons enorm geholpen en als het een zekere troost voor je kan zijn: ik betwijfel of er iemand is die steviger in haar schoenen staat of sterker is dan jij, om je verdriet al die jaren zo in stilte te kunnen dragen."

"Het geeft niet", zei Katrín tegen Elínborg. "Kinderen hebben zoveel gezichten. Ik heb nooit Holberg in mijn jongen gezien. Nooit. Hij zei dat het mijn schuld niet was. Einar heeft me dat gezegd. Ik had geen enkele schuld aan de dood van ons meiske."

Ze zweeg.

"Wat gebeurt er nu met Einar?" vroeg ze toen. Er was geen enkele tegenstand meer in haar. Geen leugens. Alleen verslagenheid.

"We moeten hem vinden", zei Erlendur. "Met hem praten en horen wat hij te zeggen heeft."

Elínborg en hij stonden op. Erlendur zette zijn hoed op. Katrín bleef stil op de bank zitten.

"Als je dat wilt kan ik met Albert gaan praten", zei Erlendur. "Hij heeft vannacht in Hotel Esja gelogeerd. We hebben je huis sinds gisteren onder toezicht gehad voor het geval je zoon zich zou vertonen. Ik kan Albert uitleggen wat er aan de hand is. De man komt wel weer tot bezinning."

"Dank je wel", zei Katrín. "Ik zal hem opbellen. Ik weet dat hij terugkomt. We moeten samen achter onze jongen staan."

Ze keek op.

"Hij is onze jongen", zei ze. "Hij zal altijd onze jongen zijn."

40

Erlendur verwachtte niet dat Einar thuis zou zijn. Einar huurde een kleine flat in Stóragerði en Elínborg en hij gingen er vanuit Katríns huis regelrecht naartoe. Het was omstreeks twaalf uur en er was veel verkeer. Onderweg belde Erlendur Sigurður Óli en bracht hem op de hoogte van de stand van zaken. Ze moesten Einar laten omroepen. Een foto van hem vinden om in de kranten en op televisie te zetten met een korte mededeling erbij. Ze spraken af elkaar in Stóragerði te ontmoeten. Toen Erlendur en Elínborg daar aankwamen stapte hij uit en zij reed door.

Erlendur hoefde niet lang op Sigurður Óli te wachten. Einar woonde op de begane grond van een driegezinswoning. Ze belden aan en klopten hard op de deur maar er gebeurde niets. Ze probeerden de bovenverdiepingen en toen kwam aan het licht dat Einar de woning huurde van een van beide eigenaren. Deze was even tussen de middag naar huis gekomen, maar wilde zonder meer met hen mee naar beneden komen om de deur van zijn huurder open te maken. Hij zei dat hij Einar al een paar dagen niet had gezien, misschien zelfs wel een week lang niet; zei dat het een rustige man was, dat hij niets over hem te klagen had, hij betaalde zijn huur altijd op tijd, hij begreep niet wat de politie eigenlijk van hem wilde. Om al te veel speculaties te voorkomen zei Sigurður Óli dat Einars familie hem als vermist had opgegeven en dat zij probeerden te achterhalen waar hij naartoe kon zijn.

De eigenaar van het appartement vroeg niet of ze een huiszoekingsbevel hadden. Dat hadden ze nog niet maar dat zouden ze later op de dag krijgen.

Toen hij de deur had opengemaakt, vroegen ze of hij hen wilde verontschuldigen en gingen naar binnen. De gordijnen voor alle ramen waren dichtgetrokken zodat het binnen donker was. Het was een heel klein appartement. Woonkamer, slaapkamer, keuken en een kleine badkamer. Tapijt op de vloer, behalve in de badkamer, en zeil op de grond in de keuken. Een televisietoestel in de kamer. Een bank voor het toestel. Het was er benauwd. Erlendur trok de gordijnen niet open maar deed in plaats daarvan het licht in de kamer aan en toen konden ze meer zien.

Ze staarden naar de wanden van de woning en keken elkaar aan. De wanden waren overdekt met de woorden die ze zo goed uit de woning van Holberg kenden, geschreven met pennen, markeerstiften en verfspuiten. Drie woorden die onbegrijpelijk geweest waren voor Erlendur maar dat nu niet langer waren.

Ik ben HEM.

Ze gingen verder de woning in.

Dagbladen en tijdschriften lagen overal verspreid, stapels boeken, voorzover Erlendur kon zien wetenschappelijke werken, lagen hier en daar op de grond in de woonkamer en de slaapkamer. Tussen alles in lagen grote fotoalbums. In de keuken lagen lege verpakkingen van kant-en-klaarmaaltijden.

"De afstamming van de IJslanders", zei Sigurður Óli terwijl hij een paar gummihandschoenen aantrok, "kunnen we daar ooit zeker van zijn?"

Erlendur moest aan het erfelijkheidsonderzoek denken. Bij het IJslands Instituut voor Erfelijkheidsonderzoek was men onlangs begonnen de ziektegegevens van alle IJslanders, levenden zowel als doden, bijeen te brengen en daaruit een databank samen te stellen die gegevens bevatte over de gezondheidstoestand van het volk. Deze databank was gekoppeld aan een genealogisch bestand waarin de familie van iedere IJslander tot in de Middeleeuwen werd gevolgd; gesproken werd over een zoektocht naar de erfmassa van de IJslanders. De voornaamste doelstelling was uit te vinden hoe ziekten op erfelijke wijze werden overgedragen, dit na te gaan door de genen te onderzoeken en vervolgens wegen te vinden om deze en andere ziekten indien mogelijk te genezen. Er was sprake van een homogeen volk en weinig vermenging met ander bloed en daarom was het een uitgelezen onderzoeksobject voor de genetica.

Het bedrijf en het ministerie van Welzijn, dat het bedrijf toestemming voor de databank had gegeven, verzekerden dat geen enkele onbevoegde in de databank kon inbreken en beschreven het ingewikkelde systeem van geheime codes waarin de gegevens waren opgetekend, een systeem dat onmogelijk gekraakt kon worden.

"Maak jij je zorgen over je afstamming?" vroeg Erlendur. Hij had ook gummihandschoenen aangetrokken en ging behoedzaam verder de kamer in. Hij pakte een van de fotoalbums op en bladerde het door. Het was een oud album.

"Er werd altijd gezegd dat ik niet op mijn vader leek en niet op mijn moeder en verder ook op niemand anders in de familie."

"Ik heb het altijd al gedacht", zei Erlendur.

"Wat? Wat bedoel je?"

"Dat je een bastaard was."

"Toch leuk dat je je gevoel voor humor weer terug hebt", zei Sigurður Óli. "Je bent de laatste tijd nogal ongenaakbaar geweest."

"Wat voor gevoel voor humor?" zei Erlendur.

Hij keek de foto's door. Het waren oude zwartwitfoto's. Op enkele ervan dacht hij Einars moeder te herkennen. De man op de foto's zou dan Albert wel zijn en de drie jongens hun zonen. Einar de jongste van de drie. Het waren foto's die met Kerstmis en in vakanties genomen waren en sommige foto's gewoon doordeweeks, op straat genomen of in de keuken waar de jongens aan tafel zaten in gebreide truien met patronen die Erlendur zich uit die periode herinnerde. De tijd voor 1970. De oudere broers hadden lange haren gekregen. Een stel foto's uit het buitenland. Zo te zien Tivoli in Kopenhagen.

Verderop in het album waren de jongens ouder en hun haren langer. Ze hadden pakken aan met brede revers en nette schoenen met hoge hakken. Katrín met getoupeerd haar. De foto's nu in kleur. Albert begon kaal te worden. Erlendur zocht Einar en toen hij zijn gezicht vergeleek met dat van zijn broers en zijn ouders zag hij hoe weinig hij op hen leek. De twee andere jongens vertoonden een sterke gelijkenis met hun ouders, vooral met hun vader. Einar was het lelijke jonge eendje.

Hij legde het oude album neer en pakte een wat recenter album. De foto's hierin had Einar waarschijnlijk zelf van zijn eigen gezin genomen. Ze toonden een niet even lange geschiedenis. Zo te zien had Erlendur het leven van Einar opgepakt in de tijd dat hij zijn vrouw leerde kennen. Hij vroeg zich af of het foto's uit de verkeringstijd waren. Ze waren het hele land doorgereisd. Naar Hornstrandir geweest, leek hem. Þórsmörk. Herdubreidarlindir. Soms zaten ze op de fiets. Soms in een oude auto. Foto's in tenten. Erlendur veronderstelde dat ze uit het midden van de jaren tachtig stamden.

Hij bladerde het album snel door, legde het toen weg en pakte het album dat hem het allernieuwste leek. Daarin zag hij een klein meisje in een ziekenhuisbed met slangen in haar armen en een zuurstofmasker voor haar gezicht. Haar ogen waren gesloten en ze was omringd door medische apparatuur. Zo te zien lag ze op een intensive care. Hij aarzelde even voor hij verder bladerde.

Hij schrok toen zijn mobiele telefoon opeens begon te rinkelen. Hij legde het album terzijde zonder het te sluiten. Het was Elín uit Keflavík en ze was erg opgewonden.

"Hij was vanochtend bij me", viel ze met de deur in huis.

"Wie?"

"De broer van Auður. Hij heet Einar. Ik heb geprobeerd je te pakken te krijgen. Hij was vanochtend bij me en vertelde me hoe alles in elkaar zit, arme man. Hij heeft net als Kolbrún zijn dochter verloren. Hij wist waar Auður aan gestorven is. Het is een ziekte in Holbergs familie."

"Waar is hij nu?" vroeg Erlendur.

"Hij was vreselijk depressief", zei Elín. "Hij zou wel eens iets stoms kunnen doen."

"Wat bedoel je, iets stoms?"

"Hij zei dat het uit was."

"Wat uit was?"

"Dat zei hij niet. Zei alleen maar dat het uit was."

"Weet je waar hij zit?"

"Hij zei dat hij weer naar Reykjavík ging."

"Naar Reykjavík? Waar in Reykjavík?"

"Dat zei hij niet", antwoordde Elín.

"Zei hij wat hij van plan was?"

"Nee", zei Elín. "Daar had hij het niet over. Je moet hem zien te vinden voor hij iets stoms uithaalt. Die man voelt zich vreselijk ellendig. Het is verschrikkelijk. Werkelijk verschrikkelijk. Goede god, ik heb nog nooit zoiets meegemaakt."

"Wat?"

"Hij lijkt zo op zijn vader. De man lijkt sprekend op Holberg en daar kan hij niet mee leven. Kan het niet. Niet nadat hij gehoord had wat Holberg zijn moeder had aangedaan. Hij zegt dat hij in het lichaam van Holberg zit opgesloten. Hij zegt dat het bloed van Holberg door zijn aderen vloeit en dat hij dat niet kan hebben."

"Waar heeft hij het over?"

"Het lijkt wel of hij zichzelf haat", zei Elín. "Hij zegt dat hij niet langer de man is die hij was, maar een ander en hij geeft zichzelf de schuld van wat er gebeurd is. Wat ik ook zei, het maakte niets uit, hij luisterde niet naar me."

Erlendur keek naar het fotoalbum, naar het meisje in het ziekenhuisbed.

"Waarom wilde hij jou zien?"

"Hij wilde over Auður horen. Alles over Auður. Wat voor meisje ze was. Hoe ze stierf. Hij zei dat ik zijn nieuwe familie was. Kun je je zoiets voorstellen?"

"Waar zou hij naartoe kunnen zijn?" zei Erlendur, op zijn horloge kijkend.

"Probeer hem in godsnaam te vinden voor het te laat is."

"We doen ons best", zei Erlendur. Hij wilde het gesprek beëindigen maar voelde dat Elín aarzelde. "Hé, is er nog iets?" vroeg hij.

"Hij zag jullie Auður opgraven", zei Elín.

"Zag hij dat?"

"Hij had mijn adres achterhaald en ging ons achterna naar het kerkhof en zag jullie de kist uit het graf tillen."

Erlendur scherpte de zoektocht naar Einar aan. Foto's van hem werden over de politiebureaus van Reykjavík en omgeving en in de voornaamste plaatsen van het land verspreid; een bericht werd aan de media gezonden. Hij gaf het bevel dat ze de man met rust moesten laten; als hij gezien werd, moesten ze meteen contact met Erlendur opnemen maar verder niets doen. Hij belde kort met Katrín die zei dat ze niet wist waar haar zoon heen was. Haar twee oudste zonen waren bij haar. Ze had hun de waarheid verteld. Ze wisten niet waar hun broer was. Albert bleef de hele dag op zijn kamer in Hotel Esja. Hij telefoneerde tweemaal, beide malen naar zijn bedrijf.

"Wat een vervloekte tragedie!" mompelde Erlendur op zijn weg terug naar het bureau. Ze hadden niets in Einars woning gevonden dat hun een aanwijzing bood waar hij zou kunnen zitten.

De dag verstreek en ze verdeelden de werkzaamheden onder elkaar. Elínborg en Sigurður Óli gingen met de ex-vrouw van Einar praten en Erlendur ging naar het Instituut voor Erfelijkheidsonderzoek. Het pasgebouwde riante onderkomen van het bedrijf stond aan de Vesturlandsvegur. Het telde vier verdiepingen. Strenge bewaking bij de ingang. Twee beveiligingsfunctionarissen ontvingen Erlendur in de prachtige hal. Hij had zich van tevoren aangekondigd en de directeur van het bedrijf had zich genoopt gezien om hem een onderhoud van enkele minuten toe te staan.

De directeur was een van de eigenaren van het bedrijf, een IJslandse cytogeneticus die in Engeland en in de Verenigde Staten was opgeleid en het denkbeeld had geopperd dat IJsland een bij uitstek geschikte plek was om erfelijkheidsonderzoek te doen met in het achterhoofd de productie van geneesmiddelen. Met behulp van de databank was het mogelijk alle ziektedossiers in het land op één plaats bijeen te brengen en daaruit informatie over de gezondheidstoestand te verkrijgen die nuttig kon zijn bij het zoeken naar beschadigde genen.

De directeur ontving Erlendur in haar kantoor. Het was een vrouw van ongeveer vijftig jaar, ze heette Karítas, was slank en tenger met kort pikzwart haar en had een vriendelijke glimlach. Ze was kleiner dan Erlendur zich van de beelden op televisie had voorgesteld, en hartelijk. Ze begreep niet wat de recherche van het bedrijf wilde, maar bood Erlendur een stoel aan. Terwijl hij de IJslandse moderne kunst aan de muren bekeek vertelde hij haar zonder omwegen dat er reden was om aan te nemen dat er op onwettige wijze in de databank was ingebroken en dat er gegevens uit waren verkregen die bepaalde personen zouden kunnen schaden. Hij wist zelf niet precies waar hij het over had maar zij leek het wel te weten. En tot grote opluchting van Erlendur verdeed ze geen tijd aan lange verhalen. Hij had op weerstand gerekend. Een samenzwering om te zwijgen.

"De zaak ligt zo gevoelig vanwege de persoonsgegevens", zei ze zodra Erlendur was uitgesproken, "en daarom moet ik je vragen om dit absoluut onder ons te houden. We zijn er al een tijdje van op de hoogte dat iemand zich op onwettige manier toegang tot de databank heeft verschaft. We hebben de zaak hier binnenskamers onderzocht. Onze verdenkingen gaan in de richting van een bepaalde bioloog met wie we niet meer hebben kunnen praten omdat het lijkt of hij van de aardbodem verdwenen is."

"Einar?"

"Inderdaad, Einar. We zijn nog bezig met het vormgeven van de bank, als ik het zo mag zeggen, en we willen begrijpelijkerwijze niet dat de mensen vernemen dat het mogelijk is om de geheime code te kraken en naar believen in de databank te neuzen. Dat begrijp je wel. Hoewel het in deze zaak feitelijk niet om de geheime code gaat."

"Waarom hebben jullie de zaak niet aan de politie gemeld?"

"Zoals ik al zei wilden we de zaak zelf zien op te lossen. Dit is een groot probleem voor ons. De mensen vertrouwen erop dat de gegevens die in de bank worden opgeslagen niet aan de grote klok worden gehangen of met dubieuze bedoelingen worden gebruikt of zelfs regelrecht gestolen. Zoals je misschien weet ligt deze zaak in onze samenleving heel erg gevoelig en we wilden proberen om massahysterie te voorkomen."

"Massahysterie?"

"Soms is het net of het hele volk tegen ons is."

"Heeft hij de code gekraakt? Waarom draait deze zaak niet om de code?"

"Wat kun jij het laten klinken als iets uit een slecht romannetje! Nee, hij heeft geen code gekraakt. Eigenlijk niet. Hij pakte het anders aan."

"Hoe dan?"

"Hij zette een onderzoeksproject op waar geen toestemming voor gegeven was. Hij vervalste handtekeningen. Onder andere de mijne. Hij deed of het bedrijf bezig was met een onderzoek naar de erfelijkheid van een tumorziekte die hier in een paar families wordt aangetroffen. Hij draaide de Computercommissie, die een soort toezichthoudende

functie bij de databank heeft, een rad voor ogen. Hij draaide de Wetenschappelijke Commissie een rad voor ogen. Hij draaide ons hier een rad
voor ogen.''

Ze zweeg even en keek op haar horloge. Ze stond op, liep naar haar
bureau en belde haar secretaris. Ze stelde een vergadering tien minuten uit en kwam weer bij Erlendur zitten.

"Het proces is tot nu toe als volgt geweest,'' zei ze.

"Het proces?'' vroeg Erlendur.

Karítas keek hem nadenkend aan. De telefoon in Erlendurs jaszak
rinkelde, hij verontschuldigde zich en nam op. Sigurður Óli was aan
de lijn.

"De Technische Dienst neemt momenteel Einars woning in Stóragerði onder handen'', zei hij. "Ik heb hen opgebeld en ze hebben zo
goed als niets gevonden behalve dat Einar zich twee jaar geleden een
wapenvergunning heeft verschaft.''

"Een wapenvergunning?'' herhaalde Erlendur.

"Hij staat bij ons geregistreerd. Maar dat is niet alles. Hij bezit een
jachtbuks en we vonden de afgezaagde loop onder het bed in zijn
kamer.''

"De loop?''

"Hij heeft de loop eraf gezaagd.''

"Bedoel je ... ?''

"Dat doen ze soms. Maakt het gemakkelijker om jezelf dood te
schieten.''

"Denk je dat hij gevaarlijk kan zijn?''

"Als we hem vinden'', zei Sigurður Óli, "moeten we hem heel voorzichtig aanpakken. Je kunt onmogelijk weten wat hij met een geweer
wil gaan doen.''

"Hij zal er wel niet iemand mee gaan vermoorden'', zei Erlendur,
die overeind gekomen was en met zijn rug naar Karítas toe was gaan
staan om wat privacy te hebben.

"Waarom niet?''

"Dan had hij het al gebruikt'', zei Erlendur zacht. "Voor Holberg.
Denk je niet?''

"Dat weet ik nog zo net niet.''

"Tot zo'', zei Erlendur, hij zette zijn telefoon af en verontschuldigde
zich nogmaals voor hij weer ging zitten.

"Tot nu toe hebben we de volgende procedure gevolgd'', zei Karítas
alsof er geen onderbreking was geweest. "Wij vragen de genoemde
instanties toestemming om aan een bepaald wetenschappelijk onderzoek te mogen beginnen, als in het geval van Einar, een onderzoek

naar de erfelijkheid van een bepaalde ziekte. We krijgen een versleutelde namenlijst van degenen die de ziekte hebben of waarschijnlijk drager van de ziekte zijn en die vergelijken we met een versleutelde genealogische databank. Daaruit ontstaat een versleutelde stamboom."

"Als een boodschappenboom", zei Erlendur.

"Hè?"

"Nee, ga door."

De Computercommissie decodeert de lijst met namen van degenen die we willen onderzoeken, de zogenaamde selectiegroep, zowel zieken als familieleden, en maakt dan een lijst van deelnemers en hun persoonsnummer. Kun je het volgen?"

"En op die manier kwam Einar in het bezit van de namen en persoonsnummers van iedereen die de ziekte gekregen heeft, en dat tot ver terug in het verleden van een familie?"

Ze knikte instemmend.

"Gaat dit allemaal via de Computercommissie?"

"Ik weet niet hoe diep je hierin wilt duiken. Wij werken samen met artsen bij verschillende instellingen. Zij geven de Commissie de namen van de patiënten, de commissie versleutelt hun namen en persoonsnummers en stuurt ze door naar het Centrum voor Erfelijkheidsonderzoek. We hebben een speciaal genealogisch computerprogramma dat de zieken volgens bepaalde overeenkomsten groepeert. Met dit programma kunnen we de zieken kiezen die ons de meeste getalsmatige gegevens verschaffen bij onze zoektocht naar beschadigde genen. Bepaalde personen uit zo'n groep wordt daarna verzocht of ze aan het onderzoek deel willen nemen. Het belang van het genealogisch onderzoek is gelegen in het nagaan of het om een familiaire ziekte gaat en in het samenstellen van een goede doelgroep. Zo is het genealogisch onderzoek een krachtig hulpmiddel bij de zoektocht naar beschadigde genen."

"Einar hoefde dus alleen maar net te doen of hij een onderzoeksgroep samenstelde en kon op die manier de versleuteling van de namen opgeheven krijgen, alles met behulp van de Computercommissie."

"Hij loog, bedroog en bedonderde en zo lukte hem dit."

"Ik zie dit probleem voor jullie."

"Einar is een van de hoogste bazen hier en een van onze beste wetenschappers. Een doodgoeie man. Waarom heeft hij dit gedaan?" vroeg de directeur.

"Hij verloor zijn dochter", zei Erlendur. "Wist je dat niet?"

"Nee", zei ze, Erlendur aanstarend.

"Hoelang heeft hij hier gewerkt?"

"Twee jaar."

"Het gebeurde kort daarvoor."

"Hoe verloor hij zijn dochter?"

"Aan een erfelijke zenuwziekte. Hij was drager maar wist niet dat de ziekte in zijn familie bestond."

"Een verkeerde vader?" vroeg ze.

Erlendur gaf haar geen antwoord. Vond dat hij wel genoeg gezegd had.

"Dat is een van de problemen als je een genealogische databank van dit type opzet", zei ze. "Ziekten hebben de neiging om enigszins toevallig uit een stamboom te verdwijnen en dan duiken ze op waar je ze wel op de laatste plaats verwacht."

Erlendur stond op.

"En jullie bewaren al deze geheimen", zei hij. "Oude familiegeheimen. Tragedies, verdriet en dood, alles netjes in computers gerubriceerd. Verhalen over families en verhalen over individuen. Verhalen over mij en verhalen over jou. Jullie bewaren al die geheimen en kunnen ze tevoorschijn halen wanneer jullie maar willen. Een Glaspaleis voor het hele volk."

"Ik weet niet waar je het over hebt", zei Karítas. "Een Glaspaleis?"

"Nee, natuurlijk niet", zei Erlendur, hij groette en vertrok.

42

Toen Erlendur die avond thuiskwam was er nog niets van Einar vernomen. Einars familie was in het huis van zijn ouders bij elkaar gekomen. Albert had zich na een emotioneel telefoongesprek met Katrín laat in de middag uit het hotel uitgeschreven en was naar huis gegaan. Daar waren hun oudste zonen al met hun vrouw en even later voegde ook Einars ex-vrouw zich bij hen. Elínborg en Sigurður Óli hadden eerder op de dag met haar gesproken, maar zij had gezegd dat ze er geen idee van had waar Einar zich zou kunnen ophouden. Hij had al ongeveer een halfjaar geen contact meer met haar opgenomen.

Eva Lind kwam niet lang na Erlendur thuis en hij vertelde haar het een en ander over het onderzoek. De vingerafdrukken die in de woning van Holberg gevonden waren, kwamen overeen met de vingerafdrukken die ze in Einars woning aan Stóragerði hadden genomen.

Hij was uiteindelijk zijn vader gaan opzoeken en het zag ernaar uit dat hij hem had vermoord.

Erlendur vertelde Eva Lind ook over Grétar. De enige plausibele theorie over zijn verdwijning en dood was dat Grétar Holberg op de een of andere manier gechanteerd had, hoogstwaarschijnlijk met foto's. Het was niet zeker wat er precies op die foto's stond maar gezien wat ze in handen hadden, achtte Erlendur het niet ondenkbaar dat Grétar foto's genomen had van Holbergs praktijken, misschien zelfs van verkrachtingen waar ze niets van wisten en die waarschijnlijk ook nooit meer aan het licht zouden komen. De foto van Auðurs grafsteen wees erop dat Grétar geweten had wat er speelde, dat hij deze wetenschap zelfs als getuige had kunnen gebruiken, en dat hij inlichtingen over Holberg verzameld had, wellicht met de bedoeling hem geld af te persen.

Zo praatten ze tot laat op de avond met elkaar terwijl de regen op de ruiten beukte en de herfstwinden gierden. Ze vroeg hem waarom hij zijn borstkas de hele tijd bijna onwillekeurig zat te masseren. Erlendur vertelde haar over de pijn in zijn borst. Hij dacht dat het aan zijn oude matras lag maar Eva Lind zei hem dat hij naar de dokter moest gaan. Hij stribbelde tegen.

"En waarom wil je niet naar de dokter gaan?" vroeg ze en Erlendur had er meteen spijt van dat hij haar over de pijn had verteld.

"Het is niets", zei hij.

"Hoeveel heb je er vandaag gerookt?"

"Wat krijgen we nou?"

"Hoor eens even, je hebt pijn in je borst, rookt als een schoorsteen, beweegt je alleen maar per auto, leeft op gefrituurde rotzooi en verdomt het om naar je te laten kijken. En dan presteer je het om mij zo vreselijk de les te lezen dat ik er als een klein meisje bij zit te janken. Vind je dat normaal? Heb je ze wel allemaal bij elkaar?"

Eva Lind was opgestaan en torende als een dondergod boven haar vader uit, die het niet waagde naar haar op te kijken en beteuterd voor zich uit keek.

O, lieve god, dacht hij bij zichzelf.

"Ik zal ernaar laten kijken", zei hij toen.

"Ernaar laten kijken! Of je ernaar laat kijken!" schreeuwde Eva Lind. "En dat had je al heel lang geleden moeten laten doen. Slappeling!"

"Meteen morgen", zei hij en hij keek zijn dochter aan.

"Het is je geraden", zei ze.

Erlendur ging net naar bed toen de telefoon ging. Het was Sigurður Óli die hem vertelde dat de politie een melding had gekregen dat er in het lijkenhuis aan de Barónsstígur was ingebroken.

"Het lijkenhuis aan de Barónsstígur", herhaalde Sigurður Óli toen hij geen reactie van Erlendur kreeg.

"Verdomme", zei Erlendur met een zucht. "En verder?"

"Dat weet ik niet", zei Sigurður Óli. "De melding kwam net binnen. Ze belden mij op en ik zei dat ik contact met jou zou opnemen. Er zijn geen verdere feiten over de inbraak bekend. Is er daar nog iets anders dan lijken?"

"Ik zie je daar", zei Erlendur. "Laat de patholoog-anatoom ook komen", voegde hij eraan toe en hij legde neer.

Eva Lind lag te slapen in de woonkamer toen hij zijn jas aantrok, zijn hoed opzette en op de klok keek. Het was al middernacht. Hij deed de deur zachtjes achter zich dicht om zijn dochter niet te wekken, ging snel de trap af en stapte in zijn auto.

Toen hij bij het mortuarium aankwam stonden er drie politieauto's met zwaailichten voor de deur. Hij herkende de wagen van Sigurður Óli en net toen hij naar binnen ging zag hij de patholoog-anatoom met zo'n vaart de hoek om komen dat zijn banden over het natte asfalt gierden. De arts zag er ontstemd uit. Erlendur haastte zich de lange gang in waar agenten stonden en ook Sigurður Óli, die uit de snijkamer kwam.

"Het is niet mogelijk te zien of er iets weg is", zei Sigurður Óli toen hij Erlendur de gang in zag stormen.

"Wat is er gebeurd?" vroeg Erlendur. Ze gingen samen de snij-kamer binnen. De snijtafels waren leeg, alle kasten dicht en er was niets daarbinnen wat op een inbraak wees.

"Er waren hierbinnen voetstappen over de hele vloer maar die zijn nu bijna opgedroogd", zei Sigurður Óli. "Het huis heeft een alarmin-stallatie die in verbinding staat met een veiligheidscentrale en die heb-ben vijftien minuten geleden contact met ons gezocht. Het ziet ernaar uit dat degene die hier heeft ingebroken een ruit aan de achterkant heeft ingeslagen en zo bij het slot is gekomen. Niet erg ingewikkeld. Zodra hij naar binnen ging pikte de installatie hem op. Hij heeft niet veel tijd gehad om iets te ondernemen."

"Vast en zeker genoeg tijd", zei Erlendur. De patholoog-anatoom had zich inmiddels bij hen gevoegd en was zichtbaar overstuur.

"Wie breekt er nou verdomme in een lijkenhuis in?" zei hij zuch-tend.

"Waar zijn de lichamen van Holberg en Auður?" vroeg Erlendur.

De patholoog-anatoom keek Erlendur aan.

"Staat dit in verband met de moord op Holberg?" vroeg hij.

"Dat zou heel goed kunnen", zei Erlendur. "Vlug, vlug, vlug!"

"De koelruimte is hiernaast", zei de arts en ze liepen achter hem aan naar een deur die hij opende.

"Is deze deur nooit op slot?" vroeg Sigurður Óli.

"Wie steelt er nou lijken?" snauwde de dokter maar bleef als door de bliksem getroffen staan toen hij het vertrek inkeek.

"Wat is er aan de hand?" vroeg Erlendur.

"Het meisje is weg", zei de arts op een toon of hij zijn eigen ogen niet kon geloven. Hij liep snel door het vertrek, opende een ruimte achterin en deed het licht aan.

"En?" vroeg Erlendur.

"Haar kist is ook weg", zei de arts. Hij keek beurtelings naar Sigurður Óli en naar Erlendur. "We hadden een nieuwe kist voor haar gekregen. Wie doet er nou zoiets? Wie krijgt zoiets bespottelijks in zijn kop?"

"Hij heet Einar", zei Erlendur. "En het is niet bespottelijk!"

Hij ging er als een haas vandoor. Sigurður Óli liep vlug achter hem aan het mortuarium uit.

213

43

Er was die nacht weinig verkeer op de weg naar Keflavík en Erlendur reed zo snel als zijn tien jaar oude Japanse autootje kon halen. De regen gutste zo hard tegen de voorruit dat de ruitenwissers het niet bij konden benen en Erlendur dacht aan de keer dat hij Elín de eerste maal ging bezoeken, nu een paar dagen geleden. Het leek wel of het nooit meer op zou houden met regenen.

Hij had Sigurður Óli opdracht gegeven om de politie in Keflavík te vragen klaar te staan om in te grijpen en ervoor te zorgen dat ze assistentie van de politie in Reykjavík kregen. Ook moest hij contact opnemen met Einars moeder Katrín en haar de stand van zaken melden. Zelf zou hij regelrecht naar het kerkhof rijden in de hoop dat Einar daar met de stoffelijke resten van Auður naartoe was. Hij kon zich niets anders voorstellen dan dat Einar van plan was zijn zusje weer aan de aarde toe te vertrouwen.

Toen Erlendur bij het hek van het kerkhof in Sandgerði aankwam zag hij daar de auto van Einar staan met twee open portieren, aan de kant van de bestuurder en een van de achterportieren. Erlendur zette zijn motor af, stapte uit, de regen in, en bekeek Einars auto. Hij kwam overeind en spitste zijn oren, maar hoorde slechts de regen die loodrecht op de aarde neerviel. Het was windstil en hij keek naar de zwarte hemel. In de verte zag hij een licht boven de deur van de kerk en toen hij zijn blik over het kerkhof liet gaan, zag hij een lichtpuntje op de plaats van het graf van Auður.

Hij dacht dat hij beweging bij het graf zag.

En de kleine witte kist.

Hij ging er voorzichtig op af en sloop zachtjes in de richting van de man die volgens hem Einar moest zijn. Het licht kwam van een krachtige gaslamp die de man had meegebracht en op de grond naast de kist stond. Erlendur stapte langzaam de lichtkring binnen en de man merkte hem op. Hij zag op van zijn bezigheden en keek Erlendur in de ogen.

Erlendur had foto's gezien van de jonge Holberg en de gelijkenis was treffend. Het voorhoofd was laag en licht gewelfd, de wenkbrauwen dik, de ogen stonden dicht bij elkaar, in het magere gezicht vielen de jukbeenderen op en de tanden stonden licht naar voren. De neus was dun, de lippen ook, de kin fors en de hals lang.

Ze keken elkaar een tijdje aan.

"Wie ben je?" vroeg Einar.

"Ik ben Erlendur. Ik ben belast met de zaak-Holberg."

"Verbaast het je hoezeer ik op hem lijk?" vroeg Einar.

"Er bestaat een zekere gelijkenis", zei Erlendur.

"Je weet dat hij mijn moeder verkracht heeft", zei Einar.

"Dat is jouw schuld niet", zei Erlendur.

"Hij was mijn vader."

"Dat is ook niet jouw schuld."

"Je had dit niet mogen doen", zei Einar, naar de kist wijzend.

"Ik was van mening dat ik dit moest doen", zei Erlendur. "Ik heb ontdekt dat ze aan dezelfde ziekte gestorven is als jouw dochter."

"Ik ga haar op haar plaats terugleggen", zei Einar.

"Dat is goed", zei Erlendur en schuifelde dichter naar de kist toe. "Je wilt dit hier vast en zeker ook in het graf leggen." Einar hield de zwarte leren tas omhoog die hij sinds zijn bezoek aan de verzamelaar in zijn auto bewaard had.

"Wat is dat?" vroeg Einar.

"De ziekte", zei Erlendur.

"Ik begrijp niet ..."

"Het is een van Auðurs organen. Ik vind dat we dat bij haar moeten bewaren."

Einar keek van de tas naar Erlendur en van Erlendur naar de tas, er niet zeker van wat hij moest doen. Erlendur schoof nog dichterbij tot hij de kist bereikt had, die tussen hen stond, zette de tas op de kist en stapte voorzichtig achteruit naar waar hij eerst stond.

"Ik wil gecremeerd worden", zei Einar plotseling.

"Je hebt nog een heel leven om dat te regelen", zei Erlendur.

"Juist ja, een heel leven", zei Einar met luider wordende stem. "Wat is dat? Wat is een heel leven als het maar zeven jaar duurt? Kun je me dat vertellen? Wat voor een leven is dat?"

"Dat kan ik je niet zeggen", zei Erlendur. "Heb je het geweer bij je?"

"Ik heb met Elín gepraat", zei Einar zonder hem te antwoorden. "Dat weet je waarschijnlijk. We hebben het over Auður gehad. Mijn zusje. Ik wist van haar bestaan maar niet dat ze mijn zusje was, dat wist ik pas later. Ik zag jullie haar uit het graf halen. Ik kon Elín goed begrijpen toen ze je wilde aanvallen."

"Hoe wist je van Auður?"

"Uit de databank. Ik vond iedereen die aan deze bepaalde variant van de ziekte was overleden. Toen wist ik nog niet dat ik de zoon van Holberg was en dat Auður mijn zusje was. Dat ontdekte ik pas later. Hoe ik verwekt was. Toen ik het mijn moeder vroeg."

Hij keek Erlendur aan.

"Nadat ik ontdekt had dat ik de drager van een erfelijke ziekte was."

"Hoe heb je Holberg en Auður met elkaar in verband gebracht?"

"Door de ziekte. Deze variant ervan. De hersentumor komt heel zelden voor."

Einar zweeg een tijdje en begon toen te vertellen, geordend en zonder omwegen of sentimentaliteit, alsof hij zich erop had voorbereid dat hij een nauwkeurig verslag van zijn daden zou moeten geven. Hij verhief zijn stem niet maar sprak op een en dezelfde lage toon, die soms tot een fluistering afzakte. De regen viel op de aarde en op de kist en het holle geluid ervan weerklonk in de stille nacht.

Hij vertelde hoe zijn dochter toen ze vier jaar was plotseling ziek was geworden. Het bleek moeilijk om de ziekte te diagnosticeren en er verliepen maanden voor de artsen tot de conclusie kwamen dat er sprake was van een zeldzame neurologische ziekte. Aangenomen werd dat deze ziekte erfelijk werd overgedragen en slechts in bepaalde families voorkwam en het verbazingwekkende was dat de ziekte noch in de familie van vaderskant noch in die van de moeder van zijn dochter was te vinden. Er was daarom sprake geweest van een soort afwijking of variant waarvoor de artsen in feite geen verklaring hadden tenzij er een soort sprongmutatie had plaatsgevonden.

Hun werd verteld dat de ziekte in de hersenen van het meisje zat en dat zij er waarschijnlijk binnen enkele jaren aan zou sterven. Daarop volgde een periode die Einar naar hij zei niet aan Erlendur kon beschrijven.

"Heb je kinderen?" vroeg hij in plaats daarvan.

"Twee", zei Erlendur. "Een jongen en een meisje."

"Wij hadden alleen maar haar", zei hij. "En we zijn van elkaar gescheiden toen ze van ons wegging. Op de een of andere manier was er niets dat ons bij elkaar hield dan het verdriet, de herinneringen en het gevecht in het ziekenhuis. Toen dat allemaal voorbij was leek het of ons leven ook voorbij was. Dat er niets meer restte."

Einar zweeg en sloot zijn ogen alsof hij in slaap ging vallen. Het regenwater droop over zijn gezicht.

"Ik was een van de eerste medewerkers van het nieuwe bedrijf", vervolgde hij. "Toen we toestemming kregen om de databank op te zetten en we ermee begonnen te werken, leek het of ik weer tot leven kwam. Ik kon me niet verzoenen met de antwoorden die de artsen gaven. Ik moest verklaringen zoeken. Er ontwaakte weer belangstelling in me om uit te vinden op welke manier de ziekte in mijn dochter gekomen was, als dat tenminste mogelijk was. De gezondheidsbank is verbonden met een reusachtig groot genealogisch bestand en het is mogelijk beide bestanden te koppelen, en als je weet waarnaar je op zoek bent en over de geheime code beschikt, dan kun je zien waar de ziekte voorkomt en hem door de hele stamboom volgen. Je kunt zelfs de afwijkingen zien. Afwijkingen zoals ik. En Auður.''

"Ik heb met Karítas van het Instituut voor Erfelijkheidsonderzoek gepraat'', zei Erlendur. Hij vroeg zich af hoe hij tot Einar kon doordringen. "Zij beschreef me het bedrog. Het is allemaal zo nieuw voor ons. Een mens begrijpt niet precies wat je met al die verzamelde gegevens kunt doen. Wat er voor informatie in zit en wat iemand eruit kan aflezen.''

"Ik had er een vermoeden van gekregen. De artsen van mijn dochter waren er vrijwel zeker van dat de ziekte erfelijk was. Eerst dacht ik dat ik gewoon een adoptiekind was en dat zou waarachtig beter geweest zijn. Dat ze me officieel hadden geadopteerd. Maar toen begon ik mijn moeder te verdenken. Ik bracht haar er met een voorwendsel toe om me wat bloed af te staan. Mijn vader ook. Vond niets in hen. In geen van beiden. Ik vond de ziekte in mezelf.''

"Maar je hebt er geen kenmerken van?''

"Bijna geen'', zei Einar. "Ik ben bijna doof aan één oor. Er zit een tumor bij de gehoorzenuw. Goedaardig. En ik heb pigmentvlekken.''

"Café-au-lait vlekken?''

"Jij hebt je huiswerk gedaan. Ik zou ziek geworden kunnen zijn door een genmutatie. Een sprongmutatie. Maar de andere mogelijkheid leek me waarschijnlijker. Ten slotte had ik de namen van een paar mannen waarvan het denkbaar was dat mijn moeder er contact mee had gehad. Holberg was er een van. Moeder vertelde me meteen hoe alles in elkaar zat toen ik met mijn vermoedens bij haar kwam. Hoe ze over de verkrachting gezwegen had en dat ik nooit onder mijn herkomst gebukt had hoeven te gaan. Integendeel. Ik ben de jongste zoon'', zei Einar ter verklaring. "De benjamin.''

"Ik weet het'', zei Erlendur.

"Wat een nieuws!'' schreeuwde Einar de stille nacht in. "Ik was niet de zoon van mijn vader. Mijn vader was de verkrachter van mijn moeder; ik was de zoon van een verkrachter; hij had me een beschadigd gen gegeven dat mij nauwelijks schaadde maar de dood van mijn dochter veroorzaakte; ik had een halfzusje die aan dezelfde ziekte gestorven was. Ik heb het nog steeds niet helemaal begrepen, heb er nog steeds niet helemaal de vinger op kunnen leggen. Toen mijn moeder me over Holberg vertelde begon mijn bloed te koken en raakte ik werkelijk buiten mezelf van woede. Het was een weerzinwekkende man."

"Toen begon je hem op te bellen."

"Ik wilde zijn stem horen. Wil niet ieder vaderloos kind zijn vader ontmoeten?" vroeg Einar met een glimlach op zijn lippen.

"Al was het maar één keer."

44

Het was van lieverlee minder hard gaan regenen en eindelijk droog geworden. Het licht van de gaslamp wierp een goudgeel schijnsel over de grond en het regenwater dat in beekjes over het pad langs de graven stroomde. Ze stonden bewegingloos tegenover elkaar met de kist tussen hen in en keken elkaar aan.

"Hij moet geschrokken zijn toen hij je zag", zei Erlendur ten slotte. Hij wist dat de politie op weg naar het kerkhof was en wilde de tijd die hij nu met Einar had goed gebruiken voor de kermis begon. Hij wist ook dat Einar bewapend kon zijn. Hij zag het jachtgeweer wel niet maar kon niet uitsluiten dat hij het bij zich had. Einar hield één hand onder zijn jas.

"Je had zijn gezicht moeten zien", zei Einar. "Het leek of hij een spook uit het verleden zag en dat spook was hij zelf."

Holberg stond in de deuropening en keek naar de jonge man die had aangebeld. Hij had hem nooit eerder gezien maar toch herkende hij het gezicht onmiddellijk.

"Hallo, pappie", zei Einar hatelijk. Hij kon zijn woede niet verbergen.

"Wie ben jij?" vroeg Holberg, duidelijk verbaasd.

"Je zoon toch", zei Einar.

"Wat voor de … Heb jij me steeds opgebeld? Ik wil je vragen om me met rust te laten. Ik ken je absoluut niet. Je hebt ze kennelijk niet allemaal op een rijtje."

Ze waren ongeveer even groot, maar waar Einar helemaal niet op verdacht was geweest, was hoe oud Holberg leek en hoe ziekelijk. Als hij sprak hoorde je het rochelende geluid van jarenlang roken diep uit zijn keel komen. Hij had een ongezond uitziend grof gezicht, met donkere kringen onder zijn ogen, het vuile grijze haar kleefde aan zijn hoofd. Een huid vol rimpels. Gele vingertoppen. Hij had licht gebogen schouders en kleurloze, doffe ogen.

Holberg wilde de deur sluiten maar Einar was sterker en duwde hem met behulp van de deur naar binnen, kwam ook de woning binnen en deed de deur dicht. Meteen rook hij de lucht. Als van paarden, maar erger.

"Wat hou jij hier verstopt?" zei Einar.

"Scheer je onmiddellijk weg." Holbergs stem werd schril toen hij dit Einar toeschreeuwde en achteruit verder de kamer in liep.

"Ik heb het volste recht om hier te zijn", zei Einar terwijl hij om zich heen keek naar de boekenkast en de computer in de hoek. "Ik ben je zoon. De verloren zoon. Mag ik je iets vragen, pappie? Heb je behalve mijn moeder nog meer vrouwen verkracht?"

"Ik bel de politie!" Nu hij zich opwond viel het rochelende geluid meer op.

"Dat wordt de hoogste tijd", zei Einar en Holberg aarzelde.

"Wat wil je van me?" vroeg hij.

"Je hebt er geen idee van wat er gebeurd is en het kan je niets schelen. Het laat je Siberisch! Heb ik geen gelijk?"

"Dat gezicht", zei Holberg zonder de zin af te maken. Hij keek met zijn kleurloze ogen naar Einar en bestudeerde hem lange tijd totdat hij begon te begrijpen wat Einar tegen hem zei, dat hij zijn zoon was. Einar zag hem aarzelen. Zag hoe hij zich het hoofd brak over wat hij hem gezegd had.

"Ik heb nog nooit in mijn hele leven iemand verkracht", zei Holberg ten slotte. "Dat is allemaal één grote leugen. Ze zeiden dat ik een dochter in Keflavík had gekregen en haar moeder diende een aanklacht in wegens verkrachting maar ze kon het nooit bewijzen. Ik werd niet veroordeeld."

"Weet je wat er van die dochter van je geworden is?"

"Ik geloof dat ze jong gestorven is. Ik heb nooit contact met haar of haar moeder gehad. Dat kun je toch wel begrijpen. Ze klaagde me aan wegens verkrachting!"

"Ben je op de hoogte van sterfgevallen van kinderen in je familie?" vroeg Einar.

"Waar heb je het over?"

"Zijn er kinderen in jouw familie gestorven?"

"Wat speelt hier eigenlijk?"

"Ik ken een paar gevallen vanaf ongeveer 1900. Een ervan was je zusje."

Holberg staarde Einar aan.

"Wat weet jij van mijn familie?" zei hij. "Hoe ..."

"Je broer. Twintig jaar ouder dan jij. Ongeveer vijftien jaar geleden gestorven. Verloor zijn dochtertje in het jaar 1941. Jij was toen elf jaar. Jullie waren met zijn tweeën en kwamen met zo'n lange tussenpoos op de wereld."

Holberg zei niets en Einar ging door.

"De ziekte had met jou moeten verdwijnen. Jij had de laatste drager moeten zijn. Je was de laatste in de rij. Ongehuwd. Geen kinderen. Geen gezin. Maar je was een verkrachter. Een ellendige, verdomde, verrotte verkrachter!"

Einar zweeg en keek Holberg met een van haat vervulde blik aan.

"En nu ben ik het die de laatste drager is."

"Waar heb je het over?"

"Auður kreeg de ziekte van jou. Mijn dochter kreeg hem van mij. Zo simpel ligt dat. Ik heb het in de databank gezien. Er zijn sinds de dood van Auður in deze familie geen nieuwe ziektegevallen voorgekomen, met uitzondering dan van mijn dochter. Wij tweeën zijn de laatsten."

Einar kwam een stap naderbij, pakte de zware asbak op en woog hem in zijn handen.

"En nu is het uit", zei hij.

"Ik ging daar niet naar binnen om hem te doden", zei Einar. "Hij moet gedacht hebben dat hij in groot gevaar verkeerde. Ik weet niet waarom ik die asbak heb opgepakt. Misschien wilde ik hem naar hem toegooien. Misschien wilde ik hem aanvallen. Maar hij was me voor. Viel mij aan en pakte mijn hals tussen zijn handen maar ik gaf hem een klap tegen zijn hoofd en toen viel hij op de grond. Ik deed het zonder er een seconde bij na te denken. Ik was woedend en had hem even zo goed kunnen aanvallen. Ik had erover zitten denken hoe onze ontmoeting zou aflopen, maar dit had ik helemaal niet voorzien. Helemaal niet. Hij sloeg met zijn hoofd tegen de tafel, viel toen op de grond en begon te bloeden. Toen ik me naar hem over boog wist ik dat hij dood was. Ik keek om me heen, zag papier en een potlood en schreef dat ik hem was. Dat was de enige gedachte die ik in mijn hoofd had vanaf het moment dat ik hem in de deur zag staan. Dat ik hem was. Dat ik die man was. En dat die man mijn vader was."

Einar keek in het open graf.

"Er staat water in", zei hij.

"Daar vinden we wat op", zei Erlendur. "Als je een geweer bij je hebt moet je dat nu maar aan mij geven." Erlendur schoof langzaam in zijn richting maar het leek of het Einar koud liet.

"Kinderen zijn kleine filosofen", zei hij. "Mijn dochter vroeg me een keer in het ziekenhuis: 'Waarom hebben we ogen?' Ik zei dat dat was om ons te laten kijken."

Einar zweeg even.

"Ze verbeterde me", zei hij als bij zichzelf.

Hij keek Erlendur aan.

"Ze zei dat het was om ons te laten huilen."

Opeens leek het of hij een besluit nam.

"Wie ben je als je niet jezelf bent?" vroeg hij.

"Kalm maar", zei Erlendur.

"Wie ben je dan?"

"Het komt allemaal goed."

"Ik wilde het niet op deze manier maar nu is het te laat."

Erlendur realiseerde zich niet wat Einar zei.

"Het is uit."

Erlendur keek naar hem bij het flauwe licht van de gaslamp.

"Het is nu uit", zei Einar.

Erlendur zag hem het geweer onder zijn jas vandaan halen. Hij richtte het eerst op Erlendur die voorzichtig dichterbij gekomen was. Erlendur bleef staan. Plotseling draaide Einar de loop naar zich toe en plaatste hem op zijn hart. Hij deed het bliksemsnel. Erlendur nam een sprong en schreeuwde Einar toe. De luide knal van het schot verbrak de avondlijke stilte op het kerkhof. Erlendur kon even niets horen. Hij stortte zich op Einar en ze vielen samen op de grond.

45

Er waren van die momenten waarop hij zich voelde of zijn leven ten einde was en alleen zijn lichaam nog overeind stond en met lege ogen in de zwarte nacht keek.

Erlendur stond aan de rand van het graf en keek naar Einar die naast het grafje lag. Hij pakte de gaslamp, scheen omlaag en zag dat Einar dood was. Hij zette de lamp weg en begon aan het karwei om de kist in de aarde te krijgen. Maar eerst maakte hij de kist open, zette de glazen pot erin en deed hem weer dicht. Het was zwaar werk voor hem alleen om de kist te laten zakken, maar ten slotte lukte het hem. Hij vond een schep die bij de hoop aarde was achtergelaten. Nadat hij het kruisteken over de kist had gemaakt, begon hij de aarde erover-heen te scheppen en hij kromp ineen bij elke keer dat de zware aarde met een donker, hol geluid op de kist neerkwam.

Hij pakte het witte hekje dat gebroken naast het graf lag en pro-beerde het op zijn plaats terug te zetten en met inspanning van al zijn krachten zette hij de grafsteen weer overeind.

Hij was bijna klaar met zijn werk toen de eerste auto's aan kwamen rijden en hij de kreten van mensen hoorde die naar het kerkhof kwa-men. Hij hoorde Sigurður Óli en Elínborg hem om de beurt roepen. Hij hoorde andere vrouwenstemmen en stemmen van mannen die door de autolichten beschenen werden zodat hun schaduw in het nachtelijk duister reusachtige afmetingen kreeg. Hij zag de lichtstralen van zaklantarens en dat werden er steeds meer en ze kwamen dichterbij.

Hij zag dat Katrín erbij was en even later zag hij ook Elín. Hij zag dat Katrín met een vragende blik hem aankeek en toen haar duidelijk werd wat er gebeurd was, wierp ze zich huilend over Einar heen en nam hem in haar armen. Hij probeerde haar niet tegen te houden. Hij zag Elín naast haar knielen.

Hij hoorde Sigurður Óli vragen of het goed met hem was en zag Elínborg het geweer oprapen dat op de grond was gevallen.

Hij zag nog meer politie komen toestromen en in de verte de flitslichten van de fototoestellen als kleine bliksemschichten.

Hij keek op. Het was weer gaan regenen, maar hij had het gevoel dat de regen zachter was geworden.

Einar werd naast zijn dochter op het kerkhof in Grafarvogur begra-ven. De begrafenis was in stilte.

Erlendur had nog contact met Katrín. Hij vertelde haar over de ontmoeting tussen Einar en Holberg. Hij noemde het zelfverdediging maar Katrín wist dat hij probeerde haar verdriet te verzachten. Hij wist hoe ze zich voelde.

Het bleef maar regenen, maar de herfststormen hadden hun grootste kracht verloren. Binnenkort kwam de winter eraan met zijn vorst en zijn duisternis. Hij zag er niet tegenop.

Omdat zijn dochter er maar op bleef aandringen ging hij eindelijk naar de dokter. De dokter zei dat de pijn op zijn borst het gevolg was van beschadiging van het kraakbeen en waarschijnlijk te wijten was aan een slechte matras en een algeheel gebrek aan beweging.

Toen Erlendur en Eva Lind op een dag aan de kokendhete vleessoep zaten, vroeg hij haar of hij de naam mocht kiezen als ze een meisje kreeg. Ze zei dat ze al verwacht had dat hij voorstellen zou gaan doen.

"Hoe wil je haar noemen?" vroeg ze.

Erlendur keek haar aan.

"Auður", zei hij. "Het lijkt me een goed idee haar Auður te noemen."